歴史に学ぶ
「未来」のつくり方

Invention and Innovation《インベンション・アンド・イノベーション》

A Brief History of Hype and Failure

Vaclav Smil
バーツラフ・シュミル

栗木さつき
訳

河出書房新社

Invention and Innovation　目次

Invention and Innovation
歴史に学ぶ「未来」のつくり方

第1章　発明《インベンション》とイノベーション——その長い歴史と現代の狂騒

私たち人類の進化は身体と行動が変化してきた歴史であり、さまざまな発明の成果と密接に結びついている。

発明は大きく四つのカテゴリーに分類される。第一のカテゴリーは、多種多様ながら単純なつくりの「手製の道具」だ。私たちの祖先は二足歩行ができるようになると両手を使って複雑な手順の作業をこなすようになり、初めて石器をつくった。遺跡や洞窟で発見されたものから推測するに、道具作りの進歩のスピードは遅々としたものだった。最古の粗石器は３００万年以上前につくられ、それより大きく手の込んだ握斧《にぎりおの》や握槌《にぎりづち》が誕生したのは約１５０万年前にすぎず、柄が木製の石槍《せきそう》が登場したのは50万年ほど前、そして2万５０００年ほど前になってようやく後期旧石器時代の狩猟民たちが手斧、斧、銛《もり》、針、のこぎり、それに付随する土器などの道具をつくる技術を編みだした。

作物栽培の普及は、数々の農具の発明があってこそだ。馬を乗用のために家畜化できたのは、馬銜《はみ》や頭絡《とうらく》が発明されてからだ（あぶみや鞍《くら》が登場したのはだいぶあと）。また、役畜《えきちく》には犂《すき》や荷車や荷馬車を牽引《けんいん》させるための特別な道具が必要だったし、馬には頸環《くびわ》や手《た》綱《づな》や腹帯、牛にはくびき〔訳注：後頸《こうけい》にかける横木〕が必要だった。やがて、すべての定住社会が木で家具をつくり、陶磁器をデザインして焼き、鉱石を製錬して道具や武器をつくりはじめ、なかにはその技術に秀でていた社会もあった。現代社会はいまでも金槌《かなづち》やのこぎり、木製の椅子やベンチ、カップや皿といった単純なつくりの製品に頼っていて、その数は膨大だが、機械化が進み、職人が手をかけた製品はわずかな割合を占めるにすぎない。

発明の第二のカテゴリーに分類されるのは「機械」だ。新たに開発された機械は、程度の差こそあれ複雑な装置やメカニズムで、固定して利用するか、輸送のために利用した。大型水車、風車、石を積みあげた高炉（水車を動力にして革製のふいごで送風する）、外洋帆船といったものは、このカテゴリーでもっとも注目すべき近代以前の発明だ。19世紀末になると、〈シアーズ〉という百貨店の通信販売カタログには懐中時計から、小型ミシン、大型小麦脱穀機にいたる数千もの商品が掲載されるようになった。そして近年、新製品の数々は「過剰」という言葉をまさに体現している。世界の市場には１０００機種以上の携帯電話があふれ、アメリカには約７００車種もの乗用車があるのだから（新車の大半はＳＵＶ、ピックアップトラック、バンであり、もう「カー」とはいえないのかもしれない）〔訳注：英語の“car”には通常トラックなどは含まれない〕。

新たなアイデアは具現化しなければならない――シンプルかつ実用的な道具や複雑な機械を実際につくらなければならないのだ。なかでも複雑な自動組立機は現代の工場で活用され、高度なオートメーション化が進んでいる。自動車メーカーはライン作業に頼っていて、部品を運び、溶接し、塗装し、組み立てる工程をすべてロボットに任せている。

いっぽう、簡単に入手できる石材や木材では、限られた範囲の道具や機械や構造物しかつくることができない。よって、発明の第三のカテゴリーに分類されるのは「新素材」だ。石や木を材料としていた時代から、金属、合金、化合物を材料とする時代にいたるまでずっと、新素材は文明の進歩の度合いを明示してきた。この第三のカテゴリーは青銅の発明とともに誕生し、のちに鉄や鋼鉄（鉄に炭素をくわえた合金）やアルミニウムなど10種類ほどのコモンメタル、それにガラスやセメント（さまざまな原料が混ざっている）が登場した。19世紀末にはプラスチックがくわわり、その種類はいまだに増えている。そして、現時点における最新の素材は、鋼鉄より軽くて強い炭素繊維複合材料だ。

　発明の第四のカテゴリーに分類されるのは、製造、操業、管理の新たな「方法」だ。これには、ちょっとした工夫で経済的な見返りが得られる改善から、大量生産、情報収集、データ処理における高度なオートメーション化といった根本的な改革までが含まれ、その種類は多岐にわたる。このカテゴリーで注目すべき重要な発明は、１９０４年にマイケル・オーエンスが開発した「自動製びん機」だ。それまでは数世紀にわたって、びんは1本ずつガラスを吹いて製造しなければならず、19世紀末に初めて半自動式の機械が誕生した。とはいえ、どちらの製法においても、現場では雇った児童に溶かしたガラスを運ばせ、扱わせ、型から外させていた。１８９９年には、アメリカでは７０００人以上の少年たちが高温かつ危険な環境で雇われていて、そのようすを撮影した写真も残っている。当時、これほど劣悪な環境に身を置いていたのは、炭鉱の奥深くで働かされていた児童くらいだろう。これに対して、オーエンスが開発した機械は溶解炉から直接ガラスを流し込むことができたので、いっさい人の手を借りずに全工程を終えられた。半自動式の機械ではびんを1時間当たり２００本製造できていたのだが、オーエンスの初期のモデルでさえ、１時間当たり２５００本の製造が可能になったのである（図１・１）。

　第二次世界大戦後、大量生産の大半の手法は電子制御の導入により効率が上がり、コストは削減され、スピードも上がり、大きく形を変えた。いまでは炊飯器やコーヒーメーカーでさえ、電子で制御されている。電子はデータの収集、処理、配布においてより大きな影響力をもつようになった。第二次世界大戦中、「カリキュレーター」や「コンピュータ」はまだ「計算手《けいさんしゅ》」という意味をもっていて、

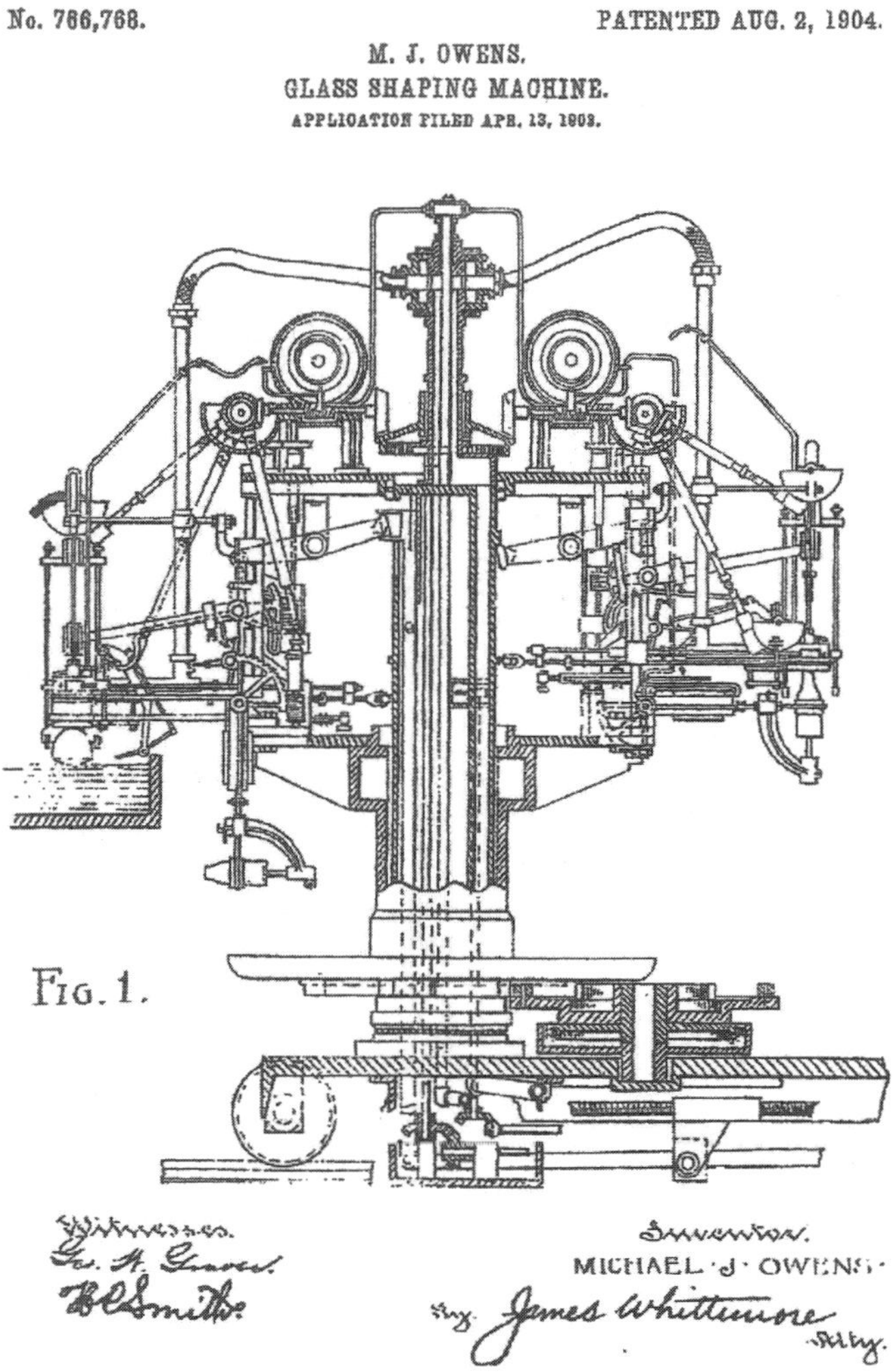

図 1.1　マイケル・オーエンスが発明したガラス成形機。トレドガラス会社が出願した米国特許。出典：M. Owens, Glass-shaping machine（US Patent 766,768、1903 年 4 月 13 日出願、1904 年 8 月 2 日設定登録）、https://patents.google.com/patent/US766768

退屈なデータ入力やデータ処理に従事する（おもに若い）女性たちを指す用語だった。ところがいまでは、どれほど小型のノートパソコンであろうと、マイクロプロセッサが搭載されていない１９６０年代後半の（当時としては最先端の）コンピュータよりはるかにすぐれた処理能力をもっている。さらに現代の電子機器の種類は、飛翔する昆虫の背中に装着できるほど極小の監視装置から、高い電力需要に対応すべく電気料金が安い地域に設置された巨大データサーバーまで多種多様だ。

イノベーションとはなにか――その失敗と成功

「発明《インベンション》」と「イノベーション」という単語の意味は重なる部分も多いが、イノベーションとは新たな材料、製品、プロセス、アイデアを取り入れ、習得し、活用する過程として理解すればいい。いくら発明があろうと、それにふさわしいイノベーションをともなわない例も多く、その不協和音が大きい最たる例が旧ソビエト連邦だろう。ソ連の名誉のために申し添えるが、かの国は著名な科学者を輩出してきたし、自然科学系のノーベル賞受賞者も８人いる（低温物理学の業績を認められたランダウとカピッツァ、レーザーとメーザーの発明を認められたバソフとプロホロフなど）。さらに国家が軍事技術の研究開発に対して多額の資金投入を優先したため、兵器開発においてはアメリカの進歩に比肩するまでになった。

かつてソ連は４万５０００発の核弾頭を保有していた。また、〈ミグ29〉と〈スホーイ25〉は実戦配備された世界最高の戦闘機に数えられた。アメリカの技術者たちは世界初のステルス機を設計する際に、ソ連の物理学者ピョートル・ウフィムツェフが編みだした方程式を利用し、さまざまな形状の航空機に対する電波の反射を予測していた。ソ連はまた世界でもっとも重要なエネルギー部門でもリードしていた。ソ連の科学者や技術者はシベリアに炭化水素が豊富に埋蔵されている土地を発見し、世界最大の石油・ガス産業を発展させ、当時、世界最長だったパイプラインを建設し、ヨーロッパの原油と天然ガスの需要のかなりの割合を満たすようになった。

しかし、１９９１年に崩壊を迎える頃には（すばらしいことに武力は行使されなかった）、ソ連は第一次産業から消費者の基本的な需要を満たす産業までにいたる場で、イノベーションのギャップに直面していた。鋼鉄は現代文明における主要金属であり、ＥＵ、北米、日本の製鋼では１９５０年代に外部燃料を使わない転炉への転換を進め、１９９０年代初頭にはもはや平炉は利用しなくなっていた。ところがソ連最後の時代では、１８６０年代に導入した19世紀の製鋼法を変わらず利用していて、国の粗鋼生産量の半分近くを生みだしていた。さらに、ジーンズからパソコンにいたる一般消費財の大量生産におけるイノベーションの遅れに国民は不満を溜めており、これがソビエト連邦終焉《しゅうえん》の一因となったことに間違いはない。

ソ連のイノベーションの失敗とは対照的に、中国の１９９０年以降の経済発展は多種多様な国外の発明を迅速に模倣し、イノベーションを大規模に実現させた最新の例であり、歴史的にも類を見ない。中国経済の規模が14倍になり、平均年収が11倍になったのは（いずれも実質ベース）、空前のスケールで応用可能な発明が国内から生みだされたからではなく、その数十年前（近年では数年前）に国外で習得したデバイスの製造法や手法をすぐに取り入れ、国内で大規模に応用してきたからだ。こうした努力を国内で続けてきたうえ、数兆ドルもの海外直接投資を敢行したからこそ、最新の機械、デザイン、工程を実現できるようになったのである。こうした動きにともない、特許権の取得や、中国市場に参入しようとしのぎを削るアメリカ、ヨーロッパ、日本といった外国企業のノウハウ流出において法的な問題が生じるようになり、産業スパイが広範に暗躍するようになった。

中国共産党はソ連崩壊からぬかりなく教訓を学んでいた。ゴルバチョフのように改革など不可能な政治体制を改革しようと統制を緩めるような真似はせず、まったく前例のない規模でイノベーション主導の経済成長を実現させ、生活の質を急速に改善し、一党支配をさらに強化したのである。１９７２年２月、リチャード・ニクソン大統領が「中国開放」訪問をおこなったあと、中国が実施した最初の商取引は、アメリカのＭ・Ｗ・ケロッグ社が設計した世界最先端のアンモニア製造プラントの購入だった。中国では人口が急増しているにもかかわらず、現代的な肥料産業が発展していなかったため、ふたたび大飢饉《だいききん》に見舞われないようにするには、化学肥料の原料となるアンモニアが必須だったのだ。

その後、トヨタ、日立、日本製鉄、ＧＭ（ゼネラルモーターズ）、フォード、ボーイング、インテル、シーメンス、ダイムラーといった多国籍企業を筆頭に、数千もの外国企業が中国に進出したが、たいてい合弁事業の形をとらざるをえなかった。そのため、すべてのノウハウを中国と共有することになり、中国側はリバースエンジニアリング〔訳注：分解や解析などを通じて製品の構造を理解し、情報を入手すること〕の機会を得た。こうして中国は後発組であったにもかかわらず、国外の完成した発明品を利用して巨大なイノベーションの波を起こし、その波に乗ったのである。もちろん、日本は１９５０年代から、韓国も１９７０年代から似たような道を歩んできたが、その過程で画期的なイノベーションを生みだしただけではなく、創意工夫に富む経済活動を続けてきた。たとえばソニーは家電製品の開発において当初はトップランナーだったし、トヨタは「ジャスト・イン・タイム」生産方式により過剰在庫を解消して生産性を向上させ、サムスン、ＳＫハイニックス、ＬＧ、松下電器（パナソニック）といった企業は高性能マイクロプロセッサ、携帯電話、バッテリーなどを開発してきた。ひるがえって、中国ではいまのところ、これら日韓の企業と比べられるほど重要で、グローバルに受け入れられ、商業的に成功している例はない（ファーウェイは含めるべきだという意見はあるかもしれないが）。

イノベーションは加速化している？

多くの歴史家や経済学者が発明の長い足跡を振り返り、その進歩のスピードが加速化していることに感嘆したのもふしぎはない。産業革命の時代でさえ、18世紀にはそれほど発明は多くなかったし、技術もゆるやかに進歩したにすぎなかったが、19世紀に入ると画期的な発明の数々が次から次へと誕生し、大きな成果をあげはじめた。さらに20世紀になってからの進歩は、それ以上に目覚ましいといえるだろう。経済史学者のジョエル・モキイアが指摘したように、20世紀には世界大戦が2度も起こり、それぞれが長引いたうえ、全体主義国家が台頭し、その支配をヨーロッパとアジアで拡大していったにもかかわらず、だ。

過去にこうした大惨事が生じていれば、数百年にわたって景気が後退したり、社会全体の活動が停滞したり、野蛮な行為が横行したりしていただろう。だが20世紀に入ると、なにをもってしてもイノベーションの加速化を止めることはできず、工業化・産業化した世界の大半で急成長が起こったのだ。

「イノベーションは加速化している」という考え方は、20世紀後半から21世紀初頭にかけて絶え間なく唱えられた決まり文句だ。しかし、いくら特許登録件数が増えたところで、イノベーションの加速化を示す証拠にはならない（特許登録件数が多すぎると、少し変更をくわえた製品を製造しにくくなるし、影響力のある発見に対して部分的な改善がしにくくなる）。それでも、米国特許商標庁（USPTO）が登録した特許の10年ごとの累積数は、外国人に対するものも含めて19世紀最初の10年ではわずか９１１件だったが、１８９０年代には25万件近くに増えていることは認めざるをえない。その後も、20世紀最初の10年では約34万件だったが、１９９０年代には約１６５万３０００件に増加し、２００年間で２０００倍近くに膨れあがったのである。

もちろん、特許権の登録件数の総数などという単純な数字はエビデンスとしては不適切で、誤解を招きやすいうえ、なかにはあきらかに疑わしい出願もあったし、どう見たところで常軌を逸している工作品もあった。１９３２年には、アルフォード・ブラウンとハリー・ジェフコットが、米国特許商標庁が登録を認めた出願のなかから奇天烈《きてれつ》な例を集めて示したほどだ。プロの審査官がどうして「改良型埋葬法」（棺《ひつぎ》に入れられたとしても、万が一、意識が回復したら梯子《はしご》を上り、棺や墓から脱出できる埋葬法）や「えくぼ製造器」といった代物《しろもの》に特許権を認めたのか、首をひねるのも当然だ。「そんな軽薄な特許がもう認められているはずはない」と思われた諸氏は、ぜひ、エレクトロニック・フロンティア財団（Electronic Frontier Foundation）のウェブページ「今月のもっともバカげた特許」（Stupid Patent of the Month）を定期的にチェックするといい。愚かな特許出願を認めている例には事欠かないことがよくわかるだろう。

なかでも、２０１３年に登録された米国特許公報番号 8,609,158B2 は突出している。この発明品の説明文を下記に長々と引用するのは、特許登録のプロセスにはいまだに信用の置けないところがあることを示したいからだ。そもそも、この特許はダイアン・エリザベス・ブルックスという発明家が発案した「マナ」〔訳注：『出エジプト記』で神がイスラエルの民のために天から降らせた食べ物〕なる製品のために出願したものである。

> 独自の手法で組み合わせ、加工した交換可能な種子の抽出物で製造した麻酔効果のある薬で、高

い効果があり、うつ病、気分障害、注意欠如、思考障害、精神疾患、痛み、右唇遅滞症状、身体の不調、悪性リンパ腫といったさまざまな病気の症状を軽減、または除去できる。１〜２週間も服用すれば首のこぶがとれる。大半の場合、交換が可能……非常に強力かつ有効であるため、少量を服用すれば、注意欠如・多動症の子どもを正常に戻せる。有効性の高い気分安定剤であり、精神病を軽くする。がん患者や痛みに苦しむ人に投薬すべき。効果あり。

こんな言い分が実際に認められたのだから驚くほかないが、こうした「わけがわからない」発明品のカテゴリーのなかには、徹底して事実を列挙した出願も多く、その好例が２０１２年の米国特許公報番号D670,286S1だ。これはアップル社（出願者10名のなかにはスティーブ・ジョブズとチーフデザイナーのジョナサン・アイブの名前もある）が出願した発明品で、例の角が丸い長方形デザインの「ポータブル・ディスプレイ装置」だ（図１・２）。

もうひとつだけ、「わけがわからない」発明品の例を紹介させてもらいたい。スーザン・R・ハーシュなる人物による特許出願は「犬の鼻にこびりついた汚れを第一の面でぬぐい、第二の面で犬の鼻のアートへと転換するキットおよび手法」であり、めずらしいことに、この特許はまだ認められていない。

出願された特許を評価する方法にはいくつかパターンがあり、真に革新的な発明を見抜くやり方もある。発明のスピードが加速化していると考える人が多いなか、質的にも量的にも改善されているものはたやすく見分けがつくのだ。また、その成果は発明された時点で完了するものではなく、未来に向けて加速化する進歩の基盤として見なさなければならない。

現代の発明は、私たちが技術、環境、社会において直面しているあらゆる問題を解決する輝かしい

図 1.2　アップル社が特許を出願した米国特許公報番号 D670,286S1（2012 年 11 月設定登録）。申請書 3 枚目のイラストでは「ポータブル・ディスプレイ装置」のデザインが示されている。いまではよく知られるようになった、例の丸みを帯びた角が特徴の四角形のデザインだ。出典：J. Akana et al., Portable display device（US Patent D670,286S1、2010 年 11 月 23 日出願、2012 年 11 月 6 日設定登録）、https://patents.google.com/patent/USD670286

救済になるという使命を帯びるようになった。しかも、その解決策はささやかな進歩や段階を踏む発展ではなく、「破壊的」、「社会を一変させる」、「革命的」などと形容される始末だ。食料から長寿の実現、エネルギーから移動手段まで、ありとあらゆる分野で世界を一変させるような発明がいまにも登場するだろうと、まことしやかに言われているのだ。

　私たちはすでに栄養失調に苦しむ人の数を世界人口の10分の1未満にまで減らしてきたのだから、食料不足を完全に解消することくらいお手のものだろう——そのついでに、気候を調整できる超高層ビルで食料を生産したり、完全栄養食のカプセル剤を口に放り込んだりすれば、もう農作物に依存せずにすむようになるのでは？　この2世紀ほどのあいだに富裕国では平均寿命が2倍に延びたことだし、遺伝子をうまく操作すれば寿命をまた2倍以上に延ばすことも、ＣＲＩＳＰＲ《クリスパー》といったゲノム編集技術で不老不死を実現することも可能だよね？　それに、やはりこの２００年で、スピードこそ異なるものの、富裕国では1人当たりのエネルギー消費量を数倍にしてきたのだから、独創的な発明でエネルギー源をすべて再生可能なものに変えて、化石燃料を排除することもできるのでは？　陸上では時速３００キロメートル程度で移動できるようになったし、空中では音速に近いスピード（時速１０００キロ弱）で飛べるようになったのだから、地下や空中の真空チューブ内を超音速《スーパーソニック》で移動したり、旅客機で大西洋をほんの数時間で横断したりすることもできるよね？

　現代の発明が指数関数的な（どんどん速くなる）ペースで量産されていることを考えれば、こうした目標を立てるのもそれほど無謀ではないし、非現実的な野心には当たらないという話をよく耳にする。だが、ここで肝心なのは数学で、これだけは避けることができない。指数関数的な成長が長期にわたって続き、ついには「シンギュラリティ」、つまり「技術的特異点」に達し、ひとつの機能が無限の価値をもつようになり、万事が即座に可能になることを立証するには、数学が欠かせないのだ。

よって、ＡＩ（人工知能）が加速度的に進化を遂げて人類の知能を超えるシンギュラリティに達するという壮大な仮説を信奉するカルトに入信する必要はない。彼らのありふれた主張でさえ、とんでもない内容であるうえ、次から次へと新たなお題目が登場しているのだ。疾患の治療（アルツハイマー型認知症の治療薬）、電気エネルギーの貯蔵（前例のないエネルギー密度のバッテリーの発明）、ほかの惑星を居住可能にする（火星の惑星地球化《テラフォーミング》）など、あらゆる問題に革新的な解決策が誕生するという説は枚挙にいとまがない。だが、これまでのところ、現実はそれほど胸躍るものではない。よって本書では、大げさな謳《うた》い文句や幻想《ファンタジー》にすぎない世界ではなく、ありのままの現実の姿を折に触れて伝えていきたい。

「失敗したイノベーション」の三つのカテゴリー

念のためにお断りしておくが、本書では大惨事を招くことになった設計ミスの数々（１９１２年の〈タイタニック〉沈没や１９８６年のスペースシャトル〈チャレンジャー〉爆発事故といったよく知られている悲劇を含む）について論じるつもりはないし、商業的な失敗（日本ビクターが開発したビデオテープレコーダーの規格ＶＨＳに敗れたソニーのベータマックスなど）や、企業が肩入れしたものの不評に終わった例（フォード社の〈エドセル〉や〈ピント〉、メガネ型デバイスの〈グーグルグラス〉など）もとりあげない。技術進歩に詳しい歴史家たちが、こうした失敗の数々についてはすでに論文で詳細に論じていて、第一次世界大戦前のドイツの電動耕耘機《こううんき》やクライスラー社の自動車用ガスタービンなど無益に終わった設計を俎上《そじょう》に載せてきた。また近年の例では、アップル社のワースト製品が12種類、失敗作としてリストアップされていて、テレビ機能を備えたパソコン Macintosh TV から立方体型パソコン Power Mac G4 Cube までが論じられている。

このような設計ミスのジャンルに興味をもたれた方は、１９８９年に刊行されたスーザン・ヘリング著『〈タイタニック〉から〈チャレンジャー〉まで』（*From the Titanic to the Challenger*）に、20世紀における失敗の数々が１３５４例も挙げられているので参照されたい。さらにマイケル・シファー著『壮観な大失敗』（*Spectacular Flops*）では、古い例（ニコラ・テスラが発案した電力を無線で送電する「世界システム」など）から近年の妄想（原子炉搭載爆撃機）までがとりあげられている。たしかに発明品の失敗作は批評すべきではあるが、同時に、機械やシステムの設計ミスの多くは避けられないだけではなく、ありがたい教訓になることも忘れてはならない。莫大《ばくだい》な費用がかかった例もあれば、悲劇をともなった例もあるにせよ、失敗したイノベーションからはなにを避け、なにを修正すべきかを学べるからだ。だからこそ、ヘンリー・ペトロスキはエンジニアリングの失敗について記した著書『エンジニアリングとは人間がするもの』（*To Engineer is Human*）のサブタイトルを「成功した設計における失敗の役割」〔訳注：邦題は『人はだれでもエンジニア――失敗はいかにして成功のもとになるか』〕にしたのだろう。

　同様に本書では、望ましくなく、往々にして厄介で、ときに致命的な結果をもたらしながらも、大勢の人々に受け入れられ、大量に普及し、おおむね安全に定着している発明品についても触れることはない。こうした発明の望ましくない作用や欠点、いわば「合併症」のようなものはたいてい想定内であり、その大半は厳しく監視され、評価され、金銭面でのコストや生活の質に及ぼす悪影響を計算されてきたし、そうした悪影響を軽減・防止する方策についても研究や努力が重ねられてきた。なかでも処方薬による健康や環境への悪影響は、現代社会でもっとも認識が広まっている副作用だろう。その副作用は、薬を服用した当人においても不快感から持病による禁忌まで多岐にわたるうえ、自然や社会においても河川環境中に残留する医薬品代謝物から抗生物質が効かない薬剤耐性菌の拡大まで幅広い。とくに薬剤耐性菌の問題はきわめて深刻で、いまでは世界的に広がっている。この数十年、薬剤耐性菌の悪影響については知られるようになってきたし、解決すべき問題ではあるのだが、解決に向けて努力すると繰り返し語られてきたにもかかわらず、新たな抗生物質の開発にはわずかな投資しか向けられておらず、責任をもった取り組みもなされていないのが現状だ。

　内燃機関を動力源とする自動車の発明もさまざまな副作用をもたらしてきたが、これに関しては仕方がないと受け入れている現状にも驚きの目を向けたい。こうしたエンジンのおかげで、私たちは移動できるようになり、利便性を得たうえ、道路を自由に行き来できるようになったが、他方では有害な排ガス、町の景観の変貌（よりよくなったことはまずない）、広く利用されている処方薬とは比較にならないほど多数の死者を生みだしてきた。最富裕国でさえ、ようやく排ガス規制に着手した（排ガス浄化触媒という新たな発明品が救出にやってきた）のは１９７０年代になってからだった。そのうえ、思慮深い都市設計の一環として、自動車に適用できる解決策はまだ存在しない。さらに世界の交通事故による年間死者数は、近年でも約１３５万人にのぼる。

　大発明がもたらしたこうした結果とその望ましくない影響や副作用に対して、私たちは都合よく寛容な態度を示している。だが実際には、化学肥料の大量利用による土壌汚染から多様なプラスチックによる海洋汚染にいたるまで、世界にはさまざまな悪影響が広がっていて、この問題について概要を説明するだけでも長々しい本を執筆しなければならないだろう。よって本書では、この１５０年間には現代文明を築いた基本的な発明の流れがあり、なかには大成功をおさめたものもあるという事実に着目したうえで、創意工夫に富む失敗の数々を一般的な手法でとりあげていく。もちろん、重要な分野の大半ではなかなか進歩が見られなかったし、たとえイノベーションがあったとしても当初の期待ほどうまくいかなかったものも多かった。本書では、こうした「失敗したイノベーション」を大きく次の三つのカテゴリーに分けて検証していく。

- 歓迎されていたのに、迷惑な存在になった発明
- 主流となるはずだったのに、当てがはずれた発明
- 待ちわびているのに、いまだに実現されない発明

技術の進歩について研究している歴史家のなかには、「失敗したテクノロジー」という用語自体が誤解を招きかねないと指摘する者もいる。1989年に開催された「失敗したイノベーション」に関するシンポジウムでトム・キャロルが論じたように、実証主義を信奉する人たちは「なんらかのきっかけではずみがついても、つかなくても」、イノベーションは直線的に勢いが増していくと考えがちだ。しかし、「成功」か「失敗」かの判断をくだすのは社会の選択にすぎない。技術の進歩は放っておけば自然に起こるものではないし、そのときの社会状況や時代背景に大きな影響を受ける。多大な影響を及ぼす発明が当初の目的とはまったく反対の方向に進むこともあるし、どのイノベーションを受け入れ、拒絶するかを判断するのは開かれた社会の権力者ではないし、独裁国家の支配者でもない。

本書ではまず、「失敗したイノベーション」の第一のカテゴリー「歓迎されていたのに、迷惑な存在になった発明」を見ていく。努力を重ねて研究を続け、ついに実現したときにはおおむね（しばしば熱狂的に）賞賛され、急速に商用化され、世界的に受け入れられたのに、その数十年後、結局は望ましくなく、人間にも環境にもきわめて有害であるという証拠が挙がるようになり、疑惑の目を向けられ、ついには当初の目的での使用が完全に禁止された発明だ。たとえば、有鉛ガソリンの導入によって内燃機関がノッキングを起こしにくくなったが、数十年の歳月を経て、排ガスのなかに神経障害

の原因となる重金属が含まれていること、その代償が許容できないレベルであることが判明し、1970年のアメリカを皮切りに、多くの国が有鉛ガソリンの使用を禁止するようになった。ほかにも、殺虫剤として普及したDDTはほどなく使用禁止になったし、1987年には冷蔵庫の冷媒としておもに利用していたフロンガスを、世界的な合意のもと、段階を踏んで全廃するスケジュールが組まれた。大気中のクロロフルオロカーボン類〔訳注：フロンガスの一種〕の濃度が上昇すると、オゾン層が破壊されることが判明したからだ。

「失敗したイノベーション」の第二のカテゴリー、すなわち「主流となるはずだったのに、当てがはずれた発明」では、当初はそれぞれの市場を最終的には独占するだろうと予想されていたテクノロジーのなかで、結局は期待はずれに終わったものとして、三つの重要な例を紹介する。「安価な長距離航空輸送を可能にする飛行船」、「核分裂による原子力発電」、「大陸間移動の時間を短縮する超音速旅客機」だ。どの発明も商用化され、程度の差こそあれ広く利用されたが、どれも当初の期待ほどの可能性はないことが判明するのにそれほど時間はかからなかった。

　年代順に並べると、最初に実用化され、結局、失敗に終わったのは飛行船で、ドイツの〈ヒンデンブルク〉が爆発炎上した事故は技術が招いた大惨事として頻繁に映像が引用され、見る者を震撼《しんかん》させた。しかし、この事故で飛行船の夢がついえたわけではなく、1960年代以降、ジェット機が世界の航空業界を席巻したあとも、飛行船による輸送を復活させようとする試みは続いた。そして21世紀最初の20年間には、よりよい飛行船をめざす提案がいくつもだされたのである。

　次に挙げた「核分裂による原子力発電」は、飛行船とは比較にならないほど大きな規模で期待を裏切ったケースで、私が「成功した失敗」と呼ぶ現象のまちがいなく代表格だ。商業的にはかなり普及し（三つの大陸で400基以上の原子炉が稼働している）、複数の富裕国では発電にかなりの貢献をしているにもかかわらず、発電の世界市場における現在のシェアは、この複雑な技術が熱心に採用された当初の期待にはまったく届いていない。当時は、20世紀末までに原子力発電が市場を独占すると予想されていたのだ！

超音速旅客機の歴史にも、飛行船と原子力発電がたどった歴史といくつか共通点がある。超音速旅客機はいっとき飛行船よりも成功をおさめたが、結局は旅客機市場での競争に負けた。にもかかわらず、繰り返し新たな設計が登場しては（新たな設計の原子炉を売り込むようにして）、再浮上してきた――こんどこそ音速より速い旅客機が世界市場に食い込めるはずだ、と。

そして最後に紹介する「待ちわびているのに、いまだに実現されない発明」の例を読めば、当初の期待が裏切られるまでの過程がよくわかるだろう。ここでは、大規模な商用化が進めば世界を一変させるほどの変革がもたらされ、今後、数世代にわたって成功をおさめるだけではなく、将来的には効率もいっそう上がり、手ごろな価格で利用できるようになるだろうと高く期待されたイノベーションのなかで、代表的な三つの例をとりあげる。第一の例は、真空状態（というより、地表付近の大気圧のほんの数分の１しかない低圧）のチューブ内を高速移動するというアイデアで、これは、もう２００年以上前から存在していた。とりわけ近年、「ハイパーループ」という誤解を招きかねない名称の構想が喧伝《けんでん》されていて、この数世代にわたって育まれた夢が、実用的で便利で信頼が置けて利益を生む移動手段として、いまだに商用化のチャンスをうかがっていることがよくわかる。

第二の例は、進歩が切実に求められているものの、あまり喧伝されていない分野にある。よって、もしこの分野の発明が成功し、実用化されれば、歴史上、もっとも大きな業績を社会に残すことになるだろう。小麦、稲、トウモロコシ、ソルガムといった世界の主要穀物が、インゲン、大豆、レンズ豆、エンドウといったマメ科の作物のように、細菌との共生によって大気中の窒素分子を固定して利用できるようになれば、世界の穀物収穫量を増やすだけではなく、化学肥料の生産量と使用量を減らせるようになる。そうなれば大量のエネルギーを節約できるうえ、複数の分野の環境汚染も防げるようになるだろう。

そして最後の例は、核融合発電の民間企業での活用で、最初に脚光を浴びたのは、著名な物理学者たちが成功を予想した１９４０年代のことだった。核融合発電はおそらく、このカテゴリーのなかでもっとも有名で、成功がもっとも断言され、もっとも喧伝された例だろう。だが、この夢は異常なまでに持続していて、いつだって手を伸ばせばすぐに実現できそうに思われている。

本論では触れなかったものの、当初は歓迎されていたのに嫌われるようになった発明のひとつが、食用油脂のショートニングだ。１９１１年、Ｐ＆Ｇ社は綿実油《めんじつゆ》に水素添加する技術を活用し、常温で固形を維持できる〈クリスコ〉を開発し、販売を開始した。こうしてトランス脂肪酸を含むショートニングが活用されるようになり、バターやラードの安価な代用品としてさまざまな商品が誕生した。長期保存が可能なため、パンや菓子、揚げ物といった調理で大いに利用されるようになった――が、やがてストップがかかった。食生活の研究者たちが、トランス脂肪酸によって血中の悪玉コレステロールが増え、心臓病のリスクが高まると指摘したのである。その結果、トランス脂肪酸の食品への使用を規制する国もでてきた。

市場を独占するかと思われたのに、そこまでのレベルには達しなかった発明の数々の歴史を振り返れば、かの〈ブラックベリー〉の盛衰に触れずにはいられない。〈ブラックベリー〉は、大統領やＣＥＯたちがこぞって愛用していた携帯電話のブランドで、高度なセキュリティが評判となり、ビジネス市場では圧勝をおさめるものと思われた。しかし、隆盛をきわめたのはたった10年ほどで、２００２年に初めてスマートフォンを発売したものの、２０１３年には他社との競争に勝てなくなり、長い停滞期に突入した。

ほかにも例はある。私たちが待ち望んでいる発明のひとつに、水素社会の実現が挙げられる。世界規模での脱炭素化の必要性がますます高まるなか、日々の生活や経済活動などのエネルギー源としておもに水素に頼る社会は、究極の解決策でありながら、なかなか実現できずにいる。

特定の製造部門や消費部門を数世代にわたって、ときには1世紀以上も独占した発明品が、その後、急速に衰退する、完全に消滅する、ごく一部のファンの愛好品として重宝される、経済的な主流からはずれるといった末路をたどった例も数多く、そうした事例について詳述する本を書けるほどだ。たとえば、第一のカテゴリー「歓迎されていたのに、迷惑な存在になった発明」の好例として、製鋼の分野では先述の「平炉」が挙げられる。１８７０年代から１９５０年代初頭にかけて、初期の製鋼では例外なく、巨大な平炉で銑鉄《せんてつ》などを熱し、溶けた鉄中の炭素を除去して鋼鉄にしていた。次の世代になると、平炉は日本やヨーロッパではほぼ姿を消したが、北米ではわずかに残っている。19世紀の人工物のなかには、平炉のように、20世紀になっても生き残っているものがあるのだ（図１・３）。

また輸送手段の根本的な変革により、もっと早い撤退を強いられた発明品もある。たとえば大西洋航路船は1世紀近くのあいだ大陸から大陸へと乗客を運んでいたが、大西洋を横断する定期ジェット便が就航すると、わずか10年後には姿を消した。

そして当然のことながら、年長の読者のみなさんは、新たに出現したマイクロエレクトロニクスの世界が栄枯盛衰を引き起こしてきたようすも目の当たりにしてきたはずだ。いっときはすばらしい発明だと賞賛を集め、そのサービスが1世紀以上にわたって世界に普及したものの、急速に衰退したり、ほんの一部が生き延びたりしているだけという例も多い。タイプライターはパソコンに取って代わられ、そのパソコンもしばらくするとポータブル電子機器に取って代わられた。カメラはスマートフォ

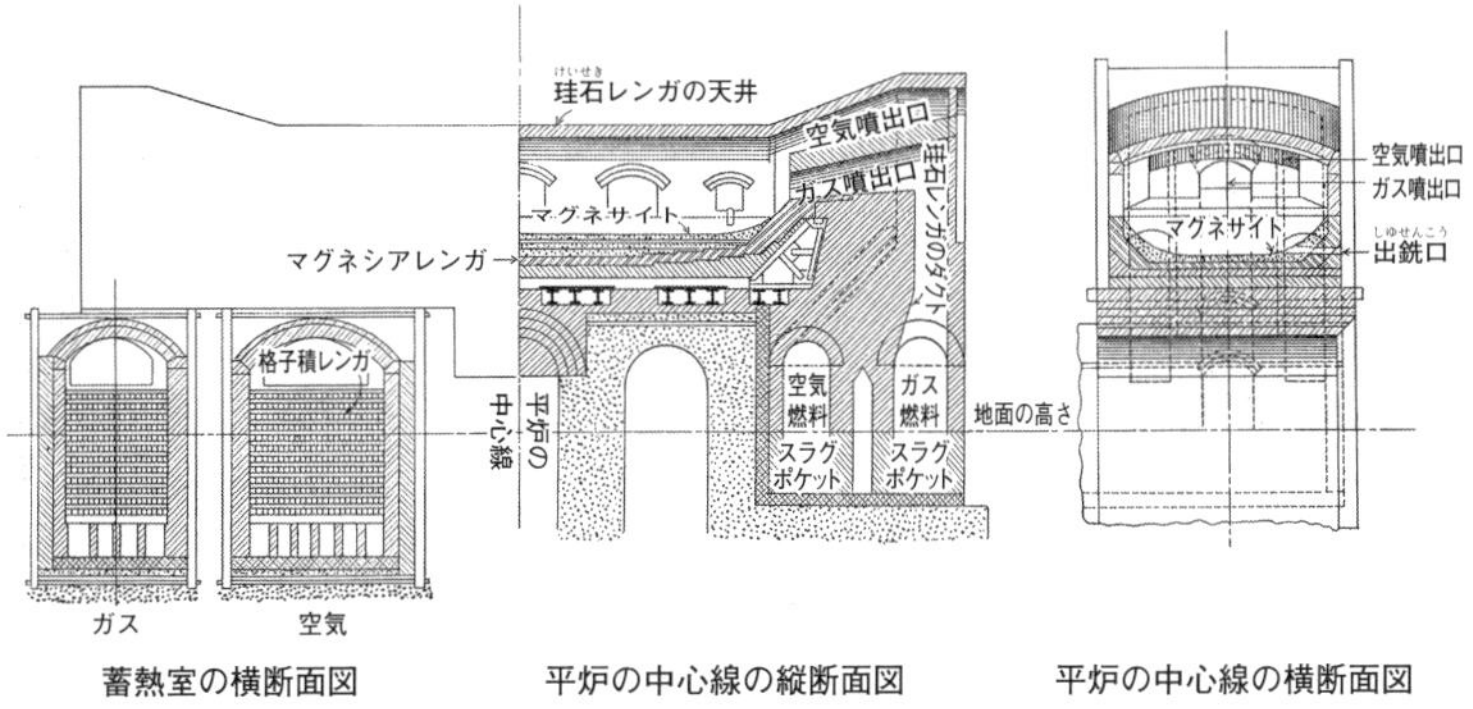

図 1.3　20 世紀初頭の平炉の断面図。出典：Harbison-Walker Refractories, *A Study of the Open Hearth* (Pittsburgh: Harbison-Walker Refractories, 1909)。平炉は、アメリカでは 1992 年、中国では 2001 年、ロシアでは 2018 年まで稼働していた。

ンに取って代わられ、音楽記録媒体（レコード、テープ、CD）は順番に消えていき、いまではユーザーがデジタル音源に直接アクセスできるようになり、ほかの媒体はすべて周辺に追われていった。タイプライター、カメラ、レコードはまだ市場に出回ってはいるものの、タイプライターで活字を打ち込むのを好む愛好家は中古品を入手するしかないし、レンズ交換式カメラを購入するのはプロのカメラマンや本格的にネイチャーフォトを撮影する愛好家に限られている。そしてレコードは、ストリーミング全盛のなか、ノスタルジーを楽しむ一部愛好家のものになっている。

過去を振り返る

そして本書の最終章は、新たな発明を誇張して伝える報道への苦言で始まる。メディアはよく「大発見」や「新時代の到来」といった大げさな物言いで無批判な報道をする。そうした記事はたいてい愚かで馬鹿げた見出しで始まり、そうなれば当然、誤った結論を導き、読者に不当なまでに大きな期待を抱かせる。こうした報道の手法をとるのがすっかり常態化しているので、本書では最近の例のなかでも、はなはだしく目にあまるものだけをいくつか引き合いにだす。そのあとは「イノベーションのスピードはますます加速化している」という新たな共通認識と、実際には技術開発の停滞や進歩の鈍化が始まっているという明確な徴候とを比較していく。なにごとにも限界があり、発明やイノベーションもその例外ではないのだ。

　このように本書では、じきにＡＩが完全に世の中を支配する（いわく、自律走行車からパイロット不要の航空機まですべてが自動化される、ロボットのおかげで人間の労働力が不要になる）とか、好きなように人工生命をつくれる（有害な動物から人間の脳まで、ありとあらゆるものを遺伝子工学が思いのままに操作する）とかいった近年の予想を絶賛して、紙幅を割くような真似もしない。

　とはいえ、私たちが長期にわたって大規模に活用できるさまざまな発明を必要としていることにまちがいはない。マラリアの撲滅や、拡大するばかりの経済格差の解消など、世界には健康や環境をおびやかす脅威や経済的な難題が山積している。そこで最終章では、いま、私たちが切望している進歩を「ウイッシュリスト」にしてざっとまとめる。これまでと同様、私たちの努力が実ることもあれば、実らないこともあるだろう。新たな発明が登場したところで永遠に進歩を続けるわけではなく、そこから得られる見返りには限界があるという事実を無視することもできない。よって私たちは、強迫観念に駆られるようにして「新たな発明が未来を一変させるはず」と期待しないよう、自戒しなければならない。過去のそうした努力を振り返っても、成功したのはごく一部の発明で、圧倒的に失敗のほうが多いのだから。

　よりよい世界、より安全な世界、より公平な世界を実現するには、根本的に世界を変革する発明が多々、必要となるだろうが、その成否はあとになって過去を振り返ったときに初めてわかるものだ。そして、どれほど期待が大きかったのか、その逆にまったく期待されていなかったのかも、そのとき初めてわかるのだ。私たちは、本書の最終章に示した「ウイッシュリスト」のいくつかが21世紀半ばまでに実現することを願うしかないのである。

第2章　歓迎されていたのに、迷惑な存在になった発明

複雑な問題に対する解決策、有害もしくは望ましくない影響を軽減したり除去したりする技術、パフォーマンス・利益・操作性・快適性・安全性の向上や改善を約束するイノベーションといったものは、おしなべてマイナスの効果ももたらす。その範囲と悪影響の度合いは、予測、許容、管理が可能な（一時的な）副作用から、対策が困難で深刻な結果を招きかねないものまで、さまざまだ。悪影響が許容できなければ、その解決策の利用を断念し、まったく害をもたらさない手法に切り替えるか、副作用が許容範囲内の手法に置き換えるしかない。

放っておけば有害で費用もかかる社会的な課題に対して、せっかく解決策が編みだされたにもかかわらず、結局、その解決策が容認できないことがわかった例は多々ある。本章では、その代表例を三つ、紹介していこう。この三つのイノベーションはすべて、第一次世界大戦と第二次世界大戦のあいだに生まれた。最初のふたつは、数十年にわたって利用された「有鉛ガソリン」（テトラエチル鉛）と殺虫効果のあるＤＤＴ（ジクロロジフェニルトリクロロエタン）で、最後のひとつはその後に発見されたフロンガスであり、ジクロロジフルオロメタンを利用したものだ。この三つについては、本章で年代順に説明していく。

三つのイノベーションのなかで最初に導入されたのは有鉛ガソリン（アメリカでは１９２２年か

ら）だ。当時、車の運転中に起こる「ノッキング」というエンジンの異常燃焼による不具合が問題となっていた。エンジン内で早期着火が起こるとノッキングが生じ、熱効率が悪くなるだけでなく、エンジン自体に損傷を及ぼしかねなかった。ところが有鉛ガソリンを利用すれば、安価かつ手軽に効率よく、この問題を解決できたのである。

この有鉛ガソリン誕生の背景には、イノベーションの歴史上、もっとも信じがたい偶然の一致があった。トマス・ミジリーという化学者が有効なアンチノック剤の開発に取り組んでいた企業のトップエンジニアに就任し、ついにノッキングを防ぐ有鉛ガソリンの開発に成功した。そして、そのたった数年後（１９２８年）、こんどは多くの研究者たちを率いて無毒で不燃性のジクロロジフルオロメタン（CCl_2F_2）を合成し、〈フレオン12〉という商品名で販売を開始したのである（図２・１）。この合成化合物は数々のクロロフルオロカーボン類（ＣＦＣｓ）を利用した製品の第1号となり、見る間に世界でもっとも利用される冷媒ガス（冷蔵庫やエアコン内で圧縮と膨張のサイクルを繰り返し、常温ではガス、圧縮されると液体になる）になった。さらに医薬品、塗料、化粧品など膨大な数のスプレー缶の噴射剤、工業用の脱脂洗浄剤や溶剤としても広く利用されはじめた。

もうひとつ、大歓迎されたイノベーションだったのに、のちに有害であることが判明したのが現代の合成殺虫剤第1号、ＤＤＴだ。スイスの化学者パウル・ヘルマン・ミュラーが害虫を殺せる強力な薬剤の研究に着手し、有効な薬剤の研究を系統立てておこなったところ、60年以上も前から存在が知られていた化合物ＤＤＴに強力な殺虫効果があることを発見した。すると、すぐさま第二次世界大戦中に軍隊で利用されるようになり、戦後は虫が媒介する感染症の対策として、また農作物や家畜の害虫駆除において広範に活用されるようになった。こうして、いっさい規制をせずに濫用した結果、たった十数年後には害虫がＤＤＴへの耐性を獲得するようになっただけではなく、鳥の繁殖にも障害を

図 2.1 有鉛ガソリンと冷媒ガス（クロロフルオロカーボン）の発明者トマス・ミジリー・ジュニア（1889 ～ 1944 年）。1930 年代にニューヨーク市のブランク&ストーラーで撮影された肖像写真。出典：Williams Haynes Portrait Collection (Philadelphia, Science History Institute), box 10. https://digital.sciencehistory.org/works/9s161624t

引き起こした。そして、ついには人体にも悪影響が及び、早産や低体重出生のリスクが高まるまでになった。やがてＤＤＴは初期の環境保護活動家にとって破壊行為のシンボルとなり、もっと責任をもって管理すべきだという声が広がりはじめた。

有鉛ガソリン、クロロフルオロカーボン類、ＤＤＴはどれも栄枯盛衰の道をたどったわけだが、当初は認められていたのに結局は廃止されるまでにいたる道のりは、それぞれ異なる。たとえば、ガソリンにアンチノック剤として添加を始めたとき、鉛には進行性の神経障害を起こすというエビデンスがすでに多々あったため、大勢の内科医や生理学者たちがこの新製品に即座に反発を示した。ところが、これとは対照的に、フロン類の〈フレオン12〉は新しい合成化合物で、自然界には存在せず、うっかり環境に放出されてもなんの反応も起こさないように思えたため、家庭用の冷媒として最適の選択肢となったのである。

たしかにミジリーはアンチノック剤としてテトラエチル鉛を普及させた点については批判されてしかるべきだろうが、テクノロジーの研究者ニール・ラーセンがこきおろしているように「歴史上もっとも有害な発明家」と呼ぶのはナンセンスだ。

１９２８年の時点ですでに、クロロフルオロカーボン類が大気中に放出されれば、空気よりだいぶ重いとはいえ、ついには成層圏にまで達するだろうと予想できていたかもしれない。大気がかき乱される対流は、やはり空気より重い温室効果ガスである二酸化炭素でも生じているからだ。だが、それから半世紀近くたち、大気化学の研究が進んでからようやく、北極圏や南極圏を含む極域の暗い冬には成層圏の雲の粒子などの表面に、クロロフルオロカーボン類から紫外線で分解されて放出された塩素が蓄積することがわかった。そして、暖かくなってまた陽射しが戻ってくると、光化学反応により塩素分子が解離して触媒となり、紫外線から身を守るうえで不可欠なオゾン層を破壊していくことがあきらかになったのだ。

同様に、ＤＤＴを利用するようになるまでは、柑橘《かんきつ》類やユーカリの油、塩の水溶液、ニームオイル（熱帯常緑樹インドセンダンの種子から抽出した油）といった天然の殺虫剤しか存在しなかった。１９４０年代初頭に始まった最初の毒物学の研究がもっと広範かつ厳密におこなわれていたとしても、ＤＤＴが鳥の繁殖に対して長期にわたって及ぼす影響をあきらかにすることはできなかっただろう。

三つのイノベーションがたどった道のりは、期間も最終局面も異なる。有鉛ガソリンは導入から世界的に使用が禁止されるまでに約80年かかり、２００６年、最後にインドネシアが販売を禁止したあと、世界から姿を消した。いっぽう成層圏のオゾン層を破壊するおそれがあるとして、初めてクロロフルオロカーボン類が名指しされたのは、冷媒ガス〈フレオン12〉が製造されてから46年後の１９７

4年のことだった。そして、１９８７年には「オゾン層を破壊する物質に関するモントリオール議定書」で、クロロフルオロカーボン類を段階的に削減・全廃するスケジュールが組まれた。かたや、ＤＤＴは発売からわずか20年ほどで世界的に普及し、使用量がピークに達した。だが、１９６０年代にはＤＤＴの使用を制限・禁止しようとする動きが始まり、いまではマラリア感染対策であるハマダラカの防除目的以外では、世界的に使用が禁止されている。

　これら三つの有名な失敗の歴史から得られる教訓には、励まされるものもある。私たちにはよりよい代替案を考えだすだけではなく、世界的な規模で製品使用の禁止や全廃に踏み切ったり、有効な代替品や代替策を利用する国際的なルールを定めたりする能力があることだ（一部、目立つ違反はあるが）。ガソリンに関しては、便利な添加剤として不運にも鉛を選択する前から、ほかの選択肢があったにもかかわらず、この重金属がようやくガソリンから排除されるまでに弁解の余地がないほど長い時間がかかった。対照的に、成層圏のオゾン層破壊の原因であるクロロフルオロカーボン類の排出を抑制し、ついには全廃する動きは迅速に進み、効力のある世界規模の条約が結ばれるまでになった。だがＤＤＴの場合、世界的に使用が禁止されたものの、これを評価するのはむずかしい。この化合物が使用されるようになったあと、昆虫だけではなく、寄生虫や菌類にも効果があるさまざまな殺虫剤の製法が誕生し、常用すればなんらかのリスクを生むことが、その大半で判明したからだ。

　もうひとつ、気がかりな共通点がある。この三つのイノベーションは、企業が明確な目標を掲げて研究した成果であることだ（ＧＭはアンチノック剤と便利な冷媒を、スイスのガイギー社は有効な殺虫剤を探していた）。こうした発明を商品化するには規制当局から認可を得なければならないが、環境を汚染するおそれがある物質が含まれているからといって、認可がおりないわけではない。テトラエチル鉛は危険性がよく知られており、健康問題に詳しい著名な科学者たちが明確に反対意見を表明したにもかかわらず、人間の寿命ほどの期間にわたって使用されることになった。そして、ついに使用が禁止されたのは、遅ればせながら、その神経毒性に対する懸念が高まったからではなかった（少なくともそれが主因ではなかった）。また、当初はクロロフルオロカーボン類もＤＤＴも、技術的な問題に対するほぼ完璧な解決策としてだけではなく、健康に大きく貢献するイノベーションとして歓迎された。クロロフルオロカーボン類のおかげで、とくに家庭では有害で死を招くリスクがある従来の冷媒を使わずにすむようになったし、ＤＤＴのおかげで、死を招くリスクがいっそう高い感染症の原因となる媒介生物を防除できるようになったからだ。

　テトラエチル鉛の歴史は、ひとことで言えば「公衆衛生対策の失敗例」だ。当初から鉛にリスクがあることはわかっていたのだから、これを考慮していれば、数十年後に発明が失敗に終わり、この化合物の使用禁止に踏み切る必要もなかっただろう。またクロロフルオロカーボン類とＤＤＴからは、それぞれ異なる反省点のほかにも、共通する教訓を学ぶことができる。地球環境に対する人間の介入は、しばしば複雑なリスクをともない、その悪影響が判明するには時間がかかるということだ。当初の懸念からはかけ離れているうえ、「この程度の副作用が生じるだろう」という予想をはるかに超えたリスクが生じたにもかかわらず、問題に気づくまでに時間がかかり、さまざまな出来事が起こってようやく、予期せぬ悪影響が及ぶことを認識するのだ。不断の努力を重ね、責任をもって課題に取り組み、想像力を存分にはたらかせれば、あとになってから失敗だったことが判明する事態を招くのをある程度は防げるだろうが、イノベーションが失敗に終わる事態を二度と招かないようにするのは、まず無理だろう。

有鉛ガソリン

内燃機関を動力源とする自動車が大量に普及し、２０２２年には世界で14億台以上が走行するようになった。これは内燃機関、卑金属（鉄、アルミニウム、ニッケル、バナジウム）、タイヤ（ゴム）、電装品（バッテリー、スイッチ、スターターモーター）の設計と製造技術の進歩により実現した複雑で根本的なイノベーションの好例である。機械や製造工程（工場の生産ライン）の改善、信頼の置けるエネルギー資源の確保（原油の採掘と精製）、インフラ（舗装道路、パイプライン、ガソリンスタンド）の整備などがすべて融合して、イノベーションが可能になったのだ。

したがって、「自動車を発明したのはだれか」と質問されても、簡単に答えることはできない。１８８６年、ドイツの２人のエンジニア、ゴットリープ・ダイムラーとヴィルヘルム・マイバッハが木製の駅馬車に水冷エンジンを搭載した。同年、やはりドイツのエンジニア、カール・ベンツも独自に軽量の単気筒エンジンを三輪車に搭載した。とはいえ、こうした初期の運転可能な機械（背が高く、ルーフがなく、スピードは遅く、見かけが不《ぶ》恰好《かっこう》）と、現代の自動車に共通するのは「内燃機関がある」という点だけだ（初期のものは馬力が弱く、燃費もはるかに悪い）。現代と当時とを比べると、車輪、ステアリング、シャーシ、エンジンの位置など、すべてが大きく変化したのである。１８８６年から19世紀末までのあいだに、ドイツ、フランス、イギリス、アメリカの技術者によるイノベーションが重なり、当初は「馬が牽引しない馬車」のように見えた無骨なデザインが、現代の自動車の前身になるものへと変化を遂げた。１９０１年、マイバッハが設計したメルセデス35ＰＳは、まだルーフこそなかったものの、４気筒、２基のキャブレター、インレットバルブ、アルミ製エンジンブロッ

図2.2　チャールズ・F・ケタリング（1876～1958年）。実用的な電動スターターを発明し、長年、ゼネラルモーターズ社の研究部門の責任者を務めた（1920～1947年）。鉛を添加したガソリンを「エチル・ガソリン」と呼ぶことにこだわった。

ク、ゲート式シフトレバー、ハニカムメッシュのラジエータ、ゴムタイヤを装備した最初の現代的な自動車だった。

　その後も進歩は続いた。7年後、ヘンリー・フォードが〈T型フォード〉を発売し、それまでの自動車より価格が手ごろで耐久性のある乗用車を普及させた。そして１９１１年には、のちに有鉛ガソリンの開発で重要な役割を果たすことになるチャールズ・ケタリングが初の電動スターターを設計し、危険がともなう手回し発電機を利用せずにすむようになった（図２・２）。この頃、アメリカ東部ではまだ足りなかった舗装道路の建設が加速化し、１９０５年から１９２０年のあいだに国内の舗装ハイウェイの長さは2倍以上になった。これに劣らず重要なのは、数十年にわたって続いた油田の発見にともない、原油の精製技術が発達し、新たな輸送方式の拡大に必要な液体燃料が調達できるようになったことだ。１９１３年には、インディアナ州のスタンダード・オイル社が、ウィリアム・バートンが開発した、石油の重油留分を熱で分解してガソリンをつくる「熱分解《クラッキング》装置」の工業化に成功した。

エンジン内に残された問題

こうして、以前より安価で信頼の置ける自動車、舗装道路の増加、適切な燃料の安定供給が可能になったわけだが、自動車エンジンの燃焼サイクルにはまだ問題が残っていた。激しいノッキングが生じると、エンジン内でカラカラ、ガラガラという音があがり、エンジンに過度の負担がかかっていたのである。ガソリンエンジンが適切に動いていれば、ガソリンの燃焼は燃焼室上部での火花点火で始まり、シリンダー内部で均一に広がる。ところが火花点火による炎が到達する前に、燃焼室端部の末燃ガスが自着火する（小さな爆発と爆轟《ばくごう》が生じる）と、ノッキングが起こる。するとシリンダー内の圧力が高まり（最大18メガパスカル、通常の大気圧の約１８０倍近く）、その結果、音速よりも速い衝撃波が生じ、燃焼室の壁を振動させ、あの強烈なノッキング音が生じ、エンジンを傷めるのだ。

どんなスピードでもノッキング音は鳴るが、エンジンに高い負荷がかかっていると破壊力が大きくなりかねない。ノッキングが激しくなると、シリンダーヘッドの腐食、ピストンリングの破損、ピストンの溶解など、エンジンに致命的なダメージを及ぼす。またノッキングは例外なくエンジンの熱効率を下げ、大気汚染物質、とくに窒素酸化物の排出を増やす。ノッキングが発生しにくい性質のことを「アンチノック性」といい、アンチノック性が高いほど燃料を安定して活用できる。これは、どの程度の圧力がかかった時点でガソリンが自然発火するかという基準で評価され、「オクタン価」として世界共通に定められ、国によってはその数値がガソリンスタンドで黄色地に黒い太文字で明記されている。

オクタン（C_8H_{18}）は軽質原油の10～40％を形成するアルカン（一般式C_nH_{2n+2}の炭化水素）の一種で、その異性体（同じ数の炭素原子と水素原子をもち、分子構造が異なる化合物）のひとつ「2、2、4－トリメチルペンタン」（イソオクタン）は、ノッキングを完全に防ぐ化合物であるため、オクタン価は最大（１００）と定義された。オクタン価の高いガソリンほどアンチノック性が高く、圧縮比を高めるほどエンジンの熱効率がアップする。北アメリカの製油所では現在、レギュラー（87）、ミドル（89）、プレミアム（91～93）という３種類のオクタン価のガソリンを提供している〔訳注：日本では、日本産業規格に基づき、レギュラー（89～96未満）、ハイオク（96以上）の２種類に分けられている〕。

いちばん手っ取り早い解決策

20世紀最初の20年間は、自動車の普及が始まった初期の段階にあたり、エンジンを破損しかねないノッキングを最小限に抑える、または完全に防ぐための方策は三つあった。第一の方法は、エンジンの圧縮比を４・３未満に抑えること。ちなみに、１９０８年に発売され、ベストセラーになった〈T型フォード〉の圧縮比は３・98だった。第二の方法は、小型でありながら熱効率のいいエンジンを開発し、より上質の燃料で稼働させること。第三の方法は、点火時期を制御しやすくするガソリン添加剤の使用だ。

だが、エンジンの圧縮比を低く抑えると燃費が悪くなり、エンジンの熱効率も下がる。第一次世界大戦後、急速な経済成長が始まると、馬力があって車内が広々とした自動車の保有者が増え、エンジンの熱効率の悪さが問題視されるようになったうえ、国産原油の長期にわたる供給不足と輸入への依存も懸念されるようになった。そのため、ガソリン添加剤の利用がいちばん手っ取り早い解決策と見なされた。ガソリン添加剤を活用すれば、低品質の燃料を圧縮比が高いエンジンで利用できるようになり、エンジンの馬力が上がるからだ。

20世紀最初の20年間は、自動車の燃料としてもガソリン添加剤としても、エタノール（エチルアルコール、C_2H_6O または CH_3CH_2OH）に高い関心が寄せられていた。純粋なエタノールを燃料に利用したエンジンはノッキングを起こさないことが数々の実験で証明され、欧米ではエタノールを混合させたガソリンやケロシン〔訳注：ジェット燃料のもととなる石油の成分のひとつ〕が試された。エタノールを活用すべきだと提案した人物のなかには、発明家のアレクサンダー・グラハム・ベル、電気工学者エリフ・トムソン、ヘンリー・フォード（ただし資料によっては誤解が見られ、フォードはエタノールで走る〈T型フォード〉や二元燃料エンジンを設計したわけではなく、あくまでもガソリンエンジンの使用を前提にしていた）といった面々がいたし、ケタリングはエタノールが未来の燃料になると考えていた。

しかし、普及させるにあたって、エタノールには三つの弱点があった。第一に、エタノールがガソリンよりも高価だったこと。第二に、自動車の燃料として急増する需要に見合うだけの量を製造できなかったこと。第三に、たとえ添加剤としての利用にとどめるにせよ、エタノールの供給を増やすには大量の農作物が必要になることだ。当時は木材や藁《わら》などのセルロース系廃棄物をふんだんに利用して燃料を大量生産する安価で直接的な手法がなく、セルロースを硫酸で加水分解し、糖化・発酵を経てエタノールを製造するしかなかったのだ。そのため燃料用エタノールの大半は、飲料・医薬品・工業用アルコール（生産量は少なかった）の原料となる食用作物から製造されていたのである。

チャールズ・ケタリングが創設した研究所、デイトン・リサーチ・ラボラトリーで１９１６年、メカニカル・エンジニアのトマス・ミジリーが責任者となり、ガソリンの熱効率を改善する添加剤の開発に着手した。１９１８年７月、アメリカ陸軍とアメリカ鉱山局が共同で作成した報告書には、高圧縮比のエンジンでノッキングをいっさい起こさない化合物として、エチルアルコール、ベンゼン、シクロヘキサンが挙げられていた。１９１９年、ケタリングはＧＭに雇われ、新たな研究部門の長になると、迫りくる燃料不足の回避こそが重要課題であると明言した。そして、アメリカ国内の原油供給が15年後にはゼロになると予想されるため、「エンジンの圧縮比をうまく上げることができれば……走行距離を２倍に延ばし、原油が枯渇する時期を30年後に延ばせるだろう」と述べた。ケタリングは、この目標を達成する方法がふたつあると考えていた。ひとつはガソリン添加剤（エタノール、または40％の割合でベンゼンを混合したエタノールを添加すれば、ノッキングを防げることが実験により証明されていた）を大量に使用する方法。そして、もうひとつは１９１９年に偶然発見されたように、濃度１％以上のヨウ素溶液と同様の効果をもちながらも、それより低濃度の代替剤を使う方法だ。

不正確な名称

１９２１年初め、ケタリングは、ウィスコンシン大学でヴィクター・レーナーがオキシ塩化セレンを合成していることを知った。実験により、オキシ塩化セレンがアンチノック剤として有効であることは判明していたが、予想どおり、腐食作用が強かった。それでも、このおかげで、周期表で第16族に属するほかの元素の化合物を検討する道筋ができた。セレン化ジエチルやテルル化ジメチルはアンチノック効果がさらにすぐれていたが、テルル化ジメチルは吸い込んだり皮膚から吸収したりすると有害なうえ、ニンニクのような強烈な悪臭を発した。次に弱いながらも効果があることが確認されたのはテトラエチルスズで、ついに１９２１年12月９日、濃度１％でテトラエチル鉛（略称ＴＥＬ）——化学式 $Pb(C_2H_5)_4$——を添加したところ、実験ではエンジンにノッキングを起こさないことが判明し、ほどなく、ガソリンの０・04％という低濃度で添加するだけで効果があることがわかった。

テトラエチル鉛は1853年、ドイツの化学者カール・ヤコプ・レーヴィヒによって合成されていたが、それまでは商業的に利用されていなかった。だが1922年1月、デュポン社とニュージャージー州のスタンダード・オイル社がテトラエチル鉛の製造で契約を結び、1923年2月にはこの新しい燃料（エチライザーという簡単な装置を使ってガソリンにテトラエチル鉛を添加したもの）が、少数のガソリンスタンドで販売されるようになった。このようにテトラエチル鉛に肩入れするようになってはいたものの、ミジリーとケタリングが「議論の余地なく、未来の燃料はアルコールである」と明言したことからもわかるように、ガソリンに20％の割合でエタノールを混ぜた燃料は、1920年に必要とされる量を米国内の穀物と糖料作物の9％程度を充てるだけで供給できるうえ、アメリカの農家に新たな市場を提供できると考えられていた。ふたつの世界大戦のあいだには、多くのヨーロッパ諸国と一部の熱帯諸国がガソリンに10～25％の割合でエタノール（余剰作物と製紙工場の廃棄物で製造されていた）を混合させて使用していたが、第二次世界大戦前のヨーロッパでは自家用車の保有率はアメリカに比べればごくわずかだったため、市場は比較的小さかった。

　そのほかにも、熱分解によって精製する液体燃料、ベンゼンを混合させたガソリン、ナフテン系原油（ワックスを含まない、もしくはほとんど含まない）から精製したガソリンなど、代替物が存在することは知られていた。こうした現状をよく把握していたにもかかわらず、なぜGMはガソリンにテトラエチル鉛を添加する路線にこだわり、「現時点ではこれほどの成果をあげ、かつ入手可能な原料はテトラエチル鉛しかない」と断言し、代替燃料などないと言い張ったのだろうか。GMがこの選択に踏み切った背景には、いくつか理由がある。第一に、エタノールを採用した場合、自動車用の燃料添加剤に特化した新たな一大産業を大規模に展開する必要が生じ、GMが市場を支配するのは不可能と思われたからだ。また前述したように、本来は食用作物ではなくセルロース系廃棄物（作物残渣《ざんさ》や木材）からエタノールを製造する方法が望ましいが、コストが高すぎて現実的ではなかったからでもある。実際のところ、酵素反応を利用してセルロース系エタノールを大量生産する新たな手法は21世紀には新時代を切り拓《ひら》くほどの重要性を帯びるだろうと期待されていたが、そうはならなかった。2020年の時点で、アメリカでは（アンチノック剤として）エタノールの大半に、それまでと同様、トウモロコシに含まれる糖を発酵させたものを利用しており、国内のトウモロコシ収穫量の約3分の1がエタノール製造に充てられていたのだから。

これとは対照的に、ミジリーが出願したテトラエチル鉛（TEL）の特許は「自動車燃料使用のための方法と手段」と冠されたよくわからないもので、1922年4月15日に出願され（1926年2月23日に設定登録）、「1ペニー相当の酵素反応を利用してセルロース系エタノールのテトラエチル鉛でノッキングを防ぎ、1ガロン分のガソリンを節約できる」と謳っていた（図2・3）。この特許を取得したおかげで、ミジリーの会社は非常に安いコストで供給できる、少量で有効な添加剤の市場を独占することになったのだ。最悪だったのは、そして許されなかったのは「健康に悪影響が及ぶ可能性はいっさいない」と毒性を否定したことだ。この企みは、ケタリングがこの添加剤の不正確な名称に固執したことから始まった。あくまでも「エチル・ガソリン」と呼びつづけ、「鉛」が含まれていることを意図的に隠したのだ。鉛という重金属は古代ギリシャの昔から毒性があると知られていて、ローマ帝国滅亡の主因になったという説もある。そして20世紀初頭になると、さまざまな職場で鉛に曝露《ばくろ》した結果、健康被害が生じたことが知られるようになった。それなのに、GMとテトラエチル鉛の供給業者は鉛による健康被害を無視しただけではなく、車の排ガスに含まれる化合物による大規模な大気汚染を懸念する声があがっても、断固として耳を貸そうとはしなかった。

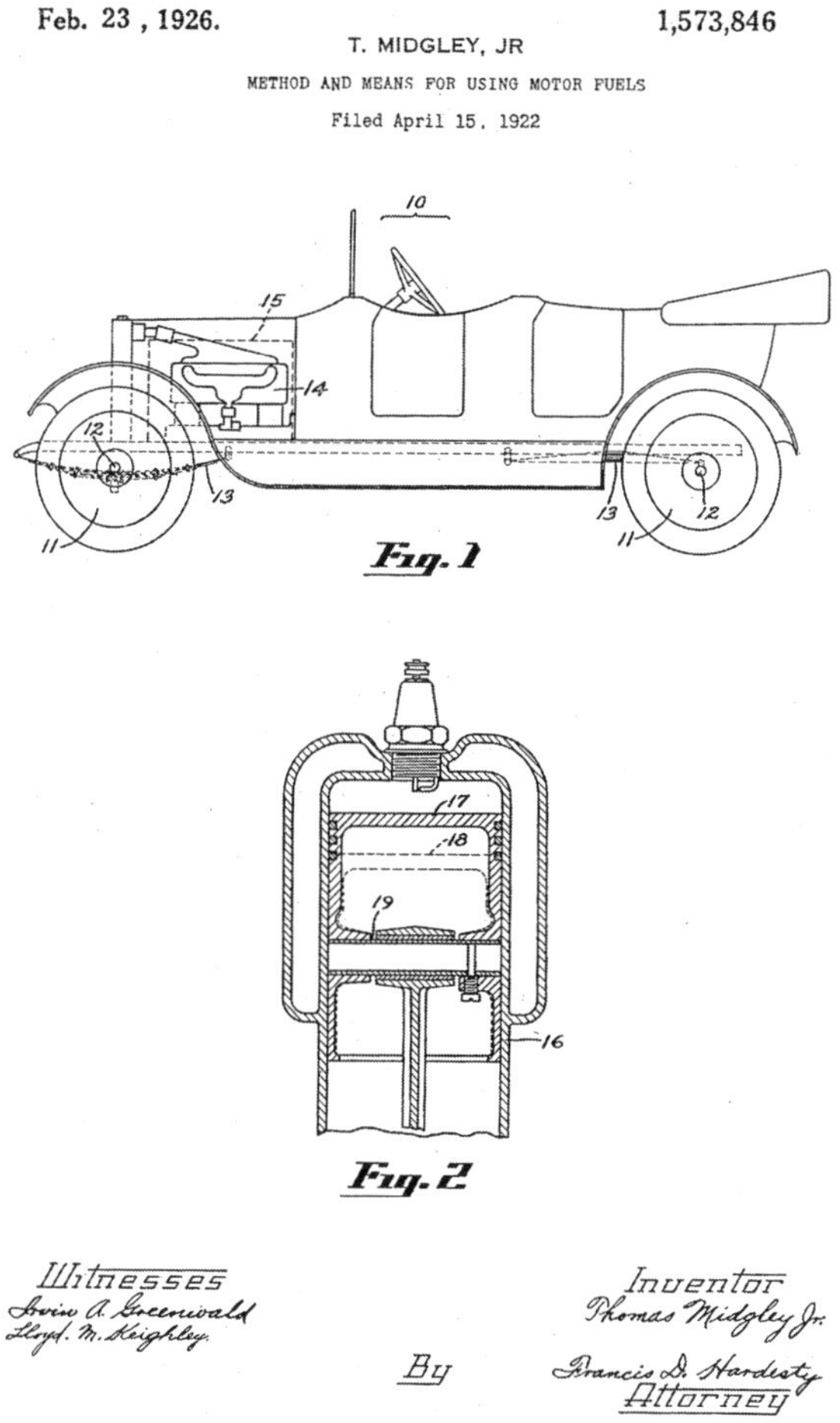

図 2.3　ミジリーが提出した、自動車で有鉛ガソリンを使用する特許の出願書の珍妙なタイトルと、それほど珍妙ではないイラスト。出典：T. Midgley Jr.、「自動車燃料使用のための方法と手段　Method and means for using motor fuels」（US Patent 1,573,846、1922 年 4 月 15 日出願、1926 年 2 月 23 日設定登録）、https://patents.google.com/patent/US1573846

毒性をめぐる議論

鉛の毒性については古代から知られていたが、19世紀に入ると、慢性鉛中毒が重度の神経障害をもたらすこと、胎児や乳児に悪影響を及ぼしやすいことが判明し、鉛中毒に対する理解が進んだ。当然、アメリカの公衆衛生学の第一人者たちは、ガソリンへの鉛の添加に反対し、その危険性を調査するよう求めた。しかし、ＧＭとデュポンはいっさい調査を実施せず、「標準的な道路には鉛などないのだから、吸収する危険などあるはずがない」と主張した。ところが１９２４年10月末、ニュージャージー州のテトラエチル鉛の工場で働いていた35人の労働者に急性神経症状があらわれ、うち5人が死亡した。曝露による最後の犠牲者が命を落とした日に、たまたま、アメリカ鉱山局がテトラエチル鉛に関する調査結果を発表し、一般大衆に危険が及ぶ懸念はないという結論を述べた。これに対し、数人の著名な生理学者たちがすぐさま反論した。こうして大衆のあいだに懸念が広がった結果、１９２５年5月20日、アメリカ公衆衛生局長官がワシントンＤＣで会議をひらき、両者の主張を戦わせることにした。

この会議で、ＧＭ、デュポン、スタンダード・オイル、そしてエチル・コーポレーション（ＧＭとスタンダード・オイルの合弁会社）は、テトラエチル鉛の活用は国家の産業発展のために必要不可欠なものと位置づけた。エチル・コーポレーションのフランク・ハワードは「自動車燃料の継続的な開発は、われわれの文明にとって必須である」と述べ、テトラエチル鉛の発見は石油を節約するための「神の贈り物としか思えない」と賞賛した。しかし、こうした主張は強く否定され、ハーバード・メディカル・スクールの内科医アリス・ハミルトンは「鉛は体内に時間をかけて蓄積する毒物であり、簡単に認識できる顕著な症状はでにくい」と指摘し、「この有鉛ガソリンが安全に使用されるなどと考えることはできない。どれほど厳重な管理体制をとろうとも、これまで鉛製造業で危険性をゼロにした例などひとつもない」と結論を述べた。こうした経緯を経て、独立機関による調査結果がでるまでは、エチル・コーポレーションが有鉛ガソリンの製造・供給を停止することを発表し、会議は終了した。一見、テトラエチル鉛反対派が勝利をおさめたようだったが、実際のところは、有鉛ガソリンの大量使用へと突き進む道をやや遠回りさせただけにすぎなかった。

この決議を受け、１９２５年10月、オハイオ州で有鉛ガソリンの毒性に関する調査が始まった。この調査に参加した労働者はたったの２５２人で、四つのグループに分けられた。対照群には自動車を運転する36人と、職場で有鉛ガソリンに曝露しない自動車の修理工場やガソリンスタンドの従業員21人。リスクがある人の群には、有鉛ガソリンに曝露しているお抱え運転手77人とガソリンスタンド従業員57人、鉛の粉塵《ふんじん》にさらされている工場労働者61人が含まれていた。この調査は当初から、たった7カ月間しか追跡しない計画であったため、鉛の曝露による長期の影響を調査するには不十分であることが明々白々だった。そして調査を終えた１９２６年５月、公衆衛生局長官に提出した最終報告書には「適切な規制のもとで供給・利用が管理されるのであれば、自動車燃料として特定の組成のエチル・ガソリンの使用を禁ずる正当な根拠はない」と明記され、さらなる調査が必要という補足が添えられた――「当委員会は、本調査を中断してはならないと考えている」と。しかし、結局、調査は中断されたままとなり、以来、まともな調査はいっさい実施されず、有鉛ガソリン業界のリーダーが面倒だと思うような規制の下では人類の進歩など望めないという考え方が優勢になった。これに輪をかけて、１９２９年に端を発した世界恐慌に見舞われたことも、有鉛ガソリンの普及を後押しする結果となった。

１９２７年、公衆衛生局長官は、ガソリン1ガロン当たり3グラム未満でテトラエチル鉛の添加を許可するという自主基準を発表した。アメリカが定めたこの有鉛ガソリン製造基準は徐々に世界でも採用されるようになり、エンジンの圧縮比（通常8・3～10・5程度まで）が2倍に高まり、熱効率も大きく改善された。こうして燃費が向上しただけではなく、航空燃料にもテトラエチル鉛を添加したおかげで、馬力も速度もあり、信頼性も高いレシプロエンジンの開発が可能になった。この航空エンジンは第二次世界大戦中に性能のピークを迎えたあと、ガスタービンに取って代わられた。そしてアメリカは第二次世界大戦後、中断していたモータリゼーションをふたたび推進し、ヨーロッパや日本でも車を保有する人が増え、有鉛ガソリンの生産量が新たなピークに達した。こうした現象の結果、テトラエチル鉛推進派の当初の主張は正当化され、この添加剤こそアメリカの自動車産業発展の突破口となり、巨大な経済力を生みだし、１９７０年代には有鉛ガソリンが世界市場を独占することになるだろうと考えられるようになった。

また驚いたことに、１９５８年、公衆衛生局長官はテトラエチル鉛添加量の上限をガソリン1ガロン当たり4・23グラムまで引きあげた（曝露すると、血中あるいは尿中の鉛濃度が上昇するという症例がなかったため）。いっぽう、１９５０年代から１９６０年代の実際の鉛添加量の業界平均値は１ガロン当たり約2・4グラムだった。そして１９４５年から１９７５年までの30年間で、アメリカは2兆ガロン近いガソリンを消費した。1ガロン当たり2・4グラムの平均値で計算すると、自動車の排ガスによって約４８０万トンの鉛を環境に排出したことになり、１９７０年代初頭にはその量が年間20万トンを超えていた。そのいっぽうで、毒物学の世界でも研究が進み、職業上の比較的高い急性または慢性の曝露にかぎらず、鉛によって深刻な健康被害が生じることがわかってきた。１９４０年代にはすでに、鉛が子どもの発達の遅れ、行動障害、知的障害を引き起こすことがわかっており、１９７０年代には、〝サイレント〟な量、つまり低量でも長期にわたって曝露すると無症状でもこうした影響が及ぶこと、この悪影響は鉛化合物の使用を禁止すれば避けられることがわかってきた。

曝露のもっとも大きな原因は、家庭用塗料に含まれる鉛だった。鉛を添加すると耐湿性や耐久性が向上するうえ、乾くまでの時間が短くなるため、塗料に酸化鉛、炭酸鉛、クロム酸鉛が添加されていたのだ。20世紀初頭には鉛の危険性が認識されていたものの、１９７７年になってようやくアメリカで鉛含有塗料の使用が禁止され、ヨーロッパやアジアではその後もしばらく使用が許可されていた。かたや、ガソリンに含まれる鉛は環境汚染のはるかに大きな原因だったが、有鉛ガソリンの大量使用により環境汚染が生じるという因果関係には、１９５０年代、ほとんど関心がもたれなかった（前の段落で述べたように、ガソリンに添加する鉛の量の上限を引きあげたほどだった）。この状態は１９６０年代にも続き、１９７０年代に入り、有鉛ガソリンによって世界各地に40年以上にもわたって鉛が排出されたあとになってようやく、アメリカはもっとも重要な液体燃料からこの有毒な金属を除去する道のりを歩みはじめた。とはいえ、この転換を決断した主因は、健康被害ではなかった。

廃止への道

アメリカの大都市では光化学スモッグが繰り返し発生し、長引くことも多かった。光化学スモッグとは、液体燃料の精製・供給・燃焼により排出される一酸化炭素、窒素酸化物、炭化水素などが大気中で複雑な反応を起こして生じる大気汚染現象で、１９４０年代にロサンゼルスで初めて発生が確認され、やがてすべての大都市圏で特定の季節に発生するようになった。１９７０年に改正されたアメリカの大気浄化法は、新たに設立された環境保護庁（ＥＰＡ）に有害物質を規制する権限を与え、１９７３年、環境保護庁は自動車排ガスの大幅削減と全規格のガソリンから段階的に鉛を除去することを義務づけた。

１９６２年、Ｅ・Ｊ・フードリーが触媒コンバーターの特許を獲得し、自動車の排ガスが大気中に放出される直前に汚染物質を除去できるようになり、光化学スモッグに技術的に対応できるようになった。触媒にはレアメタルである白金《プラチナ》が使われたが、白金は排ガスに含まれる鉛によって被毒劣化するため、無鉛ガソリンで利用できる触媒コンバーターの開発にはずみがついた（１９７５年モデルから全車に触媒コンバーターの設置が義務づけられた）。こうして新たに開発された触媒コンバーターが決定打となり、炭化水素と一酸化炭素の排出量を96％、窒素酸化物の排出量を90％、削減することに成功したのである。

　１９７０年の時点で、無鉛ガソリンはアメリカのガソリン市場の約３％を占めるにすぎなかった。だが１９７５年にはその割合が12％にまで増え、１９７９年には環境保護庁が有鉛ガソリンに含まれる鉛の平均含有量を減らすよう、すべての精製所に要求した。その結果、加鉛量は１９８０年にはガソリン1ガロン当たり1グラム、１９８５年には０・５グラム、１９８８年には０・１グラムまで減少した。同時に、鉛に曝露すると子どものＩＱが低下する、成人の血圧が上昇するという調査結果が発表され、健康被害に対する認識も高まり、有鉛ガソリンを完全に廃止する動きが加速化し、市場に占める無鉛ガソリンの割合が１９８５年の63％から、１９９１年には95％を占めるまでになった。１９８５年の環境保護庁の報告書では、鉛を段階的に削減し、最終的に撤廃することができれば、それにともなうコストの少なくとも2倍の恩恵を得られる（児童への悪影響がなくなる、ほかの汚染物質も削減できる、メンテナンスを簡略化できる）うえ、成人男性の高血圧にともなうコストも加味すれば12倍の恩恵が得られると見積もられた。

　その効果はすぐにあらわれ、数値ではっきりと確認できるものもあった。鉛の段階的削減が進むにつれ、アメリカの児童の血中鉛濃度の中央値は１９７６年から１９９４年にかけて80％近く減少し、２０１５年には１９７０年代半ばの数値のわずか５％程度になった。経済学者アンナ・アイザーがおこなった近年の研究によれば、この歴史的に見ても低い血中鉛濃度がさらに下がれば、小学3年生の児童の読解力のテストの成績が著しく上昇するという。児童の血中鉛濃度の平均値が1単位下がるごとに、読解力が大きく下がる確率が約3%も低下するのだ。こうして、ほかの国々もアメリカの例にならった。日本では１９８６年に有鉛ガソリンの使用が禁止されたが、ヨーロッパではドイツで１９８６年、フランスで１９８８年、スペインで１９９０年になってからようやく有鉛ガソリンの使用が減りはじめた。ＥＵがついに有鉛ガソリンの使用を禁止したのは２０００年になってからで、中国やインドが禁止したのと同じ年だった。最後まで有鉛ガソリンを使用していた国は三つあり、ベネズエラは２００５年に、インドネシアは２００６年に禁止し、アルジェリアが有鉛ガソリンの販売を中止したのは２０２１年7月になってからだった。

テトラエチル鉛の代わりに、添加剤としてなにが利用されるようになったのだろう？　メチル・ターシャリー・ブチル・エーテル（ＭＴＢＥ）は１９９０年代後半にもっとも利用された添加剤となったが、環境に悪影響を及ぼす（水に溶けるため、地下水で満たされた帯水層《たいすいそう》を汚染する）ことが判明し、２０００年には環境保護庁が段階的削減を発表した。その結果、精製所に残された選択肢はほぼふたつに絞られた。ノッキングを防止する炭化水素（ＢＴＥＸという化合物）の比率を高めてガソリンの組成を変えるか、エタノールを混合するか、だ。当初は、鉛の代替物としてＢＴＥＸがもっとも利用されていた。これは液体燃料に含まれるベンゼン、トルエン、エチルベンゼン、キシレンが混合した炭化水素で、精製過程で分離したものをガソリン（これらの芳香族化合物はごくわずかしか含まれていない）に添加し、ノッキング防止力を高めるのだ。意外なことに、ベンゼンを添加する効果はすでによく知られていて、１９２５年にＧＭがテトラエチル鉛を大々的に売りはじめたときでさえ、アメリカ市場ではすでに販売されていたのだ！

こうして代替品への切り替えが進むにつれ、ＢＴＥＸの添加量は１９９０年には平均してガソリンの22容量%から33容量%に上昇し、プレミアムガソリンでは50容量%にまで達した。だが、これによってまた新たな健康被害が懸念されるようになり、環境保護庁はＢＴＥＸの上限を25〜28容量%までと定めたものの、健康への悪影響の懸念はいまも消えていない。いっぽう、ありがたいことにエタノール混合ガソリンを燃焼させても厄介な悪影響はなく、作物由来のバイオエタノール（アメリカでは圧倒的にトウモロコシ由来が多く、ブラジルではサトウキビ由来が多い）がアンチノック添加剤の代表格になった。アメリカでのエタノール利用は、２００５年に成立したエネルギー政策法によって輸送用燃料にバイオエタノールを混合する際の最低量が定められると本格化し、２０２０年にはガソリン90%、バイオエタノール10%の混合燃料（通称Ｅ10）が、国内のガソリン車が利用する燃料の95%以上を占めるようになった。

残念ながら、私には有鉛ガソリンの恩恵とコストを、大まかにでも定量的に比較することができないので、明確な事実をいくつか述べるにとどめておく。１９２０年代半ばから始まったテトラエチル鉛のガソリンへの添加は、自動車の技術的な問題に対する手っ取り早い解決策となり、エンジンの熱効率も改善したため、環境面でも効果はあった。つまり、ほかの条件が同じであるならば、鉛が排出される割合（１キロメートル当たりのグラム数）は比較的低いままだったかもしれない。しかし、車の大量生産が進み、車両が重い車の割合も増えたため、相対的な利益は失われ、あらゆる車から排出された汚染物質の量は１９７０年代半ばまで増加の一途をたどった。すなわち、この有鉛ガソリンの価値は「簡単に製造できる」、「応用がきく」、「低コストである」点にあり、前例がないほどすばらしい発明ではなかったし、エンジンのノッキングを防ぐための唯一無二の方策でもなかったのだ。

避けられたはずの悲劇

有鉛ガソリンの危険性については当初からエビデンスがあったにもかかわらず、「エチル・ガソリン」という誤解を招く名称が隠れ蓑《みの》となった。そして、車の排ガスから鉛を吸い込んだ子どもたちの体内に蓄積し、最悪の影響を及ぼした。アメリカでは１９２０年代半ばから１９８０年代半ばまでの60年にわたり、他国でもたいてい20世紀後半は、この状態が続いたのである。そして現在では、たとえ少量であろうと、子どもが長きにわたって鉛に曝露した結果、さまざまな健康被害をこうむることが判明している。一般的な知能テストや読解テストの成績、空間認知能力、記憶力、注意持続時間、処理速度、言語能力、そのすべてが低下するのだ。また運動スキル（手先の器用さ）や感情的な行動にも悪影響が及ぶ。さらに、鉛が中枢神経系に悪影響を及ぼさない閾値《いきち》は見つかっておらず、１９９３年、米国科学アカデミーの調査では、ごく少量であろうと鉛に曝露すると、神経行動障害を引き起こすことが確認された。

したがって、テトラエチル鉛のガソリン添加剤としての使用がもたらした最大の悲劇は、児童が慢性的に神経毒にさらされ、人生で成功をおさめる平等なチャンスを失うことだった。有鉛ガソリンを吸い込んだからといって寿命が短くなるわけではないかもしれないが、数百万人の子どもたちが自分の望みどおりに生きるチャンスを奪われたのである。言うまでもなく、社会経済的地位が低い子どもたちはほかの面でも平等なチャンスを剝奪されていて、車の排ガス中の鉛による悪影響はそのひとつにすぎない。それでも、神経毒が深刻な被害を及ぼすことに疑いの余地はなく、一部の問題にすぎないとか、社会にとってそれほど重大な問題ではないと片づけることはできないのだ。鉛への曝露の累積効果が次の世代へ、また次の世代へとどう及んでいくのか、また地球全体にどれほど悪影響を及ぼすのかを定量化することはできないが、当初は技術的な課題に対する完璧な解決策として誉めそやされたのに、ひとりの人間の将来の可能性を潰すほどの被害をもたらした発明の例はほかにそうあるものではない。しかも、そうした悪影響は本来避けられるものだったのだ。

鉛曝露のリスクをよく承知していたにもかかわらず、大手自動車メーカーや石油会社が数世代にわたって知らぬ存ぜぬで有鉛ガソリンの製造や使用を続け、当初、反対派が異議を唱えたものの、その声が黙殺されたあとは黙り込んでしまったというアメリカ社会の混乱に、どんな言い訳ができるのだろう？　自覚がないまま、目に見えない毒に慢性的に曝露するおそろしさは、１９３０年代の前例のない経済危機、１９４０年代初頭の世界大戦、そして１９５０年代から１９６０年代にかけての高度経済成長と冷戦への懸念に比べれば、取るに足らないものだったのだろうか？　光化学スモッグに耐えられなくなり、白金を含む触媒コンバーターで排ガスに含まれる有害物質を除去せざるをえない事態に追い込まれなければ、私たちはいまだに有鉛ガソリンを利用していたのだろうか？

DDT

殺虫という行為が簡単にできたためしはない。その大きさ、季節によって爆発的に増える遍在性、手《て》強《ごわ》さ（４億年ほど前から長い歳月をかけて進化をとげてきた結果）、そして飛翔能力をもつ種の場合は３次元を移動するため捕まえにくく、昆虫を大規模に根絶するのは不可能であり、たとえ小規模であろうと数を減らすには費用のかかる防虫対策を繰り返し講じなければならない。そのため、弱い殺虫効果が一時的にしか続かない天然由来のものではなく、もっと強力な殺虫効果のある化合物を探す体系的な努力が始まったのは、ようやく１９３０年代になってからのことだった。

１９２５年、パウル・ヘルマン・ミュラーはスイスのバーゼルで有機化学の博士号を取得し、18世紀半ば創業の染料会社Ｊ・Ｒ・ガイギーの研究部門に就職した。ミュラーの最初の仕事は、植物由来や合成の染料やなめし剤の研究だった。その10年後、彼は植物の虫除《よ》けに効果のある化合物（布製品の防虫剤）を合成する部署に移り、殺菌・殺虫効果のある新製品や、水銀化合物に代わる新しい種子消毒剤〈グラミノン〉を開発した。そして次に任されたのが、高価なのに効果が小さい（さらに一時的な効果しかない場合も多い）天然由来の殺虫剤や、安価ではあるが有毒なヒ素化合物に代わる新たな殺虫剤の開発だった。その結果、新たに発明された化合物が世界に普及するようになるわけだが、その発端は、よりよい代替物を探す企業努力から始まったのである。

当時は、よりよい殺虫剤が開発されるという見通しがなかった。理想は、できるだけ多くの種の昆虫に対する即効性があり、哺乳類や植物にはまったく（あるいはほとんど）毒性がなく、無臭で刺激性がなく、ほかの物質と反応しにくく（化学的に安定している）、安価な化合物だった。当時知られていた殺虫効果のある物質には、ピレトリン（おもに日本から輸入されるシロバナムショケギクという除虫菊のつぼみや花から抽出される）、ロテノン（一部のマメ科植物から得る）、ニコチン（タバコなどナス科の植物に含まれている）などがあったが、いずれも効果が持続せず、大半が高価だったうえ、なかには人体に有害、または刺激性をともなうものもあった。

５億人の命を救った化学物質

ミュラーは４年にわたって研究を続け、３４９もの物質の試験を経たあと、ついに１９３９年、効果が期待できそうな分子を発見した。ほかの社員たちが実験をおこなったところ、クロロメチル基（$-CH_2Cl$）をもつ化合物には蛾《が》に対する経口毒性があることがわかったのである。その発端となったのは、イギリス人研究者たちが１９３４年に化学専門誌ジャーナル・オブ・ザ・ケミカル・ソサエティに投稿した論文で、ジフェニルトリクロロエタンの調合について述べていたので、$-CCl_3$基が接触により殺虫活性をもつのではと興味をもったからだった。そして１９３９年9月、ジクロロジフェニルトリクロロエタン（**di**chloro**d**iphenyl**t**richloroethane、略称ＤＤＴ）を合成し、すみやかに試験をおこなったところ、昆虫に接触すると既存の化合物にはないほど殺虫効果を発揮することがわかった。

しかし、ミュラーが発見したのは未知の分子ではなかった。実際には１８７４年、ストラスブール大学（ストラスブールは１８７１年に普仏戦争でフランスが敗北したあと、ドイツ帝国の領土となっていた）で学んでいたオーストリアの化学者オトマール・ツァイドラーによって、この有機塩素化合物は初めて合成されていた。ところがツァイドラーは、自分が発見した分子をなんらかの形で応用する方法を模索しなかった。こうした傾向は19世紀後半には、とくにめずらしいことではなかった。新たに合成されたにもかかわらず、数十年も放置されていた有機化合物には、１８５３年に初めて合成された有機金属化合物、すなわち前述のテトラエチル鉛や、１８７２年にドイツの化学者オイゲン・バウマンが合成したポリ塩化ビニル（ＰＶＣ、現在ではポリエチレンに次いで生産量が多い重要な合成樹脂）など、ほかにも例は多かった。

ミュラーは、無色、無味、ほぼ無臭で結晶構造をもつこのＤＤＴという化合物には強い殺虫力があることに気づき、さらなる実験をおこなったところ、蚊、シラミ、ノミ、寄生虫疾患リーシュマニア症を媒介するサシチョウバエ、ジャガイモの害虫コロラドハムシなどを殺虫できることを確認した。そこですぐさま特許を取得し（スイスで１９４０年、イギリスで１９４２年、アメリカで１９４３年）、ガイギー社はＤＤＴ５％（コロラドハムシ対策のスプレー〈ゲザロール〉）とＤＤＴ３％（おもにシラミ駆除用の粉末〈ネオサイド〉）の殺虫剤の販売を開始した。ベルンのアメリカ大使館付き陸軍武官の仲介で、１９４２年11月にはニューヨークにＤＤＴのサンプルが届き、ちょうど除虫菊不足に頭を悩ませていたアメリカ陸軍はまずヨーロッパで、次に太平洋諸島で、マラリア、発疹《ほっしん》チフス、シラミの対策にこの化合物を使用するようになった。

　その結果は、納得のいくものだった。１９４３年夏の２カ月間、米軍では２万１４８２人がシチリア島でマラリア感染のため入院したのに対し、戦闘による死傷者は１万７３７５人だった。そこで公衆衛生のポスターには的確にも「マラリアを媒介するハマダラカは敵軍よりも多くの兵士を倒す」と書かれたほどだった。１９４３年８月、ＤＤＴの実地試験がイタリアでも開始されると、１９４５年までにマラリアの新たな感染者数は80％以上減少した。ＤＤＴはまたナポリで発疹チフスの流行を食い止めるために、市民全員に非常に有効な方法（衣類の手首と足首のところを縛ってから、襟元や腰からＤＤＴの粉末を振りかける）で散布された。１９４３年12月中旬から約１３０万人が散布を受けたところ、２カ月後には発疹チフスの新たな患者数はゼロになった。第二次世界大戦が終結する頃とその直後、連合軍は強制収容所や刑務所から収容者を解放する際や、国外追放者を送還する際に、ＤＤＴを広範に利用した。

　こうして感染症の予防に有効で即効性もあることが判明すると、ＤＤＴは世間で好印象をもたれるようになったうえ、戦後はアメリカと南ヨーロッパの一部においてマラリア撲滅の取り組みで利用されたため、いっそう好感をもたれるようになった。その結果、１９４８年、パウル・ヘルマン・ミュラーは「多数の節足動物に対するＤＤＴの接触毒としての強力な作用の発見」によって、ノーベル生理学・医学賞を受賞し、「疑いの余地なく、この物質はすでに数十万人の命と健康を守ってきた」と表彰された（図２・４）。その後もＤＤＴによって命を救われた人の数は増えつづけ、１９７０年には米国科学アカデミーの生命科学研究委員会が「ＤＤＴほど、人類が多大な恩恵を受けている化学物質はわずかしかない」と述べたほどだった。それはＤＤＴが使用開始からたった20年たらずのうちに、

図 2.4　DDT の研究を認められ、1948 年にノーベル生理学・医学賞を受賞したパウル・ヘルマン・ミュラー。

マラリアから5億人の命を救い、飢餓、栄養失調、疾患を撲滅するための世界的な取り組みにおいて、茎が短く、収穫量が多く、大量の化学窒素肥料を利用する小麦や稲の新品種と並んで、新たな方策のひとつとなったからだ。

悪影響の初報告

アメリカでは1945年10月、DDTが農業用・家庭用の殺虫剤として一般に販売され、農作物を虫から守る際にも急速に利用されるようになった。とはいえ、DDTには昆虫に対する神経毒性があったため、人体への悪影響を懸念する声もあった。DDTに対するもっとも初期の評価は、1945年にイギリスの著名な昆虫学者パトリック・バクストンが発表したもので、DDTには高い殺虫効果がありながら、哺乳類に対する毒性は低く、大量に摂取すると肝臓に病理学的な変化が生じ、震顫《しんせん》〔訳注：自分の意思とは関係なく身体に生じるふるえ〕などの症状も起こるが、いまのところDDTの製造者や使用者の健康に害が及んでいるという証拠はない、よって「さまざまな分野で2年間、利用された経過を見るかぎり、殺虫剤として使用するＤＤＴは無害だと思われる」と述べた。しかし、ＤＤＴの残留性に関しては懸念があった。ＤＤＴが染み込んだ衣服は数回、洗濯したあともシラミを殺すことができたし、壁やガラス窓にＤＤＴを染み込ませたフィルムを貼ると、何週間も蚊やハエを殺しつづけることができたのだ。

その悪影響が初めて報告されたのは１９５０年代後半になってからで、蚊、テントウムシ、マイマイガ駆除のために農家で使用されるようになり、大規模なＤＤＴ散布が一般化したあとのことだった。１９５８年、イギリスの自然保護団体ザ・ネイチャー・コンサーバンシーのデレク・ラトクリフは、１９５０年代初頭にハヤブサの巣で割れた卵の数が異常なまでに増加したと報告した。同年、イリノイ州立自然史博物館のロイ・バーカーが野生鳥獣保護管理の専門誌ジャーナル・オブ・ワイルドライフ・マネジメントに論文を寄稿し、「ある条件下でＤＤＴの適量を使用したところ、その後、1年近くたってもミミズの体内に濃縮したＤＤＴが残留しており、これを摂取したコマツグミを死に至らせる可能性がある」と述べ、警鐘を鳴らした。この結果は、１９５０年5月から１９５２年5月にかけて、イリノイ州立大学のアーバナ市のキャンパスでニレの木に濃度６％のＤＤＴ溶液を散布した影響によるものだった。この期間に、キャンパスでは21羽の瀕死のコマツグミが発見され、その脳を調べたところ、いずれもＤＤＴやその代謝物の量が増えていた。この発見は、４年後にＤＤＴに対する広範な告発をおこなった出版物で重要な因果関係を示すことになった。

『沈黙の春』の衝撃

ラトクリフとバーカーが研究結果を発表した同じ年、海洋生物学者レイチェル・カーソンが、複数の地域でＤＤＴ反対運動の調査を始めた（図２・５）。彼女は内務省の魚類野生生物局に勤務してい

図 2.5　レイチェル・カーソン（1907 ～ 1964 年）。著書『沈黙の春』は DDT 散布の危険性を啓蒙し、アメリカ大衆のあいだに反 DDT の波を起こした。出典：US Fish and Wildlife Service

たが、著書『われらをめぐる海』（日下実男訳、早川書房）がベストセラーになり、経済的に自立できるようになったあと、１９５２年に退職し、おもにアメリカ北東部でＤＤＴ散布の影響を調べていたのである。彼女が調べた反対運動のグループのなかには、「大量毒殺に抗議する委員会」なるものまであり、米国農務省に対して差止請求をおこなったこともあった。カーソンはまた農薬のリスクに関する情報収集に着手し、当初はニューヨーカー誌の記事として寄稿するつもりだったが、次から次へと情報が舞い込んできたため、本を執筆することにした。よって原稿は、１９６２年６月からニューヨーカー誌に連載するために短く編集されていたが、その後、ホートン・ミフリン社から書籍として出版されるやベストセラーとなり、ブック・オブ・ザ・マンス・クラブ〔訳注：毎月、厳選された新刊本を会員が郵送で受け取るシステムのブッククラブの賞〕にも選ばれ、ついにはＣＢＳのテレビ番組で特集を組まれるまでになった。

　こうして世間で認知が広がった結果、『沈黙の春』は１９６０年代でもっとも有名なノンフィクションとなった。カーソンはＤＤＴの使用が自然の秩序に対して人間が犯したもっとも重大な干渉のひとつであることを指摘したうえで、この本が世間に大きな衝撃を与えることを目的としていた。タイトルとなった「沈黙の春」（Silent Spring）とは、ニレの木へのＤＤＴ散布が数年、春になると繰り返されたあと、イリノイ州ヒンズデイルの住民が１９５８年に書いた1通の手紙を指している。

> 町からはコマツグミ、ホシムクドリが姿を消したのです。アメリカコガラはここ二年間姿を見せず、今年はショウジョウコウカンチョウも来なくなりました。近所に巣をかけているものといえば、ハトが一つがいとネコマネドリの一家のほかには何もいないようでした。
>
> 　鳥は殺されてしまったのよ、と子どもたちに説明するのに骨を折りました……〈また鳥たちは帰ってくるの？〉ときかれると、本当に困ってしまうのです。（青樹簗一訳）

　こうして「沈黙の春」というイメージが、アメリカ国民の頭に鮮烈に植えつけられたのである。さらにカーソンは将来について、いくつかおそろしいシナリオを書いた。とくに、この本の冒頭の「明日のための寓話」という章では、現実的にこれから起こる可能性があることと、子どもたちが急に死んでしまうという根拠のない誇張を、故意に混在させた。

> 農夫たちは、どこのだれが病気になったというはなしでもちきり。町の医者は、見たこともない病気があとからあとへと出てくるのに、とまどうばかりだった。そのうち、突然死ぬ人も出てき

た。何が原因か、わからない。大人だけではない。子供も死んだ。元気よく遊んでいると思った子供が急に気分が悪くなり、二、三時間後にはもう冷たくなっていた。

自然は、沈黙した……鳥たちは、どこへ行ってしまったのか……沈黙の春だった。（青樹簗一訳）

農薬の毒性を扱った第11章では、農薬メーカーを「ボルジア家〔訳注：15～16世紀に台頭したイタリア名門貴族の家系。政敵を次々と毒殺したと言われている〕の夢をこえて」行動を起こした毒殺者であると、公然と揶揄《やゆ》している。

たしかに『沈黙の春』は、人類が生物圏に及ぼす影響の大きさを広範にとらえてはいるが、DDT導入後に合成され、商品化されたほかの農薬のほうがはるかに強い毒性があり、生物相に有害であると繰り返し指摘し、「エンドリンにくらべれば、この系統の親であるDDTなど、ほとんど害がないといっていいくらいだ」と述べている。それでも、彼女がこの冗長な文章が続く本のなかで前面に押しだして糾弾しているのは、やはりDDTだ。この本のなかで200回近く言及しているのだから。

そのため、本書が刊行されたあと、世間にはDDTに関する大げさな物言いがあふれかえった。『沈黙の春』はまたたく間にベストセラーとなった（ニューヨーク・タイムズ紙のランキングで86週ものあいだ上位を維持した）。この前例のない告発の書が事実を暴露し、「現代の環境運動に火をつけた」結果、反DDTという「巨大なうねり」を起こしたと見なされるようになった――ハリエット・ビーチャー・ストウ著の『アンクル・トムの小屋』が奴隷制度への反感を呼び起こし、トマス・ペイン著の『コモン・センス』がアメリカ独立革命への気運を過激に盛りあげたように。よって、『沈黙の春』を論じる数々の本が出版され、この本を読んでいない大勢の人たち（そして、この本が出版されたあとに生まれ、この本のタイトルを耳にしたことがある程度の人たち）に対しても、「ＤＤＴがさまざまな方法で生物の命を奪い、害を及ぼしている」というメッセージが明確に伝わるようになったのである。

使用禁止の決定をめぐる議論

この本がＤＤＴの使用を禁止しようという動きを広く推進した結果、さらなる調査が実施され、ほかにも悪影響が及んでいることが確認された。なかでも甚大な被害を受けたのが猛禽《もうきん》類で、アメリカの一部ではハヤブサとハクトウワシが壊滅的に減少した。また、当時殺虫剤として広く使われていたメトキシクロルはようやく２００３年になってから使用が禁止されたが、これよりもＤＤＴのほうがコマツグミに悪影響を与えていた。当時、新設されたばかりだった米国環境保護庁は１９７１年から１９７２年にかけてＤＤＴに関する公聴会を7カ月にわたって実施し、そこでの証言を９０００ページを超える書類に残した。環境保護庁の審議委員エドマンド・スウィニーは、そこで報告された研究結果、結論、議事をまとめた１１３ページの報告書を作成し、１９７２年4月25日付けの連邦官報に掲載した。その報告書で彼は、ＤＤＴには必要不可欠な効果があるため、使用を禁止すべきではないと述べた。ＤＤＴだけが被害をもたらす農薬ではないし、代替品にはより毒性の強いものもあり、「人間に対する発がん性、変異原性〔訳注：生物の遺伝情報に変異を引き起こす作用〕、催奇形性の危険はない」ため、規制を設けたうえでの使用であれば「淡水魚、干潟の生物、野鳥、その他の野生生物に長期にわたる害をもたらすことはない」と明言したのである。

だが、そのたった6週間後、同庁の長官ウィリアム・ラックケルズハウスは「環境に対するリスク」の要因がいくつかあるという理由で、この化合物の使用禁止を決定した。そのおもな理由として、Ｄ

ＤＴの陸上・海洋における生物濃縮〔訳注：ある化学物質が食物連鎖でより上位の捕食動物の生体内に濃縮されていく現象〕、食物網を介した拡散、土壌への数年（数十年）に及ぶ残留、水界生態系の汚染、多くの益虫の殺傷、魚への毒性、鳥の卵殻を薄くして繁殖を妨げる、発がん性のリスクを高めるといった懸念が挙げられた。こうした要因は「人間や下等生物にとって定量化できない未知のリスク」であり、今後も使用を続ければ「許容できないリスク」が生じるため、綿、トウモロコシ、豆、落花生、野菜などさまざまな作物に殺虫剤として使用することを予防策として禁じたのである。

この決定は、米国科学アカデミーの委員会が「ＤＤＴによって人類は多大な恩恵を受けている」と述べてからたった2年足らずでくだされ、殺虫剤の製造や散布に関わる企業だけではなく、多方面から強く非難された。小麦の品種改良により世界の主要穀物の収穫量を大幅に増加させた農学者ノーマン・ボーローグや、アメリカを代表する昆虫学者たちも、この禁止令に不信を表明した。こうしてアメリカでＤＤＴ禁止をめぐる議論が高まるなか、サイエンス誌はカリフォルニア大学の昆虫学者から寄せられた書簡を掲載した。その書簡は、この禁止例は感情的であるばかりでなく、大げさな物言いに振りまわされた判断にすぎないと断じ、ＤＤＴが広範かつ大量に使用されているなか、使用法を守れば人間や動物に害が及ぶ証拠はいっさいないと述べた。また、ラトガーズ大学の生物学者は「このばかげたキャンペーンによって、有効かつ安全で、実績もある農薬が今後、ほかの代替物に置き換えられていくのだろうか？」と、疑問を呈した。

その後、政治的に判断をくだしたと非難されたラッケルズハウスは、禁止という判断をくだした理由をこう説明した。

ケミカル・ウイーク誌の記者からは、これは政治的な判断なのかと尋ねられた。私はこう応じた。

たしかに政治的な判断がまったくないとは言えないかもしれない——社会が恩恵を得るために、どこまでリスクを負うべきかを判断したという意味では。しかし、私は判断の基盤を政治に置いたと答えたわけではない。だが彼の論説では、政治的に判断をくだしたと、まるで私が認めたようになっている。

とはいえ、ＤＤＴ使用に反対する主張は、カーソンが想像力を駆使して誇張した表現や、環境保護庁の審議委員の調査結果を無視したラッケルズハウス長官の判断を拠《よ》り所にしているわけではない。１９７２年以降のさまざまな研究によって理解が深まると、ＤＤＴ使用禁止の決定は正当であったことが判明したのである。この化合物が環境に及ぼす悪影響をかんがみれば、ＤＤＴ使用の大半を禁止するのが予防策として当然であり、いくつかの主張とは裏腹に、ＤＤＴ禁止によって後悔するような結果はいっさい生じなかったのだ。

１９７０年にスウェーデンがＤＤＴ使用禁止に踏み切ったあと、アメリカでも使用を禁じたが、この化合物を全廃したわけではなかった。例外的に使用が認められることもあり、１９７０年代にはルイジアナ、カリフォルニア、コロラド、ニューメキシコ、ネバダといった州で、発疹チフスやペストなどの感染症を媒介するノミ・ゾウムシ・蛾の殺虫にＤＤＴが使用されていた。しかし、農薬の大規模散布が終わるにつれ、生物相の（脂肪組織や血液における）ＤＤＴ濃度が低くなり、やがてＤＤＴやＤＤＥ（ジクロロジフェニルジクロロエチレン、ＤＤＴの代謝物）によって卵殻が薄くなる悪影響が、南極以外のすべての大陸で調査されるようになった。卵殻に被害を受ける生物は種によって異なり、ニワトリとウズラはまったく悪影響を受けないが、魚を食べる種の鳥と猛禽類はＤＤＴやＤＤＥが脂肪組織に生物濃縮されるため、もっとも被害を受けやすかった。

ＤＤＴによって被害を受けた鳥の血液中のカルシウム濃度は正常であるため、ＤＤＥによってミネラルが卵殻腺粘膜に浸透しにくくなり、殻を最大50％（通常は15～25％）薄弱化したと考えられている。ＤＤＴが散布される前の時代の卵は標本室に保管されており、この殻の厚さを直接測定するには、殻を割らなければならない（卵の中身を微小な穴から取り出す必要が生じるため、マイクロメーターは利用できない）。そこでラトクリフは、新たに採取した卵と比較できる指標（重量／縦×横）を考案した。その後、オタワの国立野生生物研究センターのデイヴィッド・ピカールは、ＤＤＥが残留しているのであれば、中身を抜いた卵の乾燥した殻膜に含まれるＤＤＥの量を測定できるかもしれないと考えた。そこで実際に標本室に保存されていた数十年前の卵をヘキサンに浸し、クロマトグラフィー分析をおこなったところ、ＤＤＥが含まれていることが判明した。

　ハヤブサに関しては、１９３３年、１９３６年、１９４６年に採取された卵からはＤＤＥの残留物が見つからなかったが、１９４７年に採取した5個の卵のうち4個からはＤＤＥが検出された。その結果、１９６０年代に入った頃には、イギリスとアメリカ東部、カナダ南部で、ハヤブサは姿を消したのである。同様の卵殻薄弱化の影響を受けた猛禽類には、ミサゴ、ハクトウワシ、ハイタカ、アカオノスリなどがあり、近年では２００６年から２０１０年にかけて中部カリフォルニアでふたたび繁殖が試みられたコンドルも含まれていた。コンドルは、ＤＤＴの工場からの廃棄物で汚染されたカリフォルニア湾南部に生息するアシカの死骸を食べていたのだ。魚を食べる鳥類では、ミミヒメウ、カッショクペリカン、サンショクウミワシ、オオアオサギ、カオジロブロンズトキなどの被害が記録されている。さらにＤＤＴの残留性の高さは、いまだに正常な厚さの卵殻に戻っていない鳥の個体群があることを意味している。グリーンランドのハヤブサの卵殻はこの数十年で着実に厚くなってはいるものの、ＤＤＴ散布前の正常な厚さに戻るのは２０３４年以降になると考えられている。

マラリア対策における役割

自然界からＤＤＴとＤＤＥの残留物が徐々に減少し、もっとも深刻な被害を受けた地域でも猛禽類の飼育繁殖や人工繁殖により、壊滅状態にあった種、もしくは個体数が大きく減少していた種が回復するようになった。では、ＤＤＴが禁止された結果、この化合物がもっとも活用されていたハマダラカ（マラリアを媒介する）の駆除にはどのような影響が及んだのだろう？　１９５０年代、イタリアのサルデーニャ島、ギリシャ、アメリカ南部などではＤＤＴ散布により、ハマダラカの数が急減したものの、ＤＤＴの大規模散布に踏み切る国が増えるにつれ、自然淘汰の結果、ＤＤＴに耐性をもつハマダラカが出現するようになった。マラリアの歴史に詳しいモラグ・デイゲンが指摘しているように「世界規模でマラリア撲滅作戦が計画される前から、蚊はＤＤＴに適応していた」のだ。

１９７０年代初頭には欧米でＤＤＴが禁止されたものの、同様の動きが各国で見られたわけではなく（アメリカでも輸出用の殺虫剤製造が１９８０年代半ばまで続いた）、ＤＤＴのおもな使用国であり輸出国（おもにアフリカ向け）であるインドは、１９７７年にマハーラーシュトラ州に、２００３年にはパンジャーブ州にＤＤＴ製造工場を新設し、生産を拡大した。とはいえ、この頃にはＤＤＴを製造している国はインドを含む3カ国にまで減少していた（ほかは中国と北朝鮮で、北朝鮮の生産量はごくわずか）。１９９０年代後半には、有害な残留性有機汚染物質を廃絶するための国際的な交渉が始まり、２００１年にストックホルム条約が採択され、２００４年5月に発効した。当初は殺虫剤のアルドリン、クロルデン、エンドリン、マイレックスなどの化合物が禁止され、ＤＤＴに関しては熱帯地方でのマラリア対策の使用に限定するとされた。

２００６年、世界保健機関（ＷＨＯ）はＤＤＴのガイドラインを見直し、ＤＤＴは屋内残留噴霧を認められた12種類の殺虫剤のなかでもっとも有効であり（マラリア感染を最大90％低減させる）、適切に使用すれば人間や野生生物に害を及ぼさないことを確証した。そして２０１１年、ＷＨＯは「ＤＤＴは媒介生物による感染症対策においていまなお必要である。とりわけ感染者数の多い地域では、同様の効果をもち、実施もしやすい手段がほかにないからだ」と繰り返し述べ、その使用を削減し、最終的に全廃するには、代替手段の開発と最貧国への資金援助が欠かせないと明言した。２０１０年以降も、インドは依然として最大のＤＤＴ使用国であり、２０１５年になってようやくストックホルム条約への加盟の交渉を開始した。２０１９年の時点でインド、メキシコ、ブラジル、サハラ以南のアフリカの６カ国を含む11カ国が依然としてＤＤＴを家の壁に定期的に散布する屋内残留噴霧を認めている。よって、マラリアを世界全体で根絶できなかった理由は、ＤＤＴの使用を規制したからであるはずがない。

　２０１９年、マラリアの患者数は87カ国で約2億３０００万人だったが、その91％を占めていたのはアフリカのサハラ以南の諸国で、ナイジェリアとコンゴ民主共和国だけでその40％近くを占めていた。この地域でのマラリア撲滅の失敗の一因は、蚊が獲得した耐性だった。20世紀末には、サハラ以南の諸国やアジアでマラリアのおもな媒介生物を含む50種以上のハマダラカがＤＤＴ耐性を獲得し、ほかの化合物に対する耐性も獲得するようになっていた。２０１９年には、マラリアを媒介する蚊が少なくとも1種類の殺虫剤に対する耐性を獲得したと73カ国が報告し、主要な4種類の殺虫剤すべてに耐性があると28カ国が報告した。こうした耐性をもつハマダラカに対しては、ＤＤＴの殺虫力が著しく落ちるものの、ゼロになるわけではない（毒性はかなり弱まったとしても、虫除け剤として作用する可能性がある）。よって、使用が減った時期はあったものの、１９５０年代から１９６０年代にかけてＤＤＴの使用を続けた結果、北米、ヨーロッパ、カリブ諸国連合の大半でハマダラカを根絶することができた。では、なぜアフリカではいまだに根絶できていないのだろう？

　公衆衛生に詳しいマイケル・パルマーが指摘するように、マラリア撲滅の成否は個々の化合物の使用によって決まるわけではない。まずは経済発展に始まり、公衆衛生、調査と監視、治療を含む総合的な方策を実施できる能力によって、感染症を予防し、対策を実施し、その悪影響を抑えられるかどうかで決まるのだ。つまりマラリアの新規感染者数が多い国は、まだ経済的に繁栄していない国でもある。そのため、マラリア対策におけるＤＤＴの役割については、依然として論争が続いている。たしかに１９４５年以降はマラリアの感染者数が大きく減少したため、ＤＤＴの果たす役割はわずかになったが、ＤＤＴの使用禁止によって数百万人の命が失われることになったと主張し、使用を制限するのは逆効果だと訴えるＤＤＴ賛成派も大勢いる。ほかにもＤＤＴ中道派がいて、場合によっては屋内残留噴霧よりすぐれた手段はないと主張している。しかし、屋内残留噴霧であれば安全だとＤＤＴ使用を認めるのは、「ＤＤＴの使用には用心が必要だ」という数々のエビデンスを無視するのと同じことであり、とても擁護できない。

初期の成功が災いした発明

　これまで人類は、レイチェル・カーソンが記したように、ＤＤＴのせいで「元気よく遊んでいると思った子供が急に気分が悪くなり、二、三時間後にはもう冷たくなっていた」ような状況を目撃したことは一度もなかったが、大規模散布が始まってから70年以上が経過したいま、ようやくＤＤＴが健康に及ぼす害がかなりわかってきた。ＤＤＴへの急性曝露により、興奮、震顫、めまい、発作、発汗、頭痛、吐き気、嘔吐《おうと》など、さまざまな反応が生じる。職業上の曝露が続けば、注意力の低下、視覚情報と身体の動きの不一致、さまざまな神経心理的および精神医学的症状など、永続的な行動の変化を引き起こす可能性があるのだ。

２００８年、ＤＤＴ製造が及ぼす過去と現在の影響について議論する会議が開催された。そして、虫が媒介する感染症の予防にはたしかに効果があるものの、屋内の壁に噴霧された残留ＤＤＴとＤＤＥへの曝露においては、職業上の曝露に比べると、危険性がほとんど調査されていない点が論じられた。さらに、ほかの曝露と同様、子ども、妊婦、免疫不全疾患の患者がもっとも危険にさらされやすく、屋内ＤＤＴ噴霧を実施しているマラリア流行地域ではＨＩＶ／エイズの感染者数も多いことが判明した。ＤＤＴもＤＤＥも脂質に溶けやすいため、アフリカでは長期の授乳により、乳児が望ましくないほど大量のＤＤＴを摂取しているおそれもあった。

70年に及ぶ調査研究期間中に発表された２０１９年の評価では、発がん性に関しては一貫したエビデンスがないものの、ごくわずかな論文だけがＤＤＴには発がん性があるという結果を発表していた。一貫したエビデンスが見られるのは、ＤＤＴ曝露と流産または早産、乳幼児の呼気性喘鳴《ぜんめい》、肝臓がんとの関連性だ。とはいえ、こうした関連性はどれも観察研究にすぎず、因果関係を示してはいない。さらにＤＤＴとの関連性を主張する研究の大半は、ＤＤＴと関連する可能性のあるほかの有機塩素化合物への曝露との対照実験をおこなっていなかった。ＤＤＴと非ホジキンリンパ腫、および精巣がんとの関連性を裏づけるエビデンスは限られていて、２０１５年、国際がん研究機関（ＩＡＲＣ）はＤＤＴを「ヒトに対しておそらく発がん性がある」物質に分類した。ＤＤＴはまた免疫系の働きを弱め、内分泌攪乱《かくらん》物質として作用し、乳がんの罹患《りかん》率を高めるおそれもあった。

こうしてＤＤＴ使用の歴史を振り返ると、その軌跡は有鉛ガソリンがたどってきた盛衰から廃止までの軌跡とあきらかに類似点があるものの、殺虫剤の大規模散布と数十年にわたる使用によって累積した悪影響は、評価するのがはるかにむずかしい。たしかに有鉛ガソリンはエンジンの熱効率を上げたものの、環境に神経毒を撒《ま》き散らし、永続的な被害を及ぼせたのだから、自動車の排ガス減少による健康への恩恵のほうがはるかに大きいことに疑いの余地はない。これとは対照的に、ＤＤＴは多くの国でマラリアを撲滅し、ほかの国々にはその負荷をかけなくなったのだから、まぎれもなくプラスの役割を果たした。ただ、農作物への大規模散布に頼った結果、長期にわたって環境に害を及ぼす化学物質を拡散し、駆除の対象となっていた昆虫がＤＤＴやＤＤＥへの耐性を広く獲得するようになったのだ。

　最終的に、ＤＤＴは廃止すべき残留性有機汚染物質のひとつとなった。１９７１年にスウェーデンで、１９７２年に米国環境保護庁が予防的な規制を設けたのを皮切りに、２００１年に採択されたストックホルム条約では廃絶またはほぼ廃絶すべき12の化学物質の筆頭に挙げられた。インドやアフリカの一部の国ではまだ屋内残留噴霧を実施しているが、使用の増加（ＤＤＴの長期にわたる殺虫力の高さが賞賛された）と減少（ＤＤＴが生物相に及ぼす悪影響が広がり、これに対する反対運動が高まった）を経た道筋は、現在、ほぼ終わりを迎えようとしている。

　当初、ＤＤＴは大歓迎されただけではなく、「真の意味で大きな変革をもたらす発明」に分類されたが、いまでは「望ましくない進歩をもたらした発明」へとその評価を大きく下げている。そもそも、マラリア撲滅の手段に限るとして、ＤＤＴの使用を最初から厳しく規制し、農作物への大規模散布に使用するような真似をしなければ、状況は変わっていたのだろうか？　そうかもしれない。しかし、ＤＤＴは第二次世界大戦末期には複数の軍隊で使用されていたし、その後は穀物の大量増産をめざした「緑の革命」を推進する農薬として急速に普及したため、綿密に計画を立てたうえでの慎重な利用は不可能となった。少なくともこの点において、ＤＤＴは初期の成功が災いした発明の例となったのである。

クロロフルオロカーボン類（フロンガス）

冷蔵や空調は、現代文明を永続させるために普及した必要不可欠なテクノロジーの好例ではあるものの、目立たないところで機能しているため、「あるのが当たり前」だと思われている。それに、たいてい目に見えず、スムーズに動いていれば低い音を立てるだけで、温度を好みの程度にまで下げている。また、コンプレッサー（圧縮機）は冷却と冷凍を可能にする装置で、人工知能や遺伝子工学の進歩の報道に熱心なメディアからまったく注意を向けられることなく、金属の箱のなかに姿を隠し、せっせと働いている。この意味でコンプレッサーによく似た装置といえば、変圧器だろう。コンプレッサーよりはるかに大量の変圧器が電圧を上げたり下げたりしていて、このおかげで長距離送電（１００キロボルトまでの超高圧送電を含む）や携帯電話（５ボルトまでのバッテリー）が機能しているのだ。ただし、ときには騒音を立てるコンプレッサーとは異なり、変圧器は完全に無音で作動している。

現代の冷蔵技術が出現する前は、食料品や飲み物を保存するには氷を切りだし、輸送し、貯蔵する（19世紀にはこれがかなりの季節産業になった）か、多孔質の素焼きの器から水を蒸発させ、気化を利用して冷やすしかなかったし、室内を涼しくするには日除け、厚い壁、煙突効果を利用した設計の建物などに頼るしかなかった。１８０５年にアメリカの技師オリヴァー・エヴァンスがエーテルを使った密閉型の冷凍システムを、１８２８年にはアメリカの機械技師ジェイコブ・パーキンスとイギリスの技師リチャード・トレヴィシックがそれぞれ空気循環型の冷凍装置を提案したが、いずれも机上での設計にとどまった。突破口が開かれたのは、１８３４年、パーキンスが揮発性液体エチルエーテルを冷媒とした冷凍機の特許を取得したときだ。現代の冷凍サイクルは、このときの発明と同様、コンプレッサー、コンデンサ、膨張弁、蒸発器という四つの部品で構成されている。パーキンスが発明した装置は、冷凍技術を利用する新たな産業の基盤を生みだしたのだ。

　１８５５年にはアメリカのクリーブランドに初の製氷工場が、１８６１年にはオーストラリアのシドニーに初の食肉冷凍工場が建設された。蒸気機関はコンプレッサーの駆動力として初めて信頼できる手段となり、１８８０年代には電気がよりよい（静かで、使用する時点ではクリーンな）エネルギーとして普及しはじめた。冷凍や冷却のサイクルには圧縮と膨張を繰り返す冷媒が不可欠だが、この頃にはまだ完璧な冷媒が存在しなかった。冷媒の歴史を調査したジェームズ・カームは、１８３０年代から１９３０年代初頭までの１００年間、第一世代の冷媒として、入手可能で「作用するものならなんでも」利用していたと述べている。初期の冷媒として利用された化合物のリストには、エーテル、それにメタン（CH_4）、エタン（C_2H_6）、プロパン（C_3H_8）などの軽い炭化水素から、イソブタン（C_4H_{10}）、プロピレン（C_3H_6）、ペンタン（C_5H_{12}）、二酸化炭素（CO_2）、アンモニア（NH_3）、二酸化硫黄（SO_2）、クロロエタン（CH_3CH_2Cl）、ギ酸メチル（$HCOOCH_3$）、四塩化炭素（CCl_4）などの重い炭化水素まであった。

　理想の冷媒は不燃性、無毒、不活性といった特徴をもち、たとえ破損したダクトや故障したコンプレッサーから漏れたとしても、発火したり、人間を窒息させたり、有害物質を吸い込ませたり、ほかの化合物と結合したりしない必要がある。たとえば二酸化炭素は毒性が弱く不燃性ではあるものの、空気より重いため、密閉された空間では低いところに溜まって酸素不足を引き起こし、人間が窒息したり、二酸化炭素中毒になったりする危険がある。このように冷媒として理想的なものがないなか、可燃性のガスでさえ利用可能だと喧伝されることもあった。実際、１９２２年の広告では、プロパンは「中性の化学物質」であり、「有害でもなければ、不快でもない」ため、必要とあれば「その蒸気のなかでエンジニアが作業をしても、いっさい不便はない」と謳われたほどだ。たしかにプロパンは毒性こそ弱いが、空気より重いので、密閉された空間でガス漏れが生じれば床の近くに溜まり、火災や爆発を起こす危険がある。

１８６０年、フランスの技術者フェルディナン・カレがアンモニアを利用した冷凍サイクルの特許を取得した。アンモニアには腐食性があり、皮膚、眼、肺に損傷を及ぼすうえ、濃度３００ｐｐｍで急性毒性が生じるというリスクがあるものの、大規模産業の場では冷媒として重宝され、冷凍効果（冷凍装置の蒸発器で冷媒1キログラムが周囲から奪う熱量）がもっとも高いため、こんにちでも利用されている。アンモニアはまた可燃性ガスでもある（空気中の濃度15～28％が燃焼範囲）が、ほかの炭化水素冷媒に比べて燃えにくく、人間がにおいを感じる最小濃度が低いため（わずか20ｐｐｍ）、センサーがなくても容易に感知できる。それでも大型の冷蔵保管室では漏洩《ろうえい》事故が発生するリスクにそなえ、精巧な検知・制御装置が設置されている。

あきらかに、自然界にもともと存在する「自然」冷媒——可燃性の炭化水素、腐食性があるアンモニア、有毒な二酸化硫黄など——はどれも家庭用の冷媒としては安全ではなかったし、許容できるものではなかった。１９２０年代後半になると、大量の家庭用冷媒を普及させるうえで、こうした安全上の懸念がまぎれもない障害となった。アメリカでは第一次世界大戦の直前に小型の食品冷蔵庫が発売されたが、その普及は電化率や電気代にも左右された。１９２５年には、アメリカの世帯の約半数が送電網を利用できるようになり、電気料金も下がっていた。ラジオと同程度に冷蔵庫を普及させるうえで残された基本的課題は、冷媒の改良だけとなっていたのだ。

その頃、ＧＭは全米一の冷蔵庫メーカーを傘下におさめた。１９１５年、アルフレッド・メロウズ

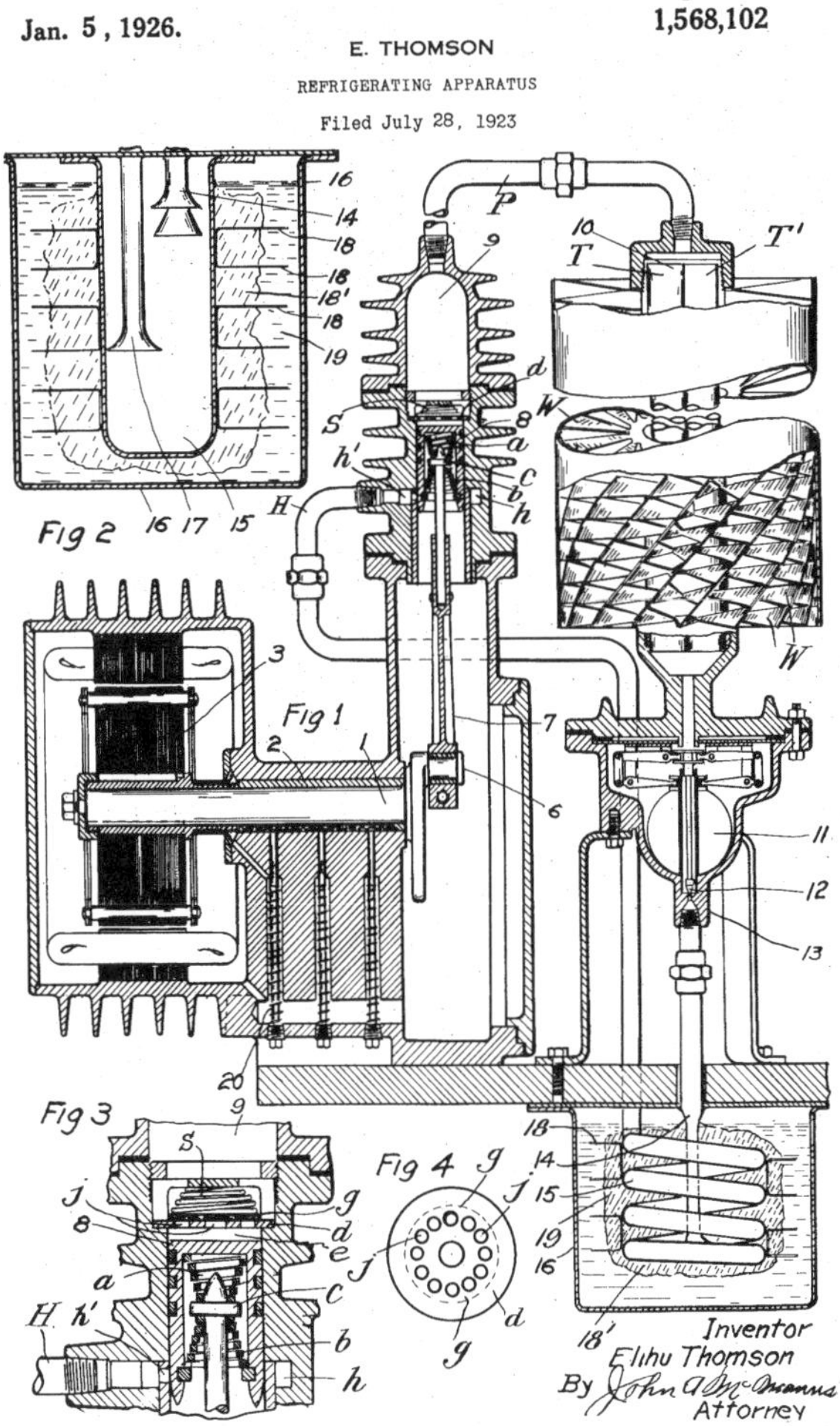

図 2.6 エリフ・トムソンが 1926 年に特許を取得した家庭用冷蔵庫の出願書。冷媒に二酸化硫黄を利用している。出典：E. Thomson, Refrigerating apparatus（US Patent 1,568,102、1923 年 7 月 28 日出願、1926 年 1 月 5 日設定登録）、https://patents.google.com/patent/US1568102A

は自身にとって初の冷蔵庫を設計したものの、デトロイトでごくわずかな数しか販売できなかったため、１９１８年、彼の会社はＧＭ創業者ウィリアム・デュラントに買収され、その後ＧＭに売却されていた。しかし、冷蔵庫は儲かる商売にはならなかった。ＧＭ傘下となったこの企業はフリッジデール社と名を改めたものの、冷蔵庫の冷媒に二酸化硫黄を使用していたため、健康被害をもたらす懸念があり、どの家庭でも冷蔵庫は戸外のポーチに置いていたし、病院やレストランに設置することはできなかった（図２・６）。さて、ここにふたたび登場したのが、ＧＭの研究所の所長チャールズ・ケタリングだ。彼は「冷蔵産業を発展させるには、新たな冷媒を開発するしかない」と考えていたうえ、熱帯地方での冷凍（ひいては空調）技術の巨大市場や、自動車への空調機の搭載を見越していた。

「無毒」で「不燃」の冷媒

ケタリングは電動スターターや有鉛ガソリンと同様、的を絞った研究を実施し、解決策を探すことにした。ちょうどその頃、トマス・ミジリーは有鉛ガソリンの研究を終え、コーネル大学で合成ゴムの研究に取り組んでいるところだったので、ケタリングに協力し、すぐれた冷媒の開発に取り組むことに同意した。彼の側近でフッ素を専門に研究していたアルバート・ヘンネは、塩素化合物の元素をフッ素に置き換えれば念願の冷媒を合成できるかもしれないと提案した。これに、やはり研究者のロバート・マクナリーが協力し、ジクロロジフルオロメタン（CCl_2F_2）というクロロフルオロカーボンの合成に初めて成功した。これはＦ12として知られ、〈フレオン〉という商標で販売されるようになった。また、この化合物の中間体はＦ11と呼ばれたトリクロロフルオロメタン（CCl_3F）で、彼らはこの化合物を合成こそしなかったものの、そこからまたＦ13と呼ばれるようになるクロロトリフルオロメタン（$CClF_3$）も合成できることは認識していた。

彼らはF12を嗅ぎながら実験をおこなったが、身体にはなんの症状もでなかった。そこでモルモットで一連の実験をおこない、この化合物の安全性を証明した。1930年4月、ミジリーはアメリカ化学会の会合で〈フレオン〉を紹介し、壇上で少し吸い込み（「無毒ですよ！」とアピール）、ゆっくりとロウソクに吐きだして炎のようすを見る（「不燃ですよ！」とアピール）という驚くべきやり方でその安全性を示してみせた。1930年8月、GMとデュポンはこの化合物を製造・販売する株式会社を共同で設立し、〈フレオン〉は1931年11月に米国特許（商品登録されていない名称は「ヒート・トランスファー」〔訳注：「熱伝達」の意〕）を取得した。すると、すぐさまビジネスで成果をあげることができた。1929年の時点ですでにGMは100万台の冷蔵庫を市場に流通させていたが、1932年になると（20世紀最大の経済不況のさなかであったにもかかわらず）、その数は225万台に達した。その後も経済危機が続き、第二次世界大戦が勃発したにもかかわらず（軍需産業に労働者が動員された）、アメリカの世帯における冷蔵庫保有率は、1930年のわずか10％から1945年には60％近くに、そして1952年には90％に上昇したのである。

　家庭用冷蔵庫が急速に普及する現象は、戦後のヨーロッパや日本でも再現され（国によってはたった1世代をすぎたあたりで飽和状態になった）、低所得国の都市部の富裕層にも保有者が増えはじめた。1970年代初頭には、すべての富裕国でカラーテレビより冷蔵庫の台数のほうが多くなり、19世紀にジェイコブ・パーキンスが発明した冷凍サイクルをふたつの方法で活用するようになった。1970年には、アメリカの世帯の約半数にエア・コンディショナーが設置され、新車の半数以上にもエアコンが搭載されるようになったのである。そして当時、家庭用冷蔵庫とカーエアコンの普及は、クロロフルオロカーボン類の2種類の用途にすぎなかったが、いずれも重要だった。さらに安定性、非腐食性、不燃性、無毒、低価格という望ましい特徴があったため、クロロフルオロカーボン類は化粧品や塗料、医療用吸入器などのエアゾール製品の噴射剤、ポリウレタン・フェノール・押出ポリスチレンといった発泡プラスチックの断熱材、電子回路の洗浄剤、食用油やアロマオイル抽出の際の溶媒などに最適な選択肢となった。

その結果、クロロフルオロカーボン類の生産量は急増した。なかでもＦ11（トリクロロフルオロメタン）とＦ12（ジクロロジフルオロメタン）――のちにＣＦＣ－11とＣＦＣ－12またはＲ11とＲ12と呼ばれるようになった――の世界の年間生産量は、１９３４年の５５０トン未満から１９５０年には５万トンを超え、１９６０年には約12万５０００トンに増加し、１９７４年には81万２５２２トンに達して、ピークを迎えた。その半数近くを生産していたのはアメリカで、世界の主要メーカーはアメリカのデュポン社とアライドシグナル社、イギリスのＩＣＩ社、ヨーロッパのアクゾ社、アトケム社、ヘキスト社、カリ・ケミー社、モンテフルオス社などだった。では、１９３０年代初頭から大気中に放出された１０００万トン近いクロロフルオロカーボン類はどのような運命をもたらしたのだろう？　だれにもわからなかった――ミジリーが彼の研究チームの発見を公表してから約40年後に、ＣＦＣ－11の大気中濃度が初めて測定されるまでは。

「いかなる意味でも危険はない」

１９７０年、地球は自己調節機能をもつ超個体であるという「ガイア理論」を提唱したイギリスの科学者ジェームズ・ラブロックは、大気中のＣＦＣ－11濃度を測定する方法を考案した。そして１９７１年、アイルランド西部のアドリゴールで最初の測定をおこない、東から流れてくるヨーロッパの汚染された大気中だけではなく、大西洋から流れてくる汚染されていない大気中からもこの化合物を検出した。この化合物はきわめて感度の高い電子捕獲型検出器でしか検出できないため、ラブロックは「大気中に存在していようと、いかなる意味でも危険はない」と結論づけたが、ガス状のフッ素化合物は自然界には存在しないため、この濃度は産業公害によって汚染された気団の指標になりうると述べた。

１９７１年から１９７２年にかけて、ラブロックらはイギリスから南極大陸まで大西洋を横断する船上で定期的にＣＦＣ‐11を測定し、この化合物が平均濃度１兆分の50程度で浮遊し、北半球では（予想どおり）濃度が高いことを発見した。そこから推測できることは明白だった。対流圏ではほとんど分解されない性質をもつクロロフルオロカーボン類が成層圏まで到達し、１９３０年以降に放出されたほぼ全量が蓄積していたのである。しかし、ラブロックの研究グループが結論を述べたように、クロロフルオロカーボン類は「環境をかき乱さない」ため、ほんとうに「危険があるとは考えられない」のだろうか？　それとも、成層圏に溜まっていくと厄介な結果をもたらすのだろうか？　後者の可能性が高いとする仮説が１９７４年、大気科学の研究者リチャード・ストラルスキーとラルフ・サイセローンによって発表された。彼らは成層圏のオゾンを塩素酸化物が消滅させ、ふたつの触媒反応サイクルがオゾン分子を分解している可能性があることを示した。

ほどなく、アメリカの化学者シャーウッド・ローランドと大学院生マリオ・モリーナは、クロロフルオロカーボン類に含まれる塩素が直接オゾン層破壊に関係していると述べた論文をネイチャー誌に発表した。「成層圏で消滅するクロロフルオロメタン：塩素原子を触媒とするオゾンの分解」というタイトルのこの論文を認められ、21年後にローランドとモリーナはノーベル化学賞を受賞することになった。分解されにくいクロロフルオロカーボン類が大気中に放出され、ついには成層圏に到達したあとどうなるかは、モリーナがおこなったノーベル化学賞受賞講演で簡潔に要約されている。

クロロフルオロカーボン類は、雨やヒドロキシルラジカルによる酸化など、大気中の汚染物質の大半を除去する一般的な浄化作用では分解されません。ところが、オゾン層よりずっと上にある上部成層圏に到達すると、波長の短い太陽紫外線にさらされ、分解されます。太陽光線を吸収したクロロフルオロカーボン類の分子は、すぐに塩素原子を放出し、次のような触媒反応を起こします。

$$Cl + O_3 \rightarrow ClO + O_2$$

$$ClO + O \rightarrow Cl + O_2$$

すなわち、塩素原子が触媒となってオゾンを分解すると、その後は連鎖反応となって新たな分解のサイクルが始まり、下方への拡散とメタンとの反応によって成層圏から消滅する前に、１個の塩素原子が10万個ものオゾン分子を分解するという理論である。これは大きな不安をもたらす説だった。というのも、成層圏のオゾン層は生物の進化に不可欠で、オゾン層がなければ地球上の生命体は紫外線に耐性のある微生物や藻類だけになっていたと思われるからだ。25億年ほど前に海洋性の微生物シアノバクテリアの光合成によって酸素を含む大気が発生し、対流圏の酸素濃度が上昇した結果、高度50キロメートルの成層圏にオゾンが蓄積されるようになった。オゾン濃度がもっとも高いのは高度約30キロメートル付近で、この高度はエベレスト山頂よりも20キロメートル以上高い。

この成層圏のオゾン層は、可視光線より波長が短い紫外線のなかでも、波長が長いＵＶＡ（波長３２０～４００ナノメートルの紫外線Ａ波）に対してはなんの反応も示さない。ところが、２９５ナノメートルより短い波長の紫外線はすべて吸収し、より短い波長のＵＶＢ（波長２８０～３２０ナノメートルの紫外線Ｂ波）から生物圏を守っている。ＵＶＢは皮膚から吸収されビタミンＤの生成に不可欠ではあるものの、日焼けや白内障の原因となり、エネルギーが強く、ＤＮＡに損傷を及ぼすからだ。よって、陸上および海洋の複雑な生物は、オゾン層がＵＶＢを吸収してくれるおかげで進化を遂げてきた。とくに海洋植物プランクトンはＵＶＢから悪影響を受けやすいため、オゾン層の減少は光合成反応の低下を招く。また、ＵＶＢは海洋生物の生殖能力や幼生の発育に悪影響を及ぼすうえ、陸上では動物や人間の白内障や皮膚病変、作物の収穫量減少などの原因になると考えられていた。

１９７５年、大気科学の研究者ロドルフ・ザンダーはクロロフルオロカーボン類の光分解の最終産物を特定し、クロロフルオロカーボン類が成層圏に到達しているという明確なエビデンスを初めて報告した。そして１９７０年代末には、世界規模でクロロフルオロカーボン類を測定するネットワークがふたつ誕生した。監視を続けた結果、クロロフルオロカーボン類の大気中濃度が着実に上昇していることが判明したが、ローランドとモリーナの説が示すように、実際に成層圏のオゾン層が破壊されていることを示すエビデンスはなかった。それでも警戒は広がっていった。１９７４年をピークに、世界のクロロフルオロカーボン類の生産量は減りはじめ、１９７８年３月には、アメリカ、カナダ、ノルウェー、スウェーデンの４カ国が不必要なエアゾール製品の使用を禁止し、１９８０年には欧州共同体（ＥＣ）がクロロフルオロカーボン類の生産量に上限を設け、エアゾール製品の使用については30％削減を目標とした。

国際協定を結ぶ

１９８２年と１９８３年には、米国科学アカデミーがR11とR12を１９７７年の水準で使い続けると、最終的に世界のオゾン濃度は当初予想の10～15％ではなく、２～４％低下するにすぎないという予測を発表したため、クロロフルオロカーボン類の使用を早急に禁止しようとする動きが弱まりはしたものの、なくなりはしなかった。１９８５年3月、43カ国が参加した外交会議で「オゾン層の保護のためのウィーン条約」が採択され、オゾン層保護のために適切な措置をとること、１９８７年までに明確な国際協定を結ぶことを定めた。そして１９８５年5月1日、ネイチャー誌が、少なくとも今後10年はオゾン量の変動は少ないままだとするモデルが間違っていることを示す論文を掲載したため、早急に対策を実施する必要性が高まった。この論文の著者たちは大気科学者ジョセフ・ファーマン率いる研究チームで、英国南極観測所で南極上空のオゾン（O_3）濃度が春にかなり低下することを報告したのである。この発見によって、南極の「オゾンホール」が毎年季節ごとに形成されているという認識が、広く、かつ不正確に知られるようになった。

　成層圏下部の大気循環には変化が見られないようだったので、オゾンが減少した要因は化学的なものである可能性が高いと考えられた。そこでファーマンらは、真冬から春分をすぎるまでは非常に気温が低いため、「南極成層圏は無機塩素の増加に大きな影響を受けやすくなる」と考えた。北極圏や南極圏を含む極域上空の成層圏では、春になってようやく太陽光が戻ってくると、紫外線によりクロロフルオロカーボンが分解され、塩素原子が生じ、この塩素原子が触媒となってオゾンを連鎖的に破壊するのだろう、と。１９８６年には気球による観測で、極域上空の成層圏では雲の粒子の表面で塩素原子による化学反応が生じていることが判明したため、この現象に対する理解がいっそう深まった。さらにクロロフルオロカーボン類の寿命は、ＣＦＣ－11の大気中での寿命が46～61年、ＣＦＣ－12の場合が95～１３２年であることがすでに知られていたため、オゾン層破壊に対して地球規模の有意義な介入が必須であることが明確になったのである。

　アメリカ最大のクロロフルオロカーボン・メーカーだったデュポン社（アメリカの冷媒生産量の約半分、世界生産量の約4分の1を製造）の決断には重い意味があった。その後の分析では、クロロフルオロカーボン類に関連する同社の一連の判断（ときには矛盾も見られた）には賛否両論あったが、早期の製造禁止を受け入れ、かなり速いスピードで代替製品を供給する役割を果たしたという功績には議論の余地がない。南極上空でのオゾン層破壊が報告される前から、デュポン社はクロロフルオロカーボン類が有害であるという動かぬエビデンスが発表されれば製造を中止するつもりだと表明していた。各国が前例のない世界協定を受け入れ、迅速に批准するためには、代替品を供給できるというメーカーの保証が欠かせなかったのだ。また代替品の製造には、それまで主流だったＣＦＣ－11やＣＦＣ－12の5～10倍の価格となると見積もられたことも、開発推進の後押しとなった。

　こうした経緯でクロロフルオロカーボン類の使用や生産を規制し、最終的には全廃するための国際条約を結ぶための交渉が続き、産業界の協力も得た結果、ついに１９８７年、モントリオール議定書が採択され、当時、市場に流通していたおもな5種類のクロロフルオロカーボン類の生産を50％削減するよう要求した。また、その後の改正では、すべてのクロロフルオロカーボン類と数種類のハイドロクロロフルオロカーボン（ＨＣＦＣ）の段階的廃止を求めた。１９９０年のロンドン改正では、もっとも有害なクロロフルオロカーボン類を富裕国は２０００年までに、低所得国は２０１０年までに段階的に廃止することが規定され、１９９２年のコペンハーゲン改正では、削減スケジュールを前倒しして最初の削減段階を１９９６年までに終えることが規定された。

　21世紀初頭には、年間生産量10万トンを超えるクロロフルオロカーボン類はＣＦＣ－12のみとなり、生産量減少にともない、クロロフルオロカーボン類の大気中濃度も上昇しなくなり、やがてじわじわと低下を始めた。だが、生産が禁止されたあとも、古い冷蔵庫で利用されていたクロロフルオロカーボン類が、本来は回収して高温で焼却するなどすべきところを適切に処理されずに廃棄されていたため、大気中に放出され、負荷がかかっていた。とくに中国では、ＣＦＣ－11とＣＦＣ－12の放出量が

２０１１年にピークを迎え、２０２０年にようやく急減した。クロロフルオロカーボン類の大気中濃度は、ゆっくりとではあるが着実に減少している。これまでの濃度の観測値を検証し、ＣＦＣ－11の濃度を定期的に観測したところ（１９７７年以降）、北半球の平均値は１９５０年の０・７ｐｐｔから１９８０年に１７７ｐｐｔへと上昇し、１９９４年に２７０ｐｐｔでピークに達して、２０２０年には約２２５ｐｐｔに低下している。

　こうした禁止や規制は、南極のオゾンホールにどのような影響を与えたのだろう？　その結果を評価するうえで、適切な尺度はふたつある。オゾンホールの面積と、オゾンの大気中濃度だ。１９５６年に南極でオゾン層観測を開始した当初、南極大陸上空のオゾンの濃度は平均３００ドブソン単位〔訳注：「ドブソン単位」は大気圏中のオゾンの量を厚さで示す単位〕で、１９７０年代半ばまでこの水準が続いた。そのあと、濃度は１９９５年に１００ドブソン単位にまで低下し、その後は同じ水準の維持とゆるやかな回復（最低濃度の上昇）を繰り返している。２０１８年の国連の評価では、南極大陸上空のオゾン層は回復の途上にあり、２０６０年には１９８０年代以前の水準に戻る可能性があるとしている。しかし、オゾン層が破壊された実質的な面積（「穴《ホール》」の大きさ）は変動を続けている。２０１９年、その面積はわずか８００万平方キロメートルほどで、記録史上最小だった。ところが２０２０年、その面積は3倍となり、10月に約２４００万平方キロメートルでピークに達し（ちなみに南極の面積は約１４２０万平方キロメートル）、２０２１年にはさらに面積が増えて２４７０万平方キロメートルになり、記録を開始した１９７９年以来8番目の大きさとなった（図２・７）。

　では、モントリオール議定書の採択と、その後の改正がなかったら、オゾン層はいったいどうなっていたのだろう？　その答えは当然、クロロフルオロカーボン類の生産量に左右される。１９８５年までの数年間は世界のクロロフルオロカーボン類の生産量は減少を続けていたため、大気科学者のポ

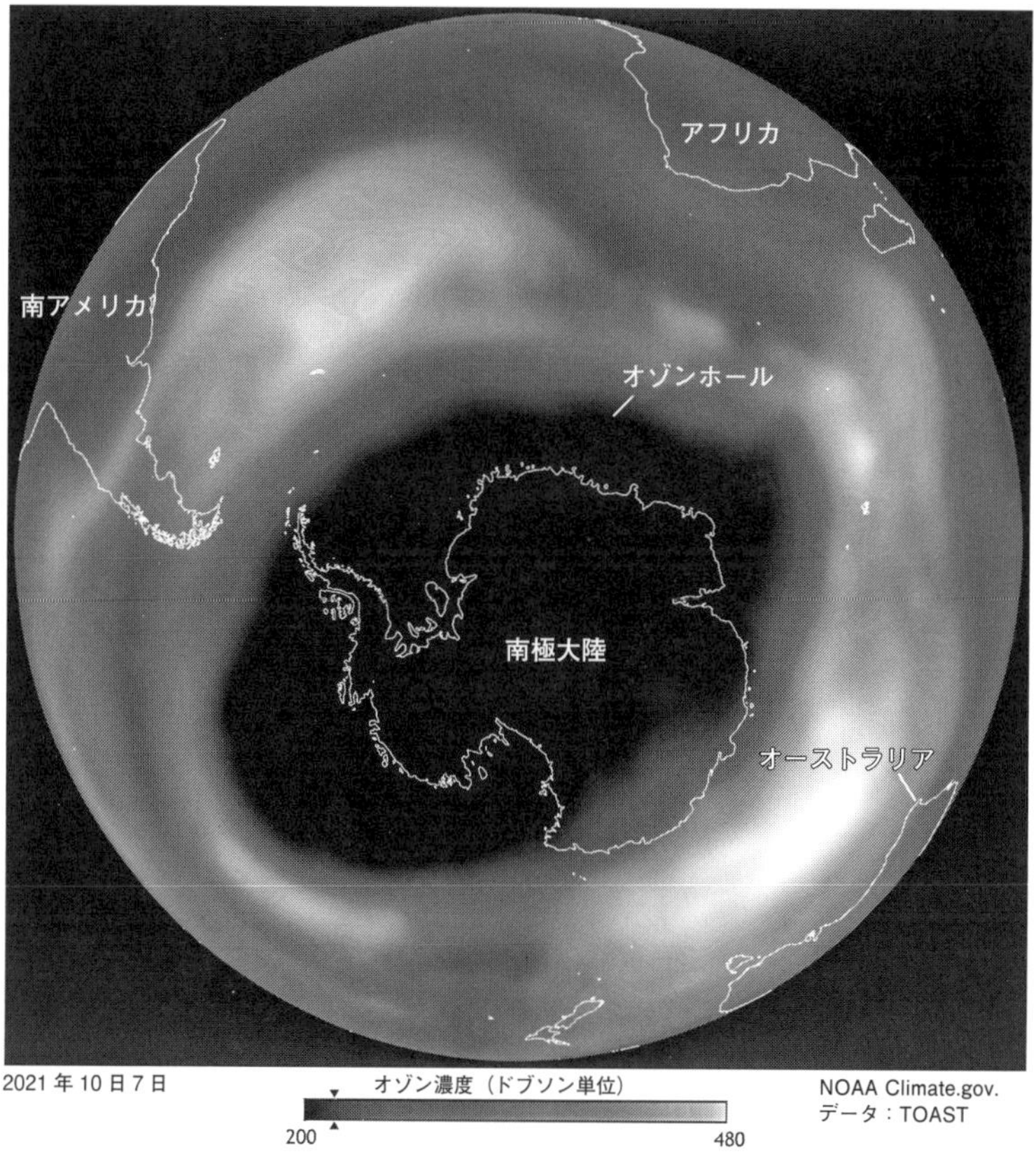

図 2.7　2021 年 10 月の南半球のオゾン濃度。南極大陸上空では依然としてオゾン濃度が低い状態が続いている。出典：NOAA Climate.gov

ール・A・ニューマンらは規制をせずに生産量が年率3％で増加した（つまり約23年ごとに倍増する）場合の未来をシミュレーションし、その最悪のシナリオを報告した。このまま生産量の増加が続けば、1980年と比較すると、2020年までに世界のオゾン層は平均17％が破壊され、2065年までに平均67％が破壊されるだろう。極地ではオゾン層の大規模な破壊が常態化し、紫外線が増加した結果、2060年には人口密度の高い北半球中緯度帯では夏の紅斑《こうはん》紫外線量〔訳注：肌に紅斑を生じさせる有害な紫外線量〕が2倍以上になるだろう、と。こうした最悪のシナリオと比べれば、悪影響が3分の1から5分の1程度に抑えられるのであれば、国際的な対策を実施するだけの価値があったのはあきらかだ。

1920年代後半の状況に逆戻り

クロロフルオロカーボン類の排出を抑制するためのいちばん手軽な方法は、精密電子機器や金属を洗浄する際にフッ素系洗浄剤の使用をやめることだった。水系洗浄剤を使用したり、はんだ付けの際に無洗浄フラックスを使用したりすればいいのだ。冷凍・冷蔵庫や空調など、クロロフルオロカーボン類を大量に使用する場でモントリオール議定書の規定に従うためには、当初、ハイドロクロロフルオロカーボン（HCFC）に切り替えればいいと考えられていた。ハイドロクロロフルオロカーボンは数十年前から知られていた化合物で、これを大規模に生産し、マーケティングを実施することも、ほんの数年で実現できるだろうと思われていたのだ。ハイドロクロロフルオロカーボンの大半は対流圏（地表から10～15キロメートルまでの地球の大気の最低層）で拡散しているあいだに、化学反応によっておおむね分解されるため、オゾン層を破壊する可能性はもっとも使用量の多いクロロフルオロカーボン類の1～15％とごくわずかだ。

ところが、ハイドロクロロフルオロカーボンは（重要度は低いとはいえ）オゾン層を破壊するガスであるだけでなく、さらに扱いにくい環境問題の要因でもある。つまり、人為的排出により地球温暖化を招く「温室効果ガス」の一種なのだ。評価期間１００年の地球温暖化係数（ＧＷＰ）で比較すると、人間の活動によって排出されるガスのなかで圧倒的に量が多い二酸化炭素（CO_2）を1とした場合、メタン（天然ガス生産、輸送、水田、反芻《はんすう》動物の腸内発酵などがおもな発生源）は28、亜酸化窒素（肥料などから）が２６５、現在では禁止されているＣＦＣ－11が４１６０、ＣＦＣ－12が1万２００であるが、もっとも使用量の多いハイドロクロロフルオロカーボン（CH_3CClF_2）の係数はなんと２０００近い。ハイドロクロロフルオロカーボンの生産は２０４０年までに終了することになっていたが、２００７年、モントリオール議定書で高所得国は規制スケジュールを前倒しし、段階的に削減したあと２０２０年までに全廃、低所得国では２０１３年から段階的に削減し、２０３０年までに全廃することに合意した。

　次に利用可能な代替フロンは、ハイドロフルオロカーボン（ＨＦＣ）だ。ハイドロフルオロカーボンは塩素を含まないため、成層圏のオゾン層に悪影響を与えず、モントリオール議定書でも規制されていない。だが、ハイドロフルオロカーボンの代表格であるCHF_3の地球温暖化係数は1万２４００、CH_2FCF_3は１３００と、どちらも大きいため、簡単に普及させることはできない。

　このようにフロン類がたどった道のりを振り返ってみると、理想的な冷媒の探求は「使えるものならなんでも使っていた」１９２０年代後半の状況に逆戻りしているように思える。第二世代の冷媒に関しては、安全性と信頼性こそ高かったものの、成層圏のオゾン層を破壊する危険があったし、第三世代の冷媒に関しては、オゾン層を破壊する確率を大幅に下げたりゼロにしたりしたものの、温室効果ガス排出の原因になったのだから。

フロン類の紆余《うよ》曲折は失敗の連続とはいえないにせよ、不完全な解決策を繰り返しながら、結局のところ継続し、加速化しているように思える。特定フロン〔訳注：オゾン層破壊物質としてモントリオール議定書で規制の対象になっているフロン〕となったクロロフルオロカーボン類は、当初、それまでの冷媒の代替品として理想の化合物であり、その後は半世紀近く冷媒として重宝された。いっぽう、富裕国で利用されるようになったハイドロクロロフルオロカーボンは40年弱で主流からはずれた。また塩素を含まないハイドロフルオロカーボンは、オゾン層破壊の懸念を完全に払拭したが、大規模に使用すれば人為的な温室効果ガスの排出を大幅に増加させることになる。アジアとアフリカの熱帯や亜熱帯の低所得国で今後、冷蔵庫や冷凍庫、空調の需要が急増することを考えれば、その危険はいっそう高まるだろう。２０２０年の時点で、世界で約18億台のエアコンが稼働し、その半分以上が中国とアメリカというたった2国に集中している。しかも、これは今後見込まれる総需要のごく一部にすぎない。アメリカや日本では90％の人がエアコンを保有しているいっぽうで、世界でもっとも暑い気候の地域に暮らす30億近い人のうち、エアコンを保有している人は10％に届かないからだ。

　こうした背景があるため、効率がよく安全で、安価で環境にやさしい冷媒の必要性は、これまでになく高まっている。よって、またもや私たちはよりよい代替品を求めているわけだが、１９３０年以降、化学的な理解が飛躍的に進んだにもかかわらず、無毒で、不燃性で、ハロゲン化物（塩素やフッ素を含む）でもなく、望ましい沸点をもち、蒸気の熱容量が小さく、低粘度で、熱伝導率が大きいといった特徴をもつ新たな冷媒を発見できそうな領域が、もう残っていないのだ。地球温暖化に対する警鐘が大きく鳴らされるなか、地球温暖化係数が低い流体を代替物とするしか策はなく、近年、商用冷媒の候補として研究されているのは、クロロフルオロカーボン類が利用される前から存在する、昔ながらのいわゆる「天然」の物質——二酸化炭素、アンモニア、炭化水素（エタン、プロパン、シクロプロパン）、ジメチルエーテル――や、一部のフッ素化アルカン（ＨＦＣ）、フッ素化アルケン、含酸素化合物、窒素化合物、硫黄化合物などだ。

まったく予測不可能な失敗

　このまま新たな有望株を見つけることができなければ、私たちは家庭や自動車で昔ながらの「天然」冷媒のなかからひとつかふたつを選び、大規模に使用することができるだろうか？　可能性はゼロではないが、そうなるとは限らない。それでも、ひとつだけ確実にわかっていることがある。有鉛ガソリンの導入とは異なり、クロロフルオロカーボン類が成層圏のオゾン層にとって脅威となったのは、イノベーションにおける、まったく予測不可能な失敗であったということだ。よって、有鉛ガソリンやクロロフルオロカーボン冷媒の導入においてトマス・ミジリーが果たした役割に関して、ネット上ではあれこれ書かれているが、そうした批判は大げさであるばかりでなく、あきらかに不正確で、このメディア特有の浅い知識に基づいた歴史修正主義としか思えない。「1人の男が20世紀でもっとも大量の死を生みだした物質をふたつ発明した」「トマス・J・ミジリーは歴史上もっとも危険な発明家の1人と、現在では見なされている」といった投稿があるのだから。核兵器が発明された20世紀で、その責任を負うべき科学者はだれかと問うことを考えれば（ロバート・オッペンハイマー、ジェームズ・チャドウィック、レオ・シラードなど。ほかにも候補は大勢いる）、こうした決めつけがいかに愚かか、わかるというものだ。

　都市部への無差別爆撃には、「空気より重い空飛ぶ機械」の発明とその大改造、空飛ぶ機械を動かすための液体燃料の抽出と精製、目的地に誘導するための電子ナビゲーションシステムの開発などが必要だった。また強力な爆発物や焼夷弾《しょういだん》を利用した結果、前例がないほどの遠距離から破壊活動がおこなわれ、20世紀のあいだに数百万もの命を奪った（１９４５年3月の東京大空襲だけでも約10万人が命を落とした）が、クロロフルオロカーボン類による即死の例はない（時間が経過してからの死亡例もほとんどないはずだ）。それに、カール・ベンツ、ゴットリープ・ダイムラー、ヴィルヘルム・マイバッハらは、現代の自動車の前身となるものを発明したわけだが、だからといって、交通事故によって年間約１２０万人の死者がでている現状を、彼らのせいにすべきだろうか？

第３章　主流となるはずだったのに、当てがはずれた発明

重要な科学技術のブレイクスルーは、当初はそれほどの大発見とは見なされないものだ。その発明を論文で初めて報告したところで、論文が掲載された学術誌を読むのはごく少数の専門家だけだし、特許権を取得したところで、とくに目新しいところはないと忘れられたり、軽視されたりする。だが、発見から数十年を経てようやく、その価値が見なおされる例がある――そのとき初めて、新たな産業や製品を生みだす大きな流れが生じるだけでなく、社会組織や社会的相互作用が新たな形をとりはじめるのだ。歴史を振り返り、その代表例を挙げるとすれば、ジェームズ・クラーク・マクスウェルの発明が挙げられるだろう。１８６５年から１８７３年にかけて、彼は電磁波に関する論文を発表し、電磁気学の理論を打ちたて、「マクスウェルの方程式」を導いた。このマクスウェルのアイデアのおかげで、現代のワイヤレス・エレクトロニクスの基盤が築かれた――ラジオ、テレビ、携帯電話、インターネット、ＧＰＳなどの技術はすべて、マクスウェルの基本的な洞察がより高度な技術で具現化されたものである。

20世紀のあまたの偉大な進歩のなかで、私がどうしても外せないと思うのは、ドイツの物理学者ユリウス・エドガー・リリエンフェルトが１９２５年にカナダで、次いで１９２６年にはアメリカで、電界効果トランジスタの原型を発案して特許を取得した例だ。それから数十年、熱を帯びる大量のガ

ラス真空管の代わりになる製品の開発が急務となっており、そこに登場したのが、当時ベル研究所に勤務していた3人の物理学者だった。１９４８年初めにジョン・バーディーンとウォルター・ブラッテンがゲルマニウムを利用した点接触型トランジスタの特許を、次にウィリアム・ショックレーが接合型トランジスタの特許を出願した。そして、この3人が１９５６年にノーベル物理学賞を共に受賞したのである。ところがベル研究所はその後、すでに存在していたトランジスタの案を利用したにすぎなかったことをついに認め（ベル研究所のメモリアル・サイトにその旨の記述が掲載されていたが、現在は削除されている）、ベル研究所の特許が登録されてから40年後の１９８８年には、バーディーンが「リリエンフェルトは、半導体で電流の流れを制御して増幅器をつくるという基本的なコンセプトをもっていた」と明言しつつも、そのアイデアを商用化するには長い歳月をかけた理論の確立と材料工学の発展が必要であったと述べた。

　とはいえ、リリエンフェルトが偉大な発案をしてから10〜20年後に、彼のアイデアをたまたま目にした可能性があるのは、特許の記録を調べていた弁理士くらいだろう。

　これとは対照的に、科学的なアイデアや技術進歩のなかには、当初から将来有望だと大歓迎されたものがある。この発見を土台に新たな道を切り拓けるだろう、これまでずっと悩まされてきた難題が解決され、新たな市場が生まれ、発展により大きな恩恵が得られるだろうと見込まれるものだ。ペニシリンの発見とそれに続く抗生物質の急速な普及——ついには過剰に処方されるまでになった！——は、こうした期待が実現した好例である。しかし、大半のイノベーションは期待はずれに終わる道筋をたどった。予想されたとおりに発展することはなく、盛りあがったかに思われた勢いが突然なくなったり、徐々に失速したりするのだ。ときには、まったくかえりみられなくなることもあった。そして結局は、商業的に完全な失敗で終わったり、停滞を続けたりした。

本章では、主流のテクノロジーになるだろうという当初の期待がはずれた――少なくとも、期待を大きく下回った――三つの発見を紹介し、古いものから順に説明していきたい。

飛行船はもともと、空気より比重が小さい気体を利用する構造をとっており、熱気球に由来する人工物にふさわしく、当初、柔軟性のある気嚢《きのう》（ガス袋）でつくられた機体は「軟式」だったが、その後は次第にサイズが大きくなり、硬い機体の内部にガス袋を配列した「硬式」になった。飛行船の開発は空気より重い航空機を飛ばそうとする初の本格的な試みよりも前から始まっていたが、どちらの技術も20世紀の最初の10年間で基本的な進歩を遂げた。内燃機関を動力源とした大型の硬式飛行船の初飛行を成功させてから10年も経たない１９０９年、飛行船〈ツェッペリン〉が運航する世界初の航空路線が誕生した。新聞や雑誌はこの壮観な飛行船のフライトや性能を大きく書きたて、大陸間を移動する旅行では今後、飛行船が主流になるのではともてはやした。

飛行船の発展は第一次世界大戦によって中断したが、１９３０年にはドイツの〈ツェッペリン〉がフランクフルトからアメリカのニュージャージーに飛ぶ定期便の運航が始まった。途中でマンハッタンの摩天楼《まてんろう》やハドソン川の上空も飛行するのだ。新たな移動手段としての飛行船の威力を見せつける最高のデモンストレーション！　これからますます技術が進歩するだろう！　そう騒がれはしたものの、そのわずか7年後、「空気より比重の小さい」飛行船による旅客輸送は、長距離フライトの歴史において「登場した直後に終わりを迎えたエピソード」のひとつとなってしまった。これに比べれば、クリーンで安価な電力を世界に供給する究極の解決策と目されていた核分裂反応による原子力発電が、結局のところ発電の主流になっていない事実など、まったくべつのカテゴリーに思えるほどだ。

原子力発電は商用化においては成功した。現在、世界では4大陸30カ国以上で原子炉が稼働しており、旧ソ連と日本を除くすべての国で安全かつ信頼の置ける発電を続け、いまなお記録を更新している。だが、それを踏まえたうえで、原子力発電の当初の明るい見通しと実際の成果には大きなギャップがあることを指摘したい。どこの国よりも多くの原子炉を建設したアメリカでは「原子力発電は飛びぬけて効率がいいわけだから、いずれ電気代がほとんどかからなくなり、メーターなど不要になる」と言われていた（これはニセ情報ではない。１９５４年、アメリカ原子力委員会のルイス・Ｌ・ストロース委員長がニューヨークで開催された全米サイエンスライター協会の会合でそう発言した）が、当初の見込みより多額の建設費がかかることがわかってくると、採算があわないという理由で、その後は開発を断念する例が増えた。

世界の大半の国は商業的な原子力発電の導入を検討しておらず、オーストラリア、インドネシア、タイ、ベトナムといった国は原子力発電に頼ったことがない。２０２０年、世界の発電電力量における原子力発電の割合は約10％（中国の５％からフランスの70％まで）にすぎず、半世紀前の予想と比べればその貢献度はごくわずかだ。さらに、１９８６年にはチョルノービリ（チェルノブイリ）原子力発電所で、２０１１年には福島第一原子力発電所で悲惨な事故が起こったため、核分裂反応に対する恐怖心がいっそう高まり、やがては誇張され、誤解されるようになった。日本で生じた原発事故を受け、ＥＵ最大の経済国ドイツは脱原発へと政策を転換し、原子力発電所の全廃を定めた。原子力発電には「炭素を排出しない」というメリットがあるにもかかわらず、近年、脱炭素社会をめざす世界的な取り組みにおいて、原発をそれほど活用していないのが現状だ。

期待はずれに終わった発明の例として、本章で最後に取りあげるのは、超音速旅客機の開発だ。「音速」とは、海抜ゼロメートル・気温15℃の環境で、時速約１２２４キロメートルである。つまり超音速旅客機とは、これを超えるスピードで飛ぶ航空機だ。第一次世界大戦前に世界初の飛行船が、そしてほどなく航空機が乗客を乗せて飛ぶようになった時点では、超音速旅客機など純粋にＳＦ世界の夢物語にすぎなかった。ガソリンを燃料とするレシプロエンジン（ピストンの往復運動を駆動力に変換する）しかなかった時代は、その半分の速度もだせなかったが、ジェットエンジン（推進エンジンとしてガスタービンを利用）が登場すると、はるかに速いスピードをだせるようになった。ジェットエンジンはシリンダー、ピストン、バルブを必要としない新たなタイプの内燃機関で、燃料を連続的に燃焼させて強い推力を生みだす。そして予想されていたように、１９４０年代後半、軍用機で初めて音速をだせるようになったのだ。

１９５０年代にジェット旅客機が定期便の運航を開始すると、大勢のエンジニアや複数の政府が、次の段階では巡航速度（当時は音速の約85％の速度で飛行していた）を超音速に引きあげるべきだと考えはじめた。そうなれば大陸間の移動に付き物の長く退屈な時間が半分程度に減ることになり、商業的には間違いなく大きな魅力がある。ところが、そこに至るまでには技術面でも環境面でもさまざまな障壁があった。航空ファンなら、この数十年にもわたる努力が結局のところ失敗に終わったことをご存じだろうが、本章の最後では、このハイテク技術の紆余曲折を説明し、超音速飛行の復活を目指し、小型ビジネスジェット旅客機の開発といった取り組みが始まっていることを説明していきたい。

飛行船

21世紀初頭のフライトの功績を挙げるなら、空気より重い数々の重航空機の設計に成功し、最終的に２０１９年には（新型コロナウイルス感染症が世界的に流行する前）、３８００万以上の便で45億人近い乗客を運び、計約８兆７０００億有償旅客キロメートル〔訳注：旅客輸送実績の指標。有償旅客数×輸送距離で算出〕を達成した巨大グローバルシステムを構築できたことになるだろう。大型（座席数は数百）でありながらすっきりしたデザインの現代のジェット旅客機と比較すると、「軽航空機」（ＬＴＡ）〔訳注：ＬＴＡはLighter Than Air（空気より軽い）の意。よってＬＴＡは、空気より軽いガスを利用する気球や飛行船を指す〕は外見が不恰好で時代遅れであるうえ、おそろしいまでにスピードが遅く、話にならないほど効率が悪く、救いがたいほど天候に左右されるので、現代の航空業界で主流になるには適さないように思える。ところが20世紀の最初の40年間、もっと正確にいえば１９３７年まで、専門家も一般市民もそんなふうには考えていなかった――この年、大西洋を何事もなく横断してきたドイツの飛行船〈ヒンデンブルク〉がニュージャージー州のレイクハーストに着陸しようとしたところ、機体が爆発・炎上し、こんにちまでよく知られている大惨事を起こすまでは。この光景はその場で記録に残され、広く知られることになったのである。

　空気より軽いガスを利用した乗り物の歴史は「気球」による冒険から始まった。１７８３年9月19日、ジョゼフ＝ミッシェルとジャック＝エティエンヌのモンゴルフィエ兄弟が、紙を貼りつけた綿のキャンバス地の気球に熱した空気を送り込み、ヒツジ、アヒル、オンドリを入れた籐《とう》のかごを載せた。そしてフランス王や好奇心に沸く群衆の前で公開実験をおこない、気球を係留したまま上昇させた。気球の例に漏れず（熱気球であれ、空気より軽い気体を利用したガス気球であれ）、その小さな布製の気球はあくまでも受動的な物体であり、卓越風に運ばれるか、凪《なぎ》で静止するしかなかった。

　いっぽう操縦可能でスピードも制御できる気球開発の歴史は、モンゴルフィエ兄弟の公開実験から1年も経たないうちに、アン＝ジャンとニコラ＝ルイのロベール兄弟の公開実験によって始まった。ロベール兄弟は気嚢に水素を詰めた縦長の小型気球を開発し、これには漕ぎ手もついていた。同じ年の１７８４年、ジャン・バティスト・マリー・シャルル・ムーニエが、手回しプロペラを動力源とするもっと大きな楕円《だえん》形の「飛行船」を設計していたが、これもまた実用化には向かない空想的なアイデアだった。

それから70年近い歳月が流れ、１８５２年９月24日、ついにアンリ・ジファールが初めて本格的な飛行船での飛行に成功した。彼の飛行船《ディリジブル》は操縦可能なシガー状の軟式飛行船で、全長44メートル、ガス袋容積（石炭ガスを満たしていた）３２００立方メートル、重量１１３キログラムでエンジン出力２・３キロワットの蒸気エンジン、３枚羽根のプロペラを回す45・４キログラムのボイラーを搭載していた。しかし、重くて扱いにくい構造だったため、卓越風のなかを進むにはまだ馬力が足らず、ゆっくりと旋回することしかできなかった。そのため、パリとエランクール間の27キロメートルを時速10キロメートル程度で飛行するのが精一杯だった。

それからまた30年以上の歳月が流れ、１８８４年８月９日、シャルル・ルナールとアルチュール・コンスタンタン・クレブスというフランスの２人の役人が、完全に制御できる動力源をもつ飛行船〈ラ・フランス〉で、世界初の周回飛行に成功した。細長いガス袋の容積は１９００立方メートル近くあり、動力源が電池の電気モーターで直径７メートルの木製プロペラを回転させる構造だった。飛行船は８キロメートルを23分で飛行し、離陸した練兵場に戻ってきて着陸した。その後、同年、また翌１８８５年にも、飛行に成功している。１８９７年には、フリードリッヒ・ヴェルファートがベルリンで内燃機関を動力源とする初の小型飛行船の公開飛行をおこない、１８９９年にはドイツ軍の退役（を余儀なくされた）軍人フェルディナント・フォン・ツェッペリン伯爵が、アルミニウムの外被をかぶせた構造で外形を保持したゴンドラ付きの（吊り下げるか、船体の下に収める）硬式飛行船を設計し、動力飛行船は大躍進を遂げた（図３・１）。

図 3.1　フェルディナント・アドルフ・アウグスト・ハインリヒ・フォン・ツェッペリン伯爵（1838 ～ 1917 年）。長距離旅客輸送用の飛行船の開発に尽力した不屈のパイオニア。

次世代の期待の星

ツェッペリン伯爵に飛行船への関心が芽生えたのは、南北戦争の観戦武官としてアメリカで短期間、北軍と共に行動した経験にさかのぼる。その後、伯爵は遠征隊にくわわり、アメリカの西部開拓地に向かい、ミネアポリスでは石炭ガスを利用した気球（以前から北軍による監視に利用されていた）に乗る機会を得た。その10年後の彼の日記には、自分の名が冠されることになる飛行船の設計の基本が記されている。メインフレームの縦方向に桁《ガーダー》を組み込んだ硬式飛行船で、内部に複数のガス袋を収めるデザインだ。だが、ツェッペリン伯爵が硬式飛行船の設計と建造に没頭するようになったのは、52歳で退役を強いられた１８９０年になってからだった。そしてついに１９００年７月２日、彼は〈ルフトシッフ・ツェッペリン１〉（ＬＺ－１）をみずから操縦し、初飛行を成功させた。

その後はもっと大型の飛行船が登場し、軍

に購入されたものもあったが、係留されずに飛行した結果、強風にあおられて壊れたり、炎上したりしたものもあった。1909年11月には、旅客飛行船の定期便を運航する世界初の会社、ドイツ飛行船運輸株式会社（DELAG）が設立され、第一次世界大戦が始まるまで218便を国内で定期運航し、1500人以上が利用した。1912年7月に就航した〈ハンザ〉（LZ－13）は399回のフライトで4万5000キロメートル近い距離を飛行し、デンマークやスウェーデンに飛ぶなどして商用での新記録を樹立した。当時、まだ飛行機は木製キャンバス張りの小型機であったため、飛行船こそが長距離輸送を担う次世代の期待の星と目されていたのである。

1912年、トーマス・ラザフォード・マクメシェンとカール・ダインストバックが「空のグレイハウンド」について書いた文章で、「まだしばらくは」遠洋定期船の運航が続くだろうと述べた。

> 得意げな定期船の時代は、おそらくあと10年は続くだろうし、複数の国が海面に浮かぶ要塞のために大金を注ぎ込み続けるだろう。だが、それも終わりに近づいている。近い将来、大西洋を短時間で横断したい人は、飛行船に乗ることになるだろう。たった数時間で大西洋を横断すると見込まれているのだから。

それだけではない。海の支配者と呼ばれた大英帝国はいま「自信にあふれた夢」を見て悦に入っているが、次の戦争ではおそらく空からの脅威に直面せざるをえず、飛行船はおそろしいまでの力をもつ兵器になるため、「その後の世界平和に大きく貢献することになるかもしれない」と述べたのである。この文章を書いた2人は理論的に熟考したすえ、こう書いたわけではなかった。当時すでに、〈ツェッペリン〉の海上での初の試験飛行を実施し、飛行船の性能を立証しようとする準備がととのえられていたという、それだけの理由だった。以前より大型化した飛行船であれば、最速の定期船の2倍から3倍の速度での飛行が可能だと見込まれていたのである。そのため、「〈ツェッペリン〉の飛行距離に限界を設けているのは機体の大きさだけだが、いまのところ、その大きさに限界はないと思われる」うえ、「冒険精神旺盛な者たちが、近い将来の大西洋横断飛行を計画中である」と記したのだ。

大戦中の軍事利用

〈ツェッペリン〉の設計には、新たに開発された軽量で強力な内燃機関や無線通信が採用された。１９０８年、世界初の自動車の共同開発者であり、メルセデス35ＰＳ（現代の自動車の原型と一般に考えられているモデル）の設計者ヴィルヘルム・マイバッハとその息子カールが、〈ツェッペリン〉のために飛行船用のエンジン製造に着手した。その後、第一次世界大戦により旅客飛行船の開発は中断されたが、ドイツ軍が大口顧客となり、航空偵察と長距離爆撃のために１４０機近い飛行船を購入した。

そのうちの１００機以上が〈ツェッペリン〉（〈ＬＺ－26〉モデルは１９１４年初飛行、ガス容量２万５０００立方メートル、全長１６１メートル、有償荷重《ペイロード》3トン、航続距離３３００キロメートル）で、残りの飛行船はドイツ政府がツェッペリン飛行船製造有限会社と協力させ、国内2番手の飛行船メーカー、シュッテ゠ランツに建造させたものだった。１９１４年8月6日、この戦争で初めて飛行船による戦略爆撃がベルギーのリエージュで敢行された。使用されたのは、戦前に1万人近い乗客を乗せて4万キロメートル近くを飛行したあと、爆撃用に改造された〈ＬＺ－17〉だった。飛行船による2度目の攻撃は１９１４年8月25日、アントワープで実施された。その後はフランスとイギリスへの爆撃が続き、イギリス上空の制空権をめぐってイギリスとドイツの空軍のあいだで激しい空中戦が繰り広げられたバトル・オブ・ブリテンを予見させるかのように、空襲で数千人の民間人が犠牲になり、物質的にも大きな損害をこうむった。イギリスが初めて飛行船によって攻撃されたのは、１９１５年１月19日から20日にかけての夜のことだった。

当初、イギリスは飛行船からの爆撃を防御できなかったが、１９１６年には大砲、サーチライト、戦闘機を揃《そろ》えたうえ、ドイツの無線通信を傍受する能力を身につけ、状況は一変した。１９１７年にはドイツの飛行船１１５隻のうち77隻を撃墜するか、無力化することに成功した。

いっぽうドイツは１９１７年11月、予想外の試みに挑戦した。飛行船〈アフリカ〉（ＬＺ－１０４）を利用して、東アフリカのドイツ植民地防衛隊に補給するため、前例のない長距離物資空輸を敢行したのである。全長２２６・５メートル、出力１８０キロワットのマイバッハエンジン５基を搭載したこの飛行船は、ブルガリアを出発して地中海を横断し、アフリカのスーダン中心部（ハルツームの西）に到着したが、無線で帰還命令を受け、結局、95時間で６８００キロメートルを移動してブルガリアの地に戻ることになった。つまり、補給というミッションそのものは遂行できなかったわけだが、ツェッペリン伯爵はこの飛行を知ることなく、その前に死亡しており（１９１７年３月８日）、戦後は元心理学者で１９１１年に飛行船のパイロット資格を取得したフーゴー・エッケナーがツェッペリン飛行船会社を引き継いだ。しかし、当時結ばれた平和条約により、ドイツでの大型飛行船の建造が禁じられたため、将来の見通しは不透明だった。

航空史上初の快挙

大戦後初の快挙は１９１９年７月、イギリスが開発した飛行船〈Ｒ－34〉がスコットランドとニューヨーク州ロングアイランドを往復し、世界初の飛行船による大西洋横断を成功させたことだった。イギリスの飛行士ジョン・アルコックとアーサー・ブラウンがビッカース・ビミー爆撃機を改造し、カナダのニューファンドランド州セントジョンズからアイルランドのクリフデンまで大西洋無着陸横断を成功させた1カ月後のことだった。だが、その後、イギリスの飛行船開発に目立った進展は見られず、前述のとおり、平和条約によりドイツでは大型飛行船建造が禁止された。１９２４年10月、飛行船〈ＬＺ－１２６〉が（〈ロサンゼルス〉に名称を変えて）戦争賠償の一部としてドイツからアメリカに譲渡され、その後は１９４０年までアメリカ海軍で使用された。１９２５年に条約の禁止条項の内容が緩和されると、ツェッペリン飛行船会社のフーゴー・エッケナーは国民と政府の支援を後ろ盾に、より大型かつ高速の商用飛行船の原型となる新たな旅客飛行船の建造に成功した。１９２８年9月、こうして誕生した〈伯爵《グラーフ》ツェッペリン〉が初飛行をおこない、その後9年近く、航空史上初の快挙を何度も達成した（図３・２）。

　１９２９年、この飛行船は南ヨーロッパ、中東、アフリカを巡ったが、その最大の成果は新聞王ウィリアム・ランドルフ・ハーストが半額出資した世界一周飛行だった。アメリカのニュージャージー州レイクハーストからドイツのフリードリヒスハーフェンを目指して東に進み、そこから東京、ロサンゼルスを経て、出発から3週間後にニュージャージー州に帰還したのである。翌年には、ドイツからブラジルとアメリカに飛び、１９３１年には北極への調査飛行をおこない、ドイツ－ブラジル間で旅客と郵便物を運ぶ定期便が就航した。当時の〈ツェッペリン〉には、長距離飛行の分野では空気より比重が大きい重航空機にライバルがいなかった。なにしろ１９３１年当時、ボーイング社の郵便機〈モノメール〉（のちの型では6人の乗客と郵便物を運ぶ旅客兼用機になった）でさえ、航続距離がわずか９２５キロメートルしかなかったのだから。

図 3.2 1928 年 10 月 1 日、ドイツ国会議事堂の上空を飛ぶ飛行船〈グラーフ・ツェッペリン〉。出典：Bundesarchiv photo 102-06617

当時、大陸間を飛行するためには、長く繁雑な手順を踏まなければならなかった。ニューヨークからロサンゼルスまで飛ぶには、3回着陸して給油しなければならなかったうえ、飛行には15時間以上かかったのだ。１９３４年にイギリスのインペリアル・エアウェイズがロンドン－シンガポール間の定期便を運航するようになったが、このフライトではアテネ、カイロ、バグダッド、バスラ、シャルジャ、ジョードプル、カルカッタ（現コルカタ）、ラングーン（現ヤンゴン）に立ち寄り、計22回の乗り継ぎを経た８日間の飛行が必要だった。１９３５年に初飛行したダグラス〈ＤＣ－３〉はピストンエンジンを搭載し、史上もっとも普及した耐久性の高い航空機となった。速度は〈ツェッペリン〉の約２倍（時速２４０キロメートル）あったが、航続距離は２５００キロメートルにすぎず、〈ツェッペリン〉のわずか4分の1しかなかった。また、１９３０年代初頭の金属製の胴体をもつ初の小型飛行機の内部は窮屈で、ラウンジやダイニングルームまで備えた大型飛行船のゆったりとした客室とは比較にならなかった。

突如として迎えた終わり

１９３７年6月に飛行を中止するまでに、〈グラーフ・ツェッペリン〉は約１７０万キロメートルを飛行し、1万３０００人以上の乗客を運び、１４４回の大陸間飛行をおこない、７１７日という2年近い時間を上空ですごした。飛行中の不運な事故はあったものの、乗員や乗客が負傷したことは一度もなかった。それまでのあらゆる〈ツェッペリン〉の設計とは異なり、次に設計する飛行船では可燃性ガスの水素ではなく、不活性ガスのヘリウムを充填することになっていた。しかし、ヘリウムの供給（天然ガス田から抽出される）は依然としてアメリカの管理下にあり、１９２７年に改正されたヘリウム管理法により、ヘリウムの輸出は明確に禁じられていた。そして当然のことながら、ドイツでナチスが政権を掌握したあとも、この決定は維持された。いっぽうナチスは反ナチスの姿勢を示したフーゴー・エッケナーをツェッペリン飛行船会社から追放し、飛行船のフィンにナチスドイツのシンボルである鉤十字《かぎじゅうじ》を描いた。この〈LZ－１２９〉は、第一次世界大戦でドイツの陸軍元帥を務め、１９２５年から１９３４年には大統領として君臨したヒンデンブルクにちなんで〈ヒンデンブルク〉と命名され、１９３６年3月4日、初飛行に臨んだ。全長２４５メートル、直径約41メートル、ガス容量20万立方メートルの世界最大の飛行船で、ダイムラー・ベンツ社のディーゼルエンジン（出力８９０キロワット）を4基搭載し、巡航速度は時速１２２キロメートルだった。

この飛行船は、まず国内の試験飛行とナチスの宣伝活動《プロパガンダ》のために利用された。その後は17回の大陸間飛行をおこない、ブラジルに7回、アメリカに10回飛行した。鉤十字のシンボルをつけた〈ヒンデンブルク〉がマンハッタン上空を飛び、ニュージャージー州に着陸する光景ほど効果的なプロパガンダ映像があるはずもない。乗客定員は50人から70人に増え、スムーズな離陸や安定した飛行と同様、船内の公共スペースや展望室のデザインも高く評価されたが、１９３６年に予定されていた大陸間飛行はいずれもまだ試験飛行の段階だった。そして１９３７年5月3日、初のアメリカ行きの商用飛行船がフランクフルトを出発し、5月6日にレイクハースト上空に到達して、着陸準備を開始した。ところが、この後、乗客乗員97人のうち35人が死亡する大惨事が起こったのである〔訳注：地上の作業員1名も死亡している〕。

それまでにも飛行船による大事故はあったが、１９２９年にイギリスの硬式飛行船〈Ｒ１０１〉がフランス上空で初めての長距離飛行試験の最中に嵐によって墜落し、48人の命を奪った例をのぞけば、大事故を起こしたのはすべて軍用飛行船だった。たとえば、１９２１年にはイギリス海軍の〈Ｒ38〉（死者44人）、１９２２年にはアメリカ陸軍の〈ローマ〉（死者34人）、１９２３年にはフランスの〈ディスミュド〉（旧〈ツェッペリン〉、死者52人）、１９３３年にはヘリウムを利用したアメリカ海軍の〈アクロン〉（死者73人）といった飛行船の事故が起こっていた。しかし、〈ヒンデンブルク〉は話が違った。それは爆発と炎上によって破壊された初めての商用飛行船であり、ドイツで長く続いたツェッペリン・シリーズのなかで、初めて旅客輸送に特化されたものだった。さらには事故のようすが、その場で撮影されていたのである。

この大惨事の最後の数分間は、最初の火災が生じた場面から、爆発し、墜落する場面も含めて、ニュース映画を製作する少なくとも5社によって撮影されていた。パテ・ニュース、パラマウント・ニュース、ムービートーン・ニュース、ユニバーサル・ニュースリール、ニュース・オブ・ザ・デイの各社が、この光景を「20世紀初のメディアイベント」として大々的に報じたのだ。そして事故後の分析により、まったく起こりそうにない出来事が次から次へと起こり、予想もできない大惨事を招いたことがわかってきた。もちろん、水素を充填した飛行船はほかの輸送手段と同様、つねにリスクをはらんでいたが、ドイツの硬式飛行船がこれまで安全性を証明してきた記録と、レイクハーストに何度も無事に着陸してきた実績を考えれば、このような事故はまず予測できなかった。この大惨事を避けることはできなかったのか、あるいは防止できたのかという議論は、すぐさま意味をもたなくなった。「ニュース映画に打ってつけ」の大事故があまりにも悲惨だったので、水素ガスを充填したドイツ飛行船の短い時代は突如として終わりを迎えた。旅客飛行船のフライトを継続することができなくなったのだ。こうして、新たに設計されていた〈ＬＺ－１３０〉は１９３８年に完成したが、軍事偵察飛行に使用されただけで、解体されることになった。

軍用飛行船の復活

ところが第二次世界大戦では、軍用飛行船が復活した。阻塞《そさい》気球〔訳注：敵軍の低空からの攻撃を阻止するため、一種の防護壁として打ちあげられる気球〕はアメリカ、ヨーロッパ、日本が利用したものの、大量に利用した大国はアメリカだけで、その大半はグッドイヤー航空会社のK級軟式飛行船だった〔訳注：エンジンを搭載している気球は「飛行船」に分類される〕。ガス容量１万２０００立方メートル、全長76メートルと大型ではなかったし、最大速度も時速80キロメートルとそれほど速くもなかったが、出力３１７キロワットのエンジン2基を搭載し、連続して60時間、滞空することができた。アメリカ海軍はこの飛行船を、機雷の探知と掃海《そうかい》、捜索救難、偵察、対潜哨戒《たいせんしょうかい》に活用したうえ、特筆すべきことに、輸送船団の護衛のためにも配備した。飛行船は大西洋、太平洋、地中海の約８００万平方キロメートルを巡視し、ドイツの潜水艦に撃墜されたのは1機のみだった。

　軍用飛行船や気球の設計は、戦後、完全に途絶えたわけではなかった。1952年から1962年にかけて、アメリカ海軍は北米の早期レーダー警戒システムの穴を埋めるべく、ZPG型の飛行船を利用する計画を秘《ひ》密裡《みつり》に練っていた。この型の飛行船は200時間以上の滞空能力をもち、燃料を補給しなくても長時間、巡視することができた。1960年代を迎える頃には、性能がよくなった偵察機がその任務を遂行するようになったうえ、人工衛星が同じ任務を完全に安全な状態で担えるようになったが、飛行船推進派はいまもまだあきらめていない。軍機メーカーのノースロップ・グラマン社は2012年に監視飛行船の原型機を建造したが、翌年には契約が解除された。2015年には同じく防衛関連メーカーのレイセオン社が統合対地攻撃巡航ミサイル防衛上空センサー網（JLENS）の原型機を開発したが、やはり契約が解除された。このスパイ飛行船は試験飛行中に係留ケーブルからはずれてペンシルベニア州上空を漂流したため、1998年から続いていた開発契約が事実上、打ち切られたのだ。しかし、アメリカの軍産複合体は新たな飛行船や気球の需要を生みだすだろうし、今後も資金源が途絶えることはないだろう。

消えた商用活用の夢

　軍事における展望とは対照的に、大陸間における商用飛行船活用の現実的な見込みは、第二次世界大戦前にすでになくなっていた。それは〈ヒンデンブルク〉爆発事故という大惨事のせいではなく、航空機の推力が向上したためだった。1930年代半ばまで、乗客定員（最大70人）と航続距離（最長1万キロメートル）を両立させる飛行船に、航空機はかなわなかった。飛行船は費用こそかかるものの、大陸間旅客輸送において信頼の置ける安全な手段として優位に立っていたのだ。しかし、たとえ〈ヒンデンブルク〉がその後も完璧な安全記録を続けたとしても、定期運航が始まった頃にはすでに時代遅れになっていた。〈ヒンデンブルク〉が就航してからわずか4カ月後の１９３６年7月、パンアメリカン航空はボーイング社と契約を結び、同社の新型飛行艇〈ボーイング３１４クリッパー〉の最初の6機を購入した。これは最大68人の乗客を乗せ、時速３００キロメートルをわずかに超える速度で飛行できる大型の水上機だった。この飛行艇は１９３９年2月に太平洋を横断するサンフランシスコ－香港間の定期便として就航し、第二次世界大戦前としては初めてアメリカからイギリスにも飛行した。

また第二次世界大戦中にはすでに航空機のエンジンとして主流だったピストンエンジンに取って代わり、軍用として開発されたジェットエンジン（ガスタービンを搭載）の需要が民間市場でも高まり、音速に近い速度での長距離輸送が可能になるであろうことが確実になっていた。１９５２年、世界初のイギリスの民間ジェット旅客機〈コメット〉（後述のとおり、のちに大惨事をもたらした）が時速７４０キロメートルで、１９５８年には〈ボーイング７０７〉が時速８９７キロメートルでの飛行を記録し、この速度は最新の〈ボーイング７８７〉の時速９１３キロメートルに近い。そしてもちろん、往年の〈ツェッペリン〉飛行船の平均速度と比べれば桁違いに速い。〈ヒンデンブルク〉のフランクフルト－ニュージャージー間の最速飛行時間は、西回りルートで約53時間、東回りルートで約43時間だったが、現在のボーイングやエアバスによる定期航路のフライト時間はそれぞれ8時間35分、７時間20分であるうえ、状況をはるかにコントロールしやすくなっている。

復活と消滅を繰り返す夢

よって、旅客輸送用に飛行船を活用する夢は消えたのかもしれないが、飛行船への夢はいまでもほかの分野で復活と消滅を繰り返している。とくに貨物輸送、科学研究および軍事偵察のためのプラットフォームとしての活用を期待する向きがあるのだ。飛行船を活用しようとして失敗した代表例は、飛行船や気球による物流事業を計画していたドイツの大企業カーゴリフター社である。１９９６年に設立されたこの企業は株式を発行し、連邦政府から多額の資金援助を受け、最終的にはガス容積55万立方メートル（〈ヒンデンブルク〉の3倍近い）、有償荷重最大１６０トンの飛行船の開発を目指した。しかし、このモンスター級飛行船は結局、建造されず（巨大な格納庫は建設された）、カーゴリフター社は２００２年に倒産し、史上最大の自立型建造物である格納庫は、いまでは〈トロピカル・アイランズ〉というテーマパークとして利用されている。それでも、カーゴリフター社のウェブサイトはいまだに残っていて、飛行船が実現する驚異の未来を約束している。

　飛行船に対する夢をまだあきらめていない例はほかにもある。近年の飛行船推進派たちは、材料、推力、電子制御性能の向上により、高機能で、信頼性が高く、設計に柔軟性があり、経済的にも魅力がある（さらに持続可能な）貨物輸送用飛行船を建造できるようになったと強調している。アメリカ軍もこの可能性に見切りをつけておらず、数年ごとに検討を繰り返している。アメリカが関与した近年の戦争での体験を踏まえ、貨物輸送も可能なうえ、高度18～24キロメートルで運用する成層圏プラットフォームとして監視・通信用に活用できる飛行船の開発を望む声が高まっているのだ。また貨物飛行船は戦略ジェット輸送機よりも柔軟性、可用性、耐用年数がすぐれていると見なされているし、高高度飛行船は無人航空機にしかできなかった任務を担えるようになるうえ、より長時間、機能すると見なされている。

　さらに、商用での活用を訴える推進派もいる。国際的な競争も始まっているから、飛行船はかならずや復活するだろうと主張しているのだ。彼らの売り込み文句によれば、飛行船は比較的安く運用できるうえ、大量の貨物を輸送することもできる。そして２０２０年代初頭における最大のアピールポイントは、ほかの航空輸送手段と比較して温室効果ガスの排出量がごくわずかであることだ。輸送用の硬式飛行船はすべて金属のフレームでエンジン、動翼、貨物室を支えていて、加圧していないヘリウムを充塡した複数のガス袋で浮力を得ているからだ。

北極圏の貨物輸送で飛行船を活用しようとするアイデアは古くからあり、地球温暖化が進むいま、北極圏の開発（すなわち眠っている資源の搾取）において貴重な役割を果たすことが期待されている。たしかに地球温暖化により、北極圏へは船によるアクセスが改善されたものの、石油流出を防ぐのも、いったん流出した石油を冷たい海水のなかで除去するのも困難をきわめる。陸域でのアクセスに関しては、いまのところ冬季は凍結したルートを利用できるものの、永久凍土の融解の結果、利用できるルートが減り、遠隔地の共同体へのトラックによる季節ごとの物資供給はいっそう危険をともなうだろう。サプライチェーンの研究者バリー・プレンティスによれば、貨物飛行船は「かさばる巨大な貨物の長距離輸送において、インフラがまったく整っていない地域で運用可能な唯一の輸送手段」という謳い文句で宣伝されているという。そして、もうひとつ期待されているのが、新鮮な野菜や花を亜熱帯や熱帯地方から北半球のおもな市場に輸送する手段としての活用だ。ところが、ハワイ産パイナップルのカリフォルニア州への空輸は、２００４年の時点でさえ採算があわないと考えられていた。１９７０年代からパイナップルの生産量は急減し、ハワイはいまではパイナップル生産地としては目立たない存在になっているからだ。

２０２０年の時点でも、ＳＦ的な題材を扱うウェブサイトではなく、アメリカの外交政策などを論じる隔月刊のフォーリン・ポリシー誌が「飛行船の時代、再来なるか」という見出しを掲げて、複数の企業が「豪華飛行船」を復活させようとしていると報じる記事を掲載した。また同年、こんどは富裕層向けのロブ・レポート誌が「豪華軟式飛行船、空のスーパーヨットになるか」という見出しの記事を載せた。１９９３年、ツェッペリン飛行船会社の故郷であるボーデン湖畔で、ツェッペリン飛行技術《ルフトシフテヒニーク》会社は飛行船メーカーとして新たなスタートを切った。１９９７年9月、建造した〈ツェッペリンＮＴ〉（ＮＴは新技術を意味するNeue Technologieの頭文字）の一番船が進空し、同社は「ツェッペリン神話は見事に再生した」と断言した。

だが、そんな言い分は通用しなかった。設計を変え、材料（三角形のフレームによる剛性の確保、ヘリウムガスの利用、破れにくい外被、プロペラ、電気によって操縦を制御する最新の「フライ・バイ・ワイヤ」航空電子機器）も改善したにもかかわらず、新規受注が続かなかったのだ。２０１２年に創業したフランスのフライング・ホエールズ〔訳注：「空飛ぶ鯨」の意〕社も同様だ。同社のウェブサイトでは、ザトウクジラが優雅に木立を抜け、森を越えて青空に舞い上がる動画を公開している。この動画では、全長２００メートル、有償荷重60トンの飛行船を、遠隔地の森林からの木材運搬、アクセスが悪い地域への風力タービンや送電用鉄塔の輸送に利用可能とカラー映像で説明している。また、アメリカ政府は〈ドラゴンドリーム〉という飛行船の開発に出資した。この飛行船は平べったい楕円形で、２０１３年には原型機が係留されたまま試験飛行を何度かおこなったあと、大きな損傷を受けた（図３・３）。

スウェーデンのオーシャンスカイ・クルーズ社は時代の流れを見すごさず、北極の周遊飛行で持続可能な「脱炭素飛行」の実現を何年も前から謳っており、現在、２０２４年から２０２５年にかけての初の豪華フライトのスケジュールを発表している（定員2名のキャビン8室、「絶景をパノラマで堪能できる大きな窓、専用トイレ、小さな衣装戸棚を完備」）。さらにアメリカでは、２０１６年、ワールドワイド・エアロス社のＣＥＯがこう発表した。２０２３年には巨大飛行船〈エアロスクラフ

図 3.3　現代の飛行船復活劇の失敗例：格納庫を背にした〈ドラゴンドリーム〉原型機。画像はワールドワイド・エアロス社（現在は休眠中）による。出典：Parkhannah, https://commons.wikimedia.org/wiki/File:Dragon_Dream.jpg

ト〉を世界規模で展開していることだろう、と。また２００６年、軍事企業トップのロッキード・マーティン社が三つの胴体をもつハイブリッド飛行船〈Ｐ－７９１〉を開発し、試験飛行を実施した。気体による浮力と前進飛行による揚力を組み合わせて、飛行船以外ではアクセス不可能な地域への貨物輸送を担うという。

　グーグル社の共同創業者セルゲイ・ブリンが出資したＬＴＡリサーチ社は、飛行船の研究開発を目的とする企業で、飛行船こそが「人道的危機に対する支援や救助活動の一翼を担い、そのスピードを上げる」と公言している。とりわけ航空機や船でのアクセスがむずかしい遠隔地に、温室効果ガスを排出しない「ゼロエミッションの航空機の一種」が物資や人を輸送するようになれば、最終的に世界の二酸化炭素排出量は減っていくだろうと述べているのだ。さらに、ロシア飛行船構想設計局アエロスメナ（ＡＩＤＢＡ）は、２０２４年に円盤状の巨大飛行船を打ちあげる計画を発表した。有償荷重６６０トン、直径２４０メートル以上、ヘリコプターのようなローターが回転するターボプロップエンジン〔訳注：省燃費のタービンエンジン〕搭載の予定であるという。さらに、２０２２年の時点でもっとも目を引くニュースは、スペインのバレンシアに本社を置くエア・ノストラム社が、充填したヘリウムと電動モーターを組み合わせた１００人乗りのハイブリッド飛行船〈エアランダー10〉（謳い文句は「空の移動を考えなおそう」）を、イギリスの飛行船メーカーに10機発注したことだろう。この巨大飛行船は、２０２６年から国内の短距離航空路線に就航する予定だという。

　こうした発表や計画には、問題となる共通点がある。飛行船の利用を急増させた場合、ヘリウムの供給源をどう確保するのか、また収益を生みだす滞空時間がどのくらいになるかという点については、論じられていないのだ。たとえばアメリカの場合、近年の国内ヘリウム消費量は年間約４０００万立方メートルで、そのおもな用途はＭＲＩ（磁気共鳴画像法）に30％、浮揚ガスに17％、分析・実験用に14％だ。この年間使用量をすべて飛行船に充てた場合、約２００機の〈ツェッペリン〉のような大型飛行船にヘリウムを充填することができる。世界のヘリウム埋蔵量は約５００億立方メートルと推定され、その40％がアメリカ、20％がカタール、その他はアルジェリア、ロシア、カナダなど天然ガスが豊富な国々にあるとされている。いっぽう、飛行時間に関していえば、現代のジェット機は年間約３０００時間（１年の約34％）も飛行しているが、提案されているさまざまな飛行船は、そこまでの時間、滞空していられるだろうか？　さらにＳＦ的な将来のストーリーのなかには、真空飛行船の可能性さえ語られている。内部を真空にしても、大気圧によって潰れないガス袋を開発するというのだ。

　このように新《ネオ》・ツェッペリンの性能を大げさに騒ぎたてたところで、容積、ガスの封入、飛行制御といった基本的な課題があるという事実は変わらず、空に飛行船がひしめくことにはならないだろう。空気より重い重航空機はすべて外部から揚力を得ているが、飛行船は空気より軽いガスによる内部の浮力と、エンジンによる外部からの揚力の両方を利用している。そのため、飛行制御が困難なうえ、設計も難易度が高い。それでも、飛行船の魅力が消えることはないのだろう。

いずれにせよ、飛行船メーカーの目論見とは異なり、飛行船の設計の大半は商用化に成功したシリーズの原型にはならなかった。飛行船は主流になるどころか、飛行史におけるごくささやかなエピソードとなり、拡大を続ける世界の航空網のごく一部で利用されている付属品のようなものにすぎない。この現実が近い将来、根本的に変わることがないのは間違いないだろう。

核分裂反応を利用した原子力発電

ウランの核分裂によるエネルギー放出をコントロールする仕組みは、その理論が机上で解明されてから実際に商業用原子力発電所が誕生するまでに、約60年という歳月がかかった。実現までに複雑な問題が山積していたことを考えれば、いちじるしく短い期間といえるだろう。最初の理論的基盤は、１８９６年春にアンリ・ベクレルがウランの放射線を発見したおかげで築かれ、その9年後にはアルベルト・アインシュタインが「質量とエネルギーは等しい」という有名な結論をだした。そして１９１１年には、アーネスト・ラザフォードが原子核の周囲を電子が回転運動している原子模型を発表し、１９１３年にはニールス・ボーアがラザフォードの原子模型の矛盾を解消する原子模型を発表した。

その後、基本的な進歩が次々に起こったのは、１９３０年代になってからだった。１９３２年、イギリスの物理学者ジョン・コッククロフトとアイルランド出身の物理学者アーネスト・ウォルトンが実験をおこない、高電圧下で加速させた水素陽子によって軽元素リチウムの原子核を破壊し、２個のヘリウム原子核を生みだした。そして同年、イギリスの物理学者ジェームズ・チャドウィックが、ドイツとフランスでおこなわれた複数の実験の結果を説明するには、質量数１、電荷０の粒子を想定するしかないと結論をだし、ついに中性子を発見した。チャドウィックが中性子の発見を発表してから半年以上がすぎたロンドンで、こんどは亡命中のハンガリー人物理学者で、学生時代にアインシュタインの共同研究者でもあったレオ・シラードがサウサンプトン通りで信号待ちをしているときに、「中性子をぶつけられて分裂すると、２個の中性子を放出し、その中性子がまた分裂を起こせば、分裂が続いていく。そうした元素を発見し、大量に集めれば、原子核反応を続けることができる」という着想を得た。これはまさに、新時代を切り拓くひらめきだった。

その元素をどうやって見つければいいのかはわからなかったものの、シラードは１９３４年３月12日、分裂を続ける可能性がもっとも高い元素の候補としてベリリウムを挙げ、ほかにもウランやトリウムといった元素も正しく挙げて、イギリスで特許を出願した。シラードの特許出願は秘密裡におこなわれたが、中性子について研究していた科学者は彼だけではなかった。ドイツでは、化学者・物理学者のオットー・ハーンとフリッツ・シュトラスマンがウランに中性子を照射してバリウムの同位体を生成していたし、１９３９年２月にはハーンの長年の共同研究者で、当時スウェーデンに亡命していた物理学者リーゼ・マイトナーと甥《おい》のオットー・フリッシュが、その現象は核分裂であると正しく解釈した。ウランの原子核が分裂し、その反応が続くとどうなるかは、物理学に通じている者にとっては一目瞭然だった。前代未聞の破壊力をもつ兵器が誕生するだろうし、そのいっぽうで、新たな発電方法が生まれる可能性もあった。

その結果は、みなさんもよくご存じだ。リーゼ・マイトナーが核分裂を正しく解釈してから7カ月もたたないうちに、第二次世界大戦が勃発し、すべての主要参戦国（アメリカ、ソ連、ドイツ、日本）が核爆弾の開発を進めたが、イギリスの支援とヨーロッパから亡命してきた物理学者たちの協力を得て、アメリカだけが前例のないマンハッタン計画を終戦前に成功させ、利用可能だった世界初の2種類の原子爆弾を広島と長崎に投下したのである。そして第二次世界大戦後はカネのかかる（現在も継続中の）軍拡競争が始まり、なかでも事実上難攻不落の潜水艦への核弾頭搭載に力が注がれた。こうした潜水艦を遠隔地まで長時間潜水させるには、核分裂反応を動力として利用するしかなかった。この競争でも先手を打ったのはアメリカで、海軍のハイマン・リッコーヴァーの積極的なリーダーシップのもと、1954年、世界初の原子力潜水艦〈ノーチラス〉が進水した。

マンハッタン計画に参加した物理学者のなかには、戦時中から、原子炉による発電の可能性を検討し、「きわめて不経済であろう」と考えた者がいた。この見解はアメリカ原子力委員会（AEC）成立後も変わらず、1940年代後半から1950年代前半にかけてアメリカの大手電力会社でも共有されていた。原子力発電には途方もないコストがかかるうえ、原子力発電を推進しなければならないという切羽詰まった理由が、資源面でも環境面でも見当たらなかったのだ。アメリカは発電電力量では世界のトップに立っていたが、世界最大の化石燃料生産国でもあり、石炭・石油・天然ガスを燃料として利用する新たな大型発電所があれば増加する電力需要を満たせるうえ、消費者にとっても電気代が安くてすむため、家庭用や産業用のコンバーター〔訳注：電流を交流から直流に変換する装置〕が大量に購入されるようになった。終戦から10年も経たない1950年代初頭には、まだ公害対策や公害防止の取り組みに力を入れている国などなかった。化石燃料の燃焼による地球温暖化と、温暖化を防ぐゼロカーボンエネルギーの必要性は、その後も30年以上、政治や経済の分野で検討されることはなかったのである。

なぜアメリカは原子力発電所を建設することにしたのか

では、なぜアメリカは原子力発電所を建設することにしたのだろう？　１９４０年代後半、アメリカ原子力委員会の初代委員長デイヴィッド・Ｅ・リリエンソールは、広島に対する罪悪感を軽減させたいと語りはじめた。そのためには核分裂反応を平和裡に活用するしかなく、それが新たなテクノロジーの誕生への希望とチャンスを生み、求められている心理的慰めにもなると考えたのだ。しかし、こうした意向は、原子力利用に対する展望を変えた要因のひとつにすぎない。１９４９年、ソ連が初の原爆実験を実施すると、リリエンソールはソ連が「原子力の平和的利用の開発」でアメリカを打ち負かすのではと危惧した。さらに、イギリスは新たに国内で開発された原子炉の設計に基づき、大胆な原子力発電所計画を発表した。そして１９５３年初めには、ドワイト・Ｄ・アイゼンハワー大統領が原子力発電の商用化で「アメリカが後《おく》れをとるとまずい」という点で、ジョン・フォスター・ダレス国務長官と意見を一致させた。つまり、経済ではなく政治がアメリカの原子力発電の開発を決めたのだ。

　このような現実に直面した結果、著名な核科学者や国内の公益事業者から疑問の声があがっていたにもかかわらず、アメリカは原子力発電の開発に注力せざるをえなくなった。また、この開発は冷戦下で中立国への影響力を高めるカードとしても利用できるはずだった。アイゼンハワー大統領は「平和のための原子力」というテーマで、次のように演説した。

> 原子力に対する恐怖心が、人々の、また東西の国々の政府の頭のなかから消えていくように……

図 3.4　1958 年、ニューヨーク港の〈ノーチラス〉。出典：US Navy photo courstesy of the US Navy Arctic Submarine Laboratory

> 核エネルギーを農業や医療や平和的活動の必要に応じて活用できるようにします。とりわけ、電力が不足している世界の地域に大量の電力を提供することが重要な目的となるでしょう。

原子力の開発競争は始まっており、アメリカにとって手っ取り早い方法は、ハイマン・リッコーヴァーの主導のもと、海軍が開発した小型の加圧水型原子炉を動力として潜水艦に搭載することだった。こうして、世界初の原子力潜水艦〈ノーチラス〉が1952年6月から1954年1月にかけて建造された（図3・4）。ウェスチングハウス社製の潜水艦用原子炉では、原子炉容器内の炉心（ジルカロイ製の燃料被覆管に核分裂性物質を封入してある）で、16メガパスカルという高圧で加圧した高温高圧水をつくる。この高温高圧水を蒸気発生器に導き、この蒸気をタービン発電機に送って発電するという仕組みだ。

この原子炉の設計は、アメリカ初の商業原子力発電プロジェクトでも採用された。ペンシルベニア州

図 3.5　1956 年、ペンシルベニア州シッピングポート原子力発電所の原子炉格納容器の設置作業。出典：Library of Congress photo

のデュケイン・ライト・カンパニーが、このプロジェクトの費用の一部を負担することに同意し、アメリカ初の原子力発電所シッピングポートは1957年12月18日に発電を開始し、「平和で確固とした目的をもつアメリカ」のシンボルとなり、その後もアメリカ国民へまったく脅威を与えることなく、敬意を払いつづけた。シッピングポート原子力発電所が発電を開始したのは、ソ連でオブニンスク原子力発電所が運転を開始してから約6カ月後、イギリスでコールダーホール原子力発電所が運転を開始してから約15カ月後のことだった（図3・5）。

　この純粋に政治的な決定により、マンハッタン計画に参加した物理学者や電力事業の専門家でさえ最善の選択肢と見なしていなかったにもかかわらず、アメリカの核開発の未来と原子炉は切っても切れない関係になった。それでも発電コストの高さが予想されていたため、1950年代後半になっても、電力会社は10年前と同様、原子力に関心を示さなかった。ところがその後、またしても政治的決断がなされた。1957年にプライス・アンダーソン法が成立し、電離放射線が放出されるような大事故が生じた場合には企業の責任を軽減するだけではなく、前例のない公的補償の付与まで保証した。つまり、原子力発電への投資のリスクを大きく減らしたのである。

石炭火力よりも「安い」発電

それでも、すぐに原子力発電の商用化の波が生じたわけではなかった。次の段階が始まったのは、ようやく1963年12月、ジャージー・セントラル・パワー&ライト社が、オイスタークリークに建設を計画している原子力発電所では「石炭火力発電所よりも安いコストで発電できる」という分析を発表したときだった。そして1年後、建設許可がおりた。1965年11月、アメリカ北東部で大規模な停電が発生し、原子力という新たな発電方法への投資意欲が高まった。1966年には20基だった原子炉の発注が、1967年には30基になり、1969年には10基未満へと減ったものの、1965年から1969年にかけて計83基へと回復した。さらに翌年、またしても原子力発電に有利な潮流が生じた。アメリカ連邦議会が1970年、大気浄化法改正法案(通称マスキー法)を可決し、移動発生源・固定発生源ともに大気汚染物質の排出を制限した。大規模石炭火力発電所は粒子状物質や酸性雨の原因となる二酸化硫黄や窒素酸化物の排出量がアメリカでもっとも多い発電所だったが、原子力発電所はこれらの大気汚染物質の排出がゼロだったのである。

第二次原子力時代が訪れるという期待

さらに１９７３年、原子力発電はまたしても予期せぬ一連の出来事によって飛躍的な発展を遂げるチャンスを得た。世界で需要のある原油の価格を高く維持するために設立された石油輸出国機構（OPEC）がこの年、アメリカの原油生産量の減少に乗じ（それでも１９７７年まではアメリカが世界トップの産油国だった）、原油の公示価格を約4倍に引きあげたうえ、アメリカへの原油輸出を一時的に禁止したのである。その後、アメリカはエネルギー危機に見舞われ、第二次世界大戦後の長い高度経済成長に終止符が打たれ、エネルギーの安定供給の見通しが不透明になった。そこで、予測のつかない輸入に依存しない国内の原子力発電が魅力を帯びるようになり、１９７３年、アメリカの電力会社が42基の原子炉を新たに発注した。さらに、この急速に進歩を遂げる第一次原子力時代に続いて、原子炉よりはるかに効率のいい高速増殖炉による第二次原子力時代がすぐに訪れるという期待が高まった。

高速増殖炉は、それまでの原子炉とは仕組みが違う。冷却材が水であれガスであれ、既存の原子炉は天然ウランに豊富に含まれるウラン２３８、または低濃縮ウラン（天然ウランには０・７％しか含まれていないウラン２３５を、3〜5％の割合に人工的に濃縮したもの）の原子核に中性子を当て、核分裂を起こしていく。いっぽう、高速増殖炉では濃縮ウラン（ウラン２３５を15〜30％の割合に濃縮したもの）の核分裂で生じた中性子を高速中性子として利用し、ほとんど核分裂をしないウラン２３８に転換し、炉心を囲むブランケットの燃料とする。このウラン２３８が高速中性子を吸収してプルトニウム２３９に転換し、ここで発生した熱を液体金属ナトリウムが水に伝え、水が蒸気となり、蒸気でタービンを回して発電するという仕組みで、増殖炉は消費した量よりも少なくとも20％は多い核燃料を新たに生みだすのだ。レオ・シラードは１９４３年の時点ですでに増殖炉を構想していたし、マンハッタン計画に参加した核物理学者アルビン・ワインバーグと物理学者ハリー・スーダクが１９４５年には増殖炉設計という概念を示していた。

第二次世界大戦後、アメリカとソ連で小型増殖炉の試験がおこなわれ、１９７０年代初頭には液体金属冷却高速増殖炉（ＬＭＦＢＲ、冷却材に液体ナトリウムを利用する）の実験炉がアメリカとソ連だけではなく、イギリス、フランス、ドイツ、イタリア、日本でも稼働するようになった。１９７３年、アルビン・ワインバーグは「増殖炉は間違いなく成功をおさめる」、「それどころか、増殖炉は人間にとって究極のエネルギー源になるだろう」と述べた。当時、この技術が望まれている状況にあったこと、最終的には成功するだろうという意見の一致が科学界全般にあったこと、産業界のリーダーのあいだでもこの確信が広がっていたことを考えれば、ワインバーグがこのような発言をしたのは自然な流れだった。１９６０年代後半から１９７０年代前半にかけてアメリカ原子力委員会は、２０００年までに国内で１０００基の増殖炉が稼働するだろうと予測した。また１９７４年にはＧＥ社がこう予測した。１９８２年までに増殖炉が商用化され、１９９０年には化石燃料によるエネルギー生産がほぼゼロになり、20世紀末には国内で消費されるごく一部を除き、アメリカの電力はすべて増殖炉から得られるようになるだろう、と。

実現しなかった夢とその代償

しかし、そうした未来が実現しなかったのはご承知のとおりだ。この結果には、フランス語のdénouement（デヌーモン、「大団円」の意）とdébâcle（デバークル、「大失敗」の意）というふたつの単語がぴったり当てはまる。その主因としては、電力需要が10年ごとに倍増するという予想がはずれたこと、新たな原子力発電所の建設に過剰な規制がかけられた結果、加圧水型原子炉が大量に発注を取り消されたこと、物理学者たちの夢であった増殖炉を工学的に実現することさえできなかったこと、そして大惨事を引き起こした複数の事故が生じた結果、原子力発電に対する大衆の不信がふたたび高まったことなどが挙げられた。これらの要因についてこれからざっと経緯を説明していくが、ここではその非の何割がどこにあったのかなどと論じるつもりはない（そんなことができるとも思えない）。

　それでも、電力需要が急減したという事実がもっとも大きな主因であったのはあきらかだ。実際、経済危機に見舞われた１９３０年代に需要増加のスピードが落ちたことを除けば、第一次世界大戦末から10年ごとに需要が倍増するペースがずっと続いていて、年間約７％の割合で伸びていたのだから。１９２０年代には発電電力量がほぼ倍増し、１９４０年代には約２・２倍、１９５０年から１９６０年には約２・3倍、１９６０年から１９７０年にはまたもやほぼ倍増と、10年ごとに需要は2倍近く増えていた。ところが１９７０年代は増加が50％弱となり、１９８０年代には約33％、１９９０年代には25％となった。その後、21世紀の最初の10年間は９％弱の増加、そして２０１０年から２０１９年まではまったく増加していない（新型コロナウイルス感染症の流行拡大の影響を受けた２０２０年には３％減少した）。

　１９７０年代に入ると、複数のユニットで構成された火力発電所の最大出力は2ギガワットを超えていたので、新たな原子力発電所の最大出力を同程度にする（もしくは3ギガワットを超す）必要があったため、設計と建設には最低でも10年はかかったはずだ。ところが、この状況もまた変わりつつあった。１９７4年、アメリカ原子力委員会の廃止が決定され、その後はアメリカ原子力規制委員会が新設された。するとコスト高騰のなか、新規プロジェクトの進行を遅らせる一連の行政介入が始まった。いっぽう電力会社の経営者たちは、10年おきに電力需要が倍増し、5〜6年で新たな大型発電所が完成することにすっかり慣れていたのに、着実に減少する需要と長引く建設期間という問題を突きつけられたうえ、10〜15年もの建設期間を経て高い費用をかけてようやく発電所を完成させても、その頃には電力需要がなくなっているかもしれないという未来に直面していた。

そこでもっぱら、受注した原子力発電所の建設を中止するのが、このジレンマを克服する唯一の方策となった。１９７５年の原子炉の新規受注は4基にまで減り、ほかにも13基が建設中止となった。１９７８年には新たな原子炉としては最後となる２基の発注があったが（そのいっぽうで14基の建設中止があった）、１９７９年にはペンシルベニア州スリーマイル島の原子力発電所で事故が起こり、目に見えないうえに存在を感じることもできない放射線への恐怖が国民のあいだで高まり、原子力発電への不信感も広がりはじめた。原子力発電所からの放射性物質の放出はほぼ見られなかったにもかかわらず、原子爆弾と原子炉を結びつけて考える根強い不信感がつのったのだ。そして１９８６年４月、旧ソ連ウクライナ共和国のチョルノービリ原子力発電所で起こった炉心融解事故によって、アメリカ国民はさらに不安をつのらせた。アメリカの原子炉とは異なり、旧ソ連の設計による原子炉には格納容器がなかったため、ウクライナ、ベラルーシ、中央ヨーロッパ、北欧の広い範囲に放射性物質が拡散した。ほどなく31人が命を落とし、１３４人が急性放射線障害の治療を受けた。長期にわたる詳細な健康評価では、もっとも影響を受けた人のあいだで全体的にがんの罹患者や死亡者数が上昇したというエビデンスはなかったが、この事故そのものと廃炉の必要性、そして数世代にわたってこの構造物の安全性を維持しなければならないという課題が、当然のことながら「信頼性が高くクリーンな発電をもたらす原子力発電」というイメージをそこなった。

この影響がもっとも大きく及んだのはヨーロッパだった。１９８６年を迎える頃には、原子炉の将来への展望はなくなり、すでに手のほどこしようがなかった。アメリカでは１９８０年代、原子炉の新規受注はなく、キャンセルばかりが続き、その数は最終的に１２０基に達した。建設が延び延びになり、コストが膨らんだ例としてもっとも悪名高いのが、ワシントン公共電力供給システム（ＷＰＰＳＳ）の崩壊である。１９７５年、ＷＰＰＳＳは25億ドルをかけて２基の原子力発電所を建設する計画を立てたが、１９８２年１月、25億ドルを費やした時点で、発電所を完成させるには１２０億ドル近くの費用が必要になることが判明した。そのため２基の建設工事は中止となり、１９８３年６月にＷＰＰＳＳは破綻し、アメリカ史上最悪の地方公社の債務不履行に陥ったのである。１９８５年、フォーブス誌はアメリカの原発の歴史を振り返り、この国の核開発プログラムは「ビジネス史上最大の経営の失敗であり、途方もない規模の大惨事である……この事業のために有効に資金が投入されたと考えるのは、よほど偏見がある人間か、ものごとを見る目がまったくない者だけだ」と記した。

必然的に、大企業のなかにもこの煽《あお》りを食ったところがあった。なかでも、初期の電気時代のパイオニアであるジョージ・ウェスティングハウスが１８８６年に創業し、総合電機メーカーの草分けとなったウェスチングハウス・エレクトリック社が大きな損害を受けたことはよく知られている。１９５０年代から１９９０年代にかけて、ウェスチングハウス・エレクトリック社はＧＥと並んで原子炉の主要メーカーだったが、建設中止や費用の予算超過により、最終的には姿を消すことになった。１９９８年、ウェスチングハウス・エレクトリック社は発電部門をシーメンスに売却し、翌年には原子力部門を英国核燃料会社に売却して、２００６年には東芝に買収された。そして２０１７年に原子炉事業の巨額損失（アメリカで建設中だった複数の原子炉の建設費用による損失が原因）により、ふたたび経営破綻したのである。

原子力発電に対して描いた夢は実現せず、期待はずれに終わった。これに払った真の代償とはなんだったのだろう？　１９９９年、アメリカの反核運動団体である核情報資料サービスは、１９４７年から１９９８年のあいだに連邦議会がエネルギー関連の研究開発に投じた資金は総額約１４５０億ドル（１９９８年のドル換算）にのぼり、アメリカの原子力産業はこの96％以上を懐《ふところ》にしたと述べた。２０２１年にはその総額は約１６７０億ドルになり、この投資額に対する機会費用は現時点で１兆ドルを超えると見積もられている。核燃料サイクル全体の真のコストは、原子炉の廃炉や、高レベル放射性廃棄物の数百年から数千年という前例のない長期にわたる貯蔵にかかる費用を含めなければならないので、今後もずっと不明なままだろうし、事実上、永遠に警戒を続けなければならないという問題がともなう。こうした問題は、まだどの国でも満足のいく解決を得ていないのだ！

言い訳はできない

核分裂反応の研究において主導的な役割を果たしたアメリカは、世界の動向に影響を与えた。１９７３年には、１３２基の原子炉の発電電力量は約１７３テラワット時だった。たしかにＯＰＥＣの動きからも、欧米の原子力産業は恩恵を受けたにちがいない。たとえＯＰＥＣという生産カルテルが原油価格を突然引きあげたとしても、その影響を受けないエネルギー供給国として、ヨーロッパや北米の経済国から信頼を得ることができたからだ。そして実際、15年後の１９８８年には、１９７３年に比べて３倍以上となる４１６基の原子炉が世界各地で稼働し、約10倍（１７２７テラワット時）の電力を発電していた。しかし、新たな原子炉を完成させるには長い時間がかかるため、こうした増加は当然の流れでもあった。その後、欧米諸国では新規の原子炉の受注がほとんどなくなり、ロシアやアジアでは古い原子炉の廃炉の穴埋めをする程度の増設にとどまったため、長期にわたる停滞が始まった。

　２０２０年、世界では４４３基の原子炉が稼働しており、その数は30年前と比べて約６％増えただけだが、平均設備容量〔訳注：設備容量は発電所の発電能力のこと〕が多く、設備利用率も高いため（現在では90%以上の時間、発電している原子炉もある）、原子力の発電電力量は約２５００テラワット時で、１９９０年に比べると3割ほど増えているものの、２０００年と比べればごくわずかな増加にすぎない！　国際原子力機関（ＩＡＥＡ）が２０２０年に発表したもっとも信頼の置ける予測によれば、新規原子炉の建設計画（大半が中国）は、古い原子炉の廃炉（すでに40年以上稼働しており、これは当初の予想よりはるかに長い期間である）を補うにすぎない。原子炉の建設が続くと仮定し、原子力発電への移行が進むとした高位予測でさえ、世界全体の発電で原子力が占める割合は４・５%で、２０１９年の５・３%という予測を下回る。原子力発電への移行がそれほど進まないとした低位予測では、原子力が占める割合は高位予測の半分ほどの２・３%だった。

各国の動向を見ても、後退が常態化している。ヨーロッパでは原子力発電が全体の承認を得ていないのだ。デンマーク、ギリシャ、アイルランド、ノルウェー、ポルトガルといった国は、現在、原子力発電所を1基も新規建設していない。ドイツとスウェーデンは原子力発電所の早期廃止を決めているし、原子力発電でもっとも成功をおさめた国でさえ、いまでは後退を始めている。コールダーホール原子力発電所の事故後、イギリスは１９７1年までにマグノックス炉（コールダーホール型炉、現在はすべて運転終了）を25基、改良型ガス冷却炉（低濃縮二酸化ウランのペレットをステンレス鋼被覆管に封入する）を14基、加圧水型原子炉を1基建設した。総設備容量は１９９９年以降減少を続け、２０２５年には最大値の半分程度になる予想だ。２０２６年と２０２７年には2基の新しい原子炉が稼働する予定だが、もとをたどれば２０１１年に提案されたその建設にはさまざまな問題が山積している。

フランスの計画は、発電を原子力依存へと大きく切り替えようとした西側諸国の試みのなかで、もっとも成功した例だった。フランス電力は、アメリカの加圧水型原子炉の標準的な設計を基盤に原子炉を建設した。この政策は国民から広く支持され、国内の各地に建設された50基の原子炉は最終的にフランス国内で消費されている電力の（近年はシェアが低下しているものの）80％近くを供給し、近隣諸国にもかなりの量を輸出した。ところが1991年以降、原子力発電所の新規建設の着工は途絶えた。

いっぽうソ連の原子力政策は、チョルノービリ原発事故によって永遠に汚点を残したまま、ソ連崩壊後のロシアにおいても受け継がれることになった。それでも2020年の時点で、原子力発電がロシア国内の発電電力量に占める割合は約21％にすぎなかった。

かたや、国産の原油やガスに恵まれない日本は、原子力発電の大幅な比率拡大を打ちだし、最終的には総需要の30％を原子力でまかなうようになった。しかし、2011年3月の福島第一原子力発電所の事故で3基の原子炉がメルトダウン（炉心溶融）を起こしたため、原子力発電の比率拡大の動きが止まり、2020年には国の総発電電力量に占める原子力の割合はわずか4％弱になった。

では、増殖炉はどうなったのだろう？　増殖炉開発は、いくつかの誤解を基盤に進められた。その一、核分裂連鎖反応を維持する同位体ウラン235は非常に希少であり、大規模な原子力発電を支えることはできないだろう。その二、増殖炉にまつわる技術的な問題はそこそこの期間で克服できるだろう。その三、増殖炉は競争力のあるコストでほかの発電方法と勝負できるだろう、だ。

アメリカでは1970年代初頭、当時のリチャード・ニクソン大統領が政治的思惑により、大規模な実証炉〔訳注：実験炉、原型炉、実証炉、実用炉と進める原子炉の開発において、出力規模を大きくして建設される原子炉〕開発プロジェクトを進めた。するとアメリカ原子力委員会（この組織の本来の役割は原子爆弾と原子炉のための濃縮ウラン供給であったが、これは何年も前に果たされていた）が組織の存在意義を正当化しようと、このプロジェクトを支持し、議会もかなりの額の支援を決定した。1971

年、実証炉建設費の資金調達が始まり、当初、総費用は4億ドル未満と見積もられており、電力会社がその3分の2近くを負担する予定だった。ところが1年後、建設費はその2倍近くに膨れあがり、１９８１年、クリンチ・リバー増殖炉は30億ドルを超えるアメリカ最大の公共事業となったのである。

設計の技術的な問題と原子燃料の再処理（使用済燃料からプルトニウムを回収する）費用の上昇により、実証炉の建設コストは急上昇し、１９８３年にプロジェクトが中止されるまでに80億ドルもが費やされた。これは２０２１年の貨幣価値で換算すると約２００億ドルになるが、それでも他国がさらなる数十億ドルもの無駄遣いをやめることはなかった。その最たる例がフランスで、クレイ・マルヴィルに建設されていた大型高速増殖実証炉〈スーパーフェニックス〉（電気出力１・２ギガワット）が１９８６年に稼働したが、事故が相次いだ結果、長期間運転を停止し、１９９８年、ついに廃炉が決定された。いっぽう日本では、１９９５年12月8日、高速増殖原型炉もんじゅから６５０キログラム近いナトリウムが漏洩する事故が起こり、その後、廃炉とすることが決定された。結局、高速増殖炉開発に注ぎ込んだ費用（２０２１年の貨幣価値に換算）は、日本が１６０億ドル近く、イギリスが１１０億ドル近く、ドイツが約80億ドル、イタリアが70億ドル近くに達したものの、そのすべての計画が中止に追い込まれた。これにロシア、中国、インドをくわえると、世界全体で１０００億ドル近くが費やされたことになる。この金額を見れば、ロビイストたちの権力と、専門家たちが（あらゆるエビデンスに反して）政府に計画推進の助言を続けた思い込みの強さがよくわかる。

１９８０年代後半になると、第二次原子力時代の第二の選択肢として描かれていた原子炉開発は実現しそうにないことが明確になった。いまよりすぐれた設計で、いまより小型で、コストは安くなるが信頼性は高く、本質的に安全な原子炉の開発など当面、無理なことがわかったのだ。こうした設計の原子炉は、アメリカが潜水艦に利用するために加圧水型原子炉を開発する以前から検討されていた。

１９８０年代に入ってからは、とくに小型モジュール炉に関して詳細なプランが練られたり、中規模な実験の提案がなされたりしたが、そこから急進的に発展することはなかった。また、世界の一次エネルギー供給から発生する二酸化炭素排出量を削減する多面的な戦略の一環として、十分に安全性が実証された原子力発電の復活を加速化するという方針も明示されていない。たしかに、以前は声高に反対していた国のなかにも、大規模な原子力発電を熱心に支持するようになったところはある——当然、その筆頭はフランスだが、アメリカやイギリスも脱炭素化を推進する技術のひとつとして原発を選択している。

２０２０年代に入ると、各国政府や民間投資家が設備容量３００メガワット未満の小型モジュール炉の開発計画を発表するといったニュースが相次ぎ、すべての報道を追いきれないほどになった。カナダ、中国、チェコ共和国、ロシア、韓国、アメリカといった国が小型モジュール炉に関心を示したのだ。やがて、ロールス・ロイス社が原子力発電事業に参入し、最終的に最大16基の小型原子炉をイギリス国内で建設すると発表した。そうした原子炉のなかには、数十年前に開発が中止された溶融塩《ようゆうえん》原子炉も含まれている。現在、小型溶融塩炉はカリフォルニア州のケイロス・パワー社が開発を進めているうえ、中国でも政府の支援を受けた開発が始まっている。２０２０年10月には、米国エネルギー省がシアトルのテラパワー社に助成金を付与し、溶融塩エネルギー貯蔵システムを組み合わせた電気出力３４５メガワットの溶融塩高速炉〈ナトリウム〉の実証炉の建設計画を進めている。

さらに、マイクロ炉（超小型原子炉）の開発を進めるスタートアップ企業も続々と登場している。たとえばオクロ社は従来の大型原子炉の使用済燃料を利用して、電気出力が１・５メガワットのマイクロ炉の建設を計画中で、これだけの出力があれば1棟の工場や大学キャンパスの電力を十分まかなえるという。同社のウェブサイトには、山々を背景に立つ前面がガラス張りの木造の家の画像があり、まぎれもなく「グリーン」な印象を与えている。つまり、無人で稼働する設計の原子炉であることをアピールしているのだ。だが、原子力発電に関するこれまでの数々の謳い文句を振り返れば、発表された計画がどんな進展を見せるのか、当面は静観するのが賢明だ。加速する脱炭素化の動きが追い風になったとしても、実際に稼働する原型炉を建設することができるのか、そして安全な稼働が確認され、将来の商用化の基盤を築くことができるのか、注視しなければならない。いずれにせよ、いまのところ、数十年にわたる原子炉建設計画に関して具体的かつ詳細なスケジュールを発表し、確約している国はない。

　このように、原子炉に関する見込みはじつに甘かったわけだ。たとえば２０２１年の時点で、原子力発電は全世界の設備容量の約５％、商業用発電の約10％を供給しているにすぎず、数千基もの原子炉（その大半が増殖炉）が稼働し、電源構成で原子力がトップに立つという未来は訪れていないのだ。そしておそらく、もっとも不幸な現実は「不明な点が多かったため、次々と新たな取り組みを始めてしまった」などという言い訳ができないことだ。専門家である科学者、技術者、電力会社の経営者たちは、山積する課題（最適とはいえない設計の原子炉の商用化から、競争力のあるコストの実現といった楽観的な主張）の大半をよく承知していたし、不利な点があることも、不都合な点（放射性物質のリスク、事故への恐怖、警戒を続行する必要性、原子力発電所に対するテロ攻撃や兵器拡散に利用されるといったセキュリティ上の懸念）があることも、重々承知していたのだから。商業用原子炉はもっと慎重に、もっと注意深く開発されるべきであり、国民に受け入れられるかどうかをもっと考慮したうえで、最終的には放射性廃棄物を長期管理しなければならないという現実も直視すべきだったのだ。

成功した失敗

途方もなく高くついたこの大失敗の物語を終える前に強調しておきたいのは、「原子力技術に投資すれば従来の発電方法を大きく変えられる」という大げさな約束があったという事実を踏まえたうえで、本章では原子力発電の背景を説明したということだ。実際の成果だけを基盤に評価するのであれば、１９４５年以降の原子力発電の進展は「成功した失敗」であった。私はこの矛盾する形容詞がついた言葉を、20世紀末を迎える前から使っているが、この20年間、この言葉が的を射ているという確信をいっそう強めてきた。たしかに、「見事なハイテク技術で新たな時代が到来する」という壮大な約束は果たされなかったものの、原子力発電は部分的には（きわめて高いコストがかかったものの）成功をおさめてきたといえるだろう。

世界規模で眺めれば、もっと主観的な評価をくだすことになる。核分裂反応を利用した発電は、電力構成の10%を占めているが、それはかなり大きい割合なのだろうか、それとも小さい割合なのだろうか（発電効率の向上も考慮したうえで考えるべきなのだろうか？）。それに、多くの国々が原子力発電の恩恵を受けてきたことに間違いはない。２０２０年の時点で、13の富裕国で暮らす約２億５０００万人が電力の４分の１以上を原子力発電で得ていて、ヨーロッパ11カ国では電力の３分の１以上の割合を原発で得ている。よって、原子力発電がなくなったら惨憺《さんたん》たる事態になるだろうし、ほかの発電方法に徐々に移行するにはコストがかかる。また、ヨーロッパ、アメリカ、カナダの原子炉は年負荷率〔訳注：年間の稼働率〕が驚くほど高く、95%を超えるところもあり、必要とされるベースロード電源（中断せずに一定の電力を安定的に発電できる電力源）となっている。さらに原子力発電は温室効果ガスや有害な放射性物質を排出しないうえ、石炭火力発電所で同量の電気をつくる際に生ずる煤塵《ばいじん》や酸性雨の原因となるガスの排出もしないため、健康被害による死亡者の減少に貢献してきた。

２０２２年、原子力発電活用に向け、ふたつの新たな誘因が生じた。世界の発電における脱炭素化の加速化と、ロシア産エネルギーへの欧州の依存低減の必要性である。だが、この課題への対応はまだ足並みを揃えていない。２０２２年２月、フランスは２０５０年までに14基の原子炉を新設する計画を発表したが（実際のところ、いったい何基が建設されるのだろう？）、２０２２年５月、ドイツは最後の原子炉３基を年末には稼働停止にするという計画の延長を拒否した〔訳注：２０２３年４月には全運転を停止した〕。また、ドイツはロシア産天然ガスの不足に直面していたのだが、連立与党の緑の党は二酸化炭素を排出しない発電を増やすのではなく、もっと大量の石炭を燃やすことに同意し、脱炭素という常識を無視した！　さらにアメリカや日本では、多数の小型原子炉の建設に対して明確な約束はまだなされていない。このように原子力発電に関する現実は「真の変革をもたらす」という当初の期待が大きくはずれたままである。

超音速飛行《スーパーソニック・フライト》

１９０３年12月17日、兄のウィルバーに見まもられながら、弟のオービル・ライトがノースカロライナ州キティホーク近郊の砂浜の上空で史上初の動力飛行に成功した。時間は12秒、距離は36メートルという短い飛行だったが、その後、ライト兄弟は場所を変えて、さらに３回の短距離飛行をおこない、最後の飛行が最長で時間は59秒だった。ところが意外にも、空気より重い機械を１分間以上飛ばすことがほかのだれにもできないまま、４年ほどが経過した。このように20世紀最初の10年間は動力飛行の創成期だったが、その後の航空技術の進歩のスピードは目をみはるほどで、動力飛行機の発明というこの最初の大躍進から40年後、航空エンジニアたちは音速よりかなり速く飛ぶ航空機の設計を真剣に検討するようになった。超音速で飛ぶ航空機が実現すれば、ヨーロッパから北アメリカに飛ぶ所要時間は朝食から早めのランチまでの時間より短縮できるだろう、と。

航空機のプロペラを回転させるレシプロ（ピストン）エンジンは、1950年代後半まで民間機の主流だったが、1943年には、すでにイギリスとドイツが連続的に燃料を燃焼させるガスタービンを利用したターボジェットエンジンを搭載した初のジェット戦闘機の配備を計画していた。イギリスが開発したジェット戦闘機は〈グロスター・ミーティア〉、ドイツは〈メッサーシュミットMe262〉で、世界で初めてジェット戦闘機で実戦をおこなったのはドイツだった。アメリカでもっとも成功をおさめたレシプロ戦闘機〈マスタング〉の最大速度は時速約630キロメートル、イギリスの〈スーパーマリン・スピットファイア〉は時速600キロメートル弱だったが、ジェット戦闘機の草分けである〈グロスター・ミーティア〉と〈メッサーシュミットMe262〉の最大速度はそれぞれ時速970キロメートルと900キロメートルで、音速に近づいていた。

航空工学の世界では、流体中の物体の速さの音速に対する比をマッハ数（オーストリア出身の物理学者エルンスト・マッハにちなむ）と呼ぶ。音は高度が海抜ゼロメートル（気温15℃）で、秒速約340メートル（時速約1224キロメートル）で伝わり、これがマッハ1となる。音速は高度が上がるとわずかに下がり、ジェット旅客機の一般的な巡航高度11キロメートルにおいて、音速は秒速約295メートル（時速約1063キロメートル）となるため、〈ボーイング787〉が時速903キロメートルで飛んだ場合、マッハ0・85となる。マッハ数が1未満であれば、その速度はすべて亜音速《サブソニック》（音速未満の速度）であり、マッハ数1前後が遷音速《トランソニック》、マッハ数が1より大きく5未満が超音速《スーパーソニック》となる〔訳注：マッハ数5以上は極超音速《ハイパーソニック》〕。

世界初のジェット戦闘機の最高時速がすでに遷音速に近かったため、エンジンの性能が向上し、機体設計が改善されれば、すぐにマッハ数が1を超え、順調に進歩した技術が軍用機から民間機へと受け継がれるのは間違いないように思われた。そして実際、その通りになった。1947年10月14日、アメリカ空軍のチャック・イェーガーがロケットエンジンを積んだロケット機〈X-1〉で音速を突破するスピードで飛行し、その後、アメリカ、イギリス、ソ連の空軍が遷音速の戦闘機や爆撃機を導入した。世界初の民間ジェット旅客機であり、悪運に見舞われたイギリスの〈コメット〉（4回の死亡事故の原因はジェットエンジンではなく、直角だった窓の角の部分に過大な圧力がかかり、圧力に耐えきれず崩壊した結果、急激な減圧が生じたためだった）が1952年に短期間ではあったがマッハ0・7で短距離の運航を開始したが、世界で初めて成功をおさめて広く普及したジェット旅客機〈ボーイング707〉は1958年10月にマッハ0・83で定期運航を開始した。

超音速飛行の予備研究は、1950年代初頭にイギリス、アメリカ、ソ連でおこなわれた。1959年、国際民間航空機関（ICAO）は年次報告書でこれらの発展を踏まえたうえで、「比較的近い将来、おそらく1965年から1970年頃には、超音速輸送機の製造が技術的に可能になっているという展望を、すでに複数の航空機メーカーが共有している」と述べ、1959年は「このような航空機の実用化が可能であるばかりか、現在のジェット輸送機の後継となるのはほぼ間違いないという認識が定着した年である」と明言した。

超音速飛行への誤解

超音速飛行が商業航空の次なる段階だという誤解は、イギリス、フランス、アメリカ、ソ連の政府によって（それぞれ異なる理由で）喧伝され、実現化に向けた努力は数々の失敗を生みだし、高いコストがかかり、短期間で終わったものもあれば、長く続いたものもあった。1950年代後半、イギリスとフランスは植民地を失い、勃発したスエズ戦争（第二次中東戦争）ではアメリカの支持を得られず、アメリカとソ連という大国の対立によって世界への影響力を失いつつあったこともあり、超音速機の設計をそれぞれ独自に進めていたが、ついに協力することにした。１９６２年11月29日、英仏間で正式に協定書が締結され、かつての大国の栄光を取り戻すべく、〈コンコルド〉プロジェクトが始動した。機体の製造は仏シュド・アビアシアン社と英ブリティッシュ・エアクラフト・コーポレーション社が、エンジンの開発は英ブリストル・シドレー社〔訳注：１９６６年にロールス・ロイス社に買収される〕と仏サフラン・エアクラフト・エンジンズ社が、それぞれ共同で担当した。結局、機体開発は１９７２年から１９７８年末まで、エンジン開発は１９８０年までかかり、１９６７年から１９７９年のあいだに計20機が生産された。

　機体には従来のアルミニウム合金を利用するため、最大速度はマッハ２・２となった（マッハ２・２を超える飛行には、空気との摩擦熱などに耐えられるチタン合金などの特殊鋼が必要）。１９６９年３月２日にフランスの原型機が初飛行に成功し、同年10月１日に短時間ではあったが最大速度が初めてマッハ１の音速に達して、１９７０年11月４日にはマッハ２を維持した。その後、英仏どちらの原型機も試験飛行を重ね、１９７６年１月21日、ついに商用運航が開始され、ロンドンとバーレーン、パリとリオデジャネイロを結ぶ定期便に就航した。結局、〈コンコルド〉は退役するまで27年間飛びつづけ、ブリティッシュ・エアウェイズではロンドン－ニューヨーク間を飛び、冬にはバルバドスへの定期便、短距離ではバーレーン、ほかにシンガポール（バーレーン経由）、ダラス、マイアミ、ワシントンＤＣのダレス国際空港への便に就航した。エールフランスの就航都市としてはニューヨーク、短期間ではベネズエラのカラカス、メキシコ（ワシントンＤＣ経由）、リオデジャネイロ（ダカール経由）、そしてダレス国際空港など、世界各地に３００都市以上あった（図３・６）。

図 3.6 ブリティッシュ・エアウェイズのロゴをつけて飛ぶ〈コンコルド〉。出典：Miles Blaine Collection, San Diego Air and Space Museum Archive

そして後年、〈コンコルド〉が大西洋を横断して飛ぶ目的地として残ったのは、ニューヨークのみになった。２０００年7月25日、エールフランス機がシャルル・ド・ゴール国際空港からの離陸時に、その直前に離陸した航空機から落下した金属片によってタイヤをパンクさせた。当局の調査によると、このパンクしたタイヤの破片が燃料タンクに衝突し、破裂させた。漏れた燃料が発火した結果、火災が発生し、エンジンの推力が落ち、乗員乗客全員（乗客１００名と乗員９名）が死亡した〔訳注：墜落現場付近にいた4名も死亡している〕。しかし、航空事故には付き物ではあるが、それ以外にも原因はあり、重量オーバーだったうえ、風向きが背風《はいふう》に変わったにもかかわらず離陸したことも一因だった。いずれにしろ、この大惨事によって、〈コンコルド〉は運航停止となった。その後、運航は再開されたものの、ついに２００３年10月24日、最後の便がジョン・F・ケネディ国際空港からヒースロー空港に到着した。

ソ連の超音速輸送機〈ツポレフＴｕ－１４４〉

が〈コンコルド〉の模倣であるのは言わずもがなで（ソ連の広範な産業スパイ活動の結果であることがいまではわかっている）、さらにひどい失敗例となった。この超音速機の開発は、ソ連の技術力を示す努力の一環であり、当時の政権下での宇宙初飛行の記録（１９５７年に世界初の打ち上げに成功した人工衛星〈スプートニク〉、１９６１年に世界初の有人飛行に成功した宇宙飛行士ガガーリン）に威信をくわえるものだった。１９６５年のパリ航空ショーで機体の設計が発表され、１９６８年12月31日には試験機が初飛行に成功した結果、１９６９年3月2日のフランスの〈コンコルド〉初飛行成功より、一歩、先んじることができた。１９７３年、ソ連はパリ航空ショーでデモンストレーションを実施したが、パイロットの操縦ミスにより悲惨な墜落事故が起こり、１９８２年にはついに生産が停止された。短い飛行期間の最後の数年間、〈ツポレフＴｕ－１４４〉はおもに郵便貨物を運び、１９８４年に退役した。

なぜアメリカの超音速機開発は頓挫したのか

意外なことに、アメリカは自国で超音速機の開発を進めるという失敗を回避したが、努力をしなかったわけではない。１９６０年代初頭、アメリカでも超音速旅客機はかならず製造されるだろうと考えられていた。他国もそうした旅客機を開発するだろうから、アメリカは商用航空における優位性を維持しなければならなかったのだ。当時はちょうど〈ボーイング７０７〉、〈７２７〉、〈７３７〉が連続して開発され、アメリカの航空技術が実証されていたのである。こうした事実を根拠にして、政治家や超音速旅客機推進派たちは繰り返し強調した――イギリスやフランスに後れをとったままではいけない、ソ連に負けてはならない、と。コンコルド計画に直接対抗すべく、１９６３年6月5日、ケネディ大統領はアメリカも超音速機の開発に乗りだすと発表したが、これは１９６０年代末までに月に人類を送り込むと約束した2年後のことだった。

その最終目標は高遠なものだった。連邦航空局は、アメリカの超音速機開発計画の目的は「安全で、実用的で、効率のいい経済的な乗り物」の開発であり、「これらの条件を満たす基準に達しないかぎり、開発を進めるべきではないし、進めるつもりもない」と述べたのである。立派な見解だ！　これに対して、産業界は国が開発資金の90%を負担すべきだとし、議会の指導者たちも費用を75%対25%の割合で国が負担してかまわないと考えた。上院商務委員会の航空小委員会幹部で、ボーイング社の地元ワシントン州出身のウォーレン・マグナソン上院議員は、アメリカは「わが国と世界を新世紀へと運ぶ航空機を開発する」と明言した。

当時、超音速機メーカーとして候補に挙がっていた企業は、１９６０年代後半にマッハ３の超音速での飛行が可能になるだろうと考えていたが、ケネディ大統領はマッハ２・２、航続距離６４００キロメートル、最大離陸重量１６０トン弱の超音速旅客機を想定しており、機体の材料にはチタンが欠かせなかった。そのうえでケネディ大統領は議会への報告で、三つの明確な問題点を指摘した。「超音速飛行の技術的課題は解決できないと思われる」、「超音速旅客機は計画段階ですでに不経済である」、「ソニックブーム〔訳注：超音速で飛行した際に生じる衝撃波。地上に轟音を響きわたらせ、窓ガラスを割るほどの破壊力をもつ〕が国民のあいだに過度な不安を引き起こす」と。実際、これらの問題点がすべて表面化したため、政府は支援の打ち切りを決定し、アメリカの超音速旅客機開発は終焉を迎えたのである。

とはいえ、そこに至るまでには10年近い歳月がかかった。１９６７年、ボーイング社の可《か》変翼《へんよく》設計がロッキード社の従来型設計を抑えて採用されたが、１年間、努力を続けたあと、ボーイング社はこの設計を断念した。その後、連邦航空局は〈ボーイング７４７〉と重量は同程度だが、大きさは当初

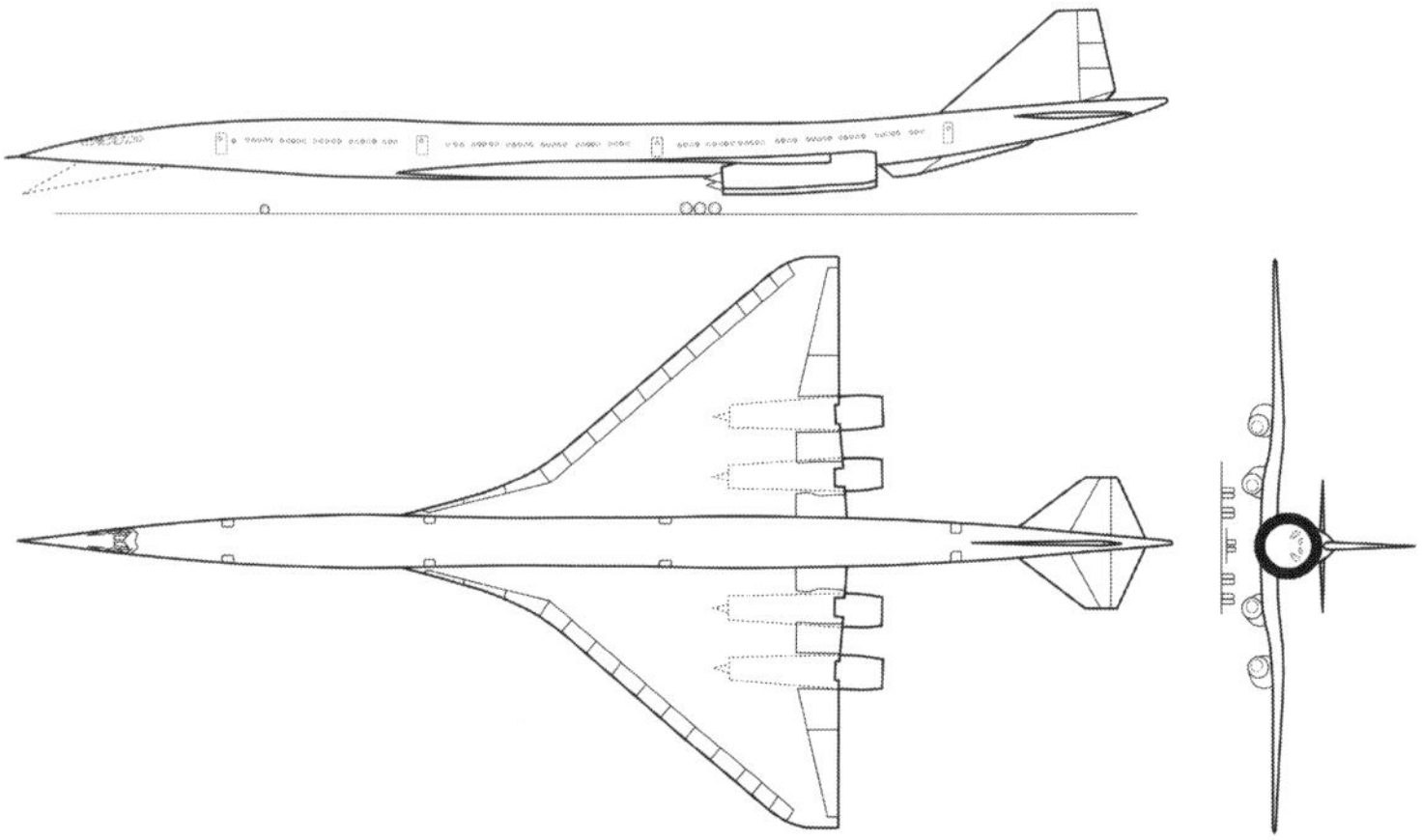

図 3.7　結局、離陸にいたらなかった超音速旅客機〈ボーイング 2707-300〉の三面図。出典：Nubifer によるイラスト、https://commons.wikimedia.org/wiki/File:Boeing_2707-300_3-view.svg、CC ライセンスの条件を満たして転載（CC BY-SA）。

の予定の２倍もある最大離陸重量３４０トンの大型機の設計を選択した（図３・７）。だが１９６０年代後半は、公害や騒音など環境に及ぼす悪影響が社会で問題視されるようになっていて、環境保護論者たちは超音速旅客機を早いうちから目立つターゲットとして抗議の対象としていた。１９６７年から１９７１年にかけて、ソニックブームに対する反対運動が高まり、広く報道され、政治的にも強い影響力をもつようになった。１９６９年、新たに就任したリチャード・ニクソン大統領の命を受けたプロジェクトはふたつの報告を発表し、過剰なコストとソニックブームの「耐えがたい」悪影響を理由に、政府は超音速旅客機開発への支援から手を引くべきだと結論を述べた。

ところが、１９６９年９月、ニクソンはこのプロジェクトを推進すると決定し、論争は議会に移った。公聴会では証人の専門家たちが、効率の悪さ、航続距離の限界、正当化できないほどのコストの高さ、異常な騒音など、あらゆる欠点を詳細に説明した。その専門家のひとり、物理学者のリチャード・ガーウィンはこれまでの数々の業績（水爆の詳細設計からコンピュータ・プリンターの開発まで）にまたひとつ功績を増やした。大統領直属科学諮問委員会（ＰＳＡＣ）の委員を務めながらも、超音速旅客機に対してもっとも権威ある、そしてもっとも厳しい批判者になったのである。そして１９７１年３月24日、上院は51対46の投票結果で超音速旅客機開発への助成金を打ち切り、ニクソンは再選後に大統領直属科学諮問委員会を解散した（ガーウィンの反対を不服として解散したという説が有力）。

　では、なぜアメリカでは、超音速機の投機的事業がすべて頓挫したのだろう？　なぜなら、この高価で、不必要で、不経済で、正当化できないプロジェクトを追求するうえで欠かせないものがヨーロッパにはあり、アメリカにはなかったからだ。それは「協力」だった（「共謀」ではないにせよ）。つまり開発には、国民の反対がないなかで強力な指導的役割をもつ政府、大手航空会社、政府から支援を受けた航空機メーカーが協力している必要があったのだ。ところがアメリカでは、航空業界におけるアメリカの優位性という幻想を維持するために「たった」10億ドル程度を費やしただけだったので、開発を打ち切っても、それほど痛みは生じなかった。それよりも、１９７０年12月18日にフランス、ドイツ（当時西ドイツ）、イギリスが共同でエアバス社を設立し、新たな商用ジェット旅客機の生産に乗りだしたという動向にもっと関心を向けていれば、アメリカの戦略家たちはもっとまともな仕事ができただろう。というのも、その煽りを食い、アメリカは結局、航空業界では２位の地位に甘んずることになり、２０１０年代、エアバス社は２年を除いてボーイング社よりも新型ジェット機を多く受注したのである。

〈コンコルド〉の教訓

それでも超音速輸送機の成功例と言われている〈コンコルド〉と〈ツポレフ〉の飛行成功と商用化は、実際のところは成功の範疇《はんちゅう》には入らず、ぐずぐずと運航させたあげく、法外なコストがかかった失敗例にすぎなかった。では、なぜ、より高速で飛ぶ航空機は前例のない規模で喧伝され、資金を投入されたにもかかわらず、60年以上前からある亜音速機の後継になれなかったのだろう？　なぜ、超音速機の第二のブームが訪れないのだろう？　こうした疑問には、明確かつ説得力のある答えがいくつもある。そもそも、超音速輸送機の国家プロジェクトに対する熱が最高潮に達していた１９６０年代でさえ、評論家たちは失敗を予測できたはずなのだ（実際、そう予測していた）。さらに、超音速旅客機の過去の数々の失敗を招いた原因の大半は解決されていないため、問題がそのまま残っている。近年では超音速旅客機の開発に対する熱がふたたび高まりつつあるが、結局、また同じ問題に直面することになるだろう。

　まず、基本的な難題が四つある。超音速で生じる巨大な抗力に負けない機体設計、マッハ2を維持するだけの馬力があるエンジン、経済性、そして環境に及ぼす悪影響を許容範囲内にとどめること、だ。こうした難題について説明するには、〈コンコルド〉から得た教訓を例に挙げるのが最適だろう。〈コンコルド〉の機体は滑走路でもフライト中でも流線型で優雅な姿を保っていた。そしてマッハ2よりわずかに速く飛び、ロンドンからワシントンＤＣまで4時間弱で飛行した。つまり、アメリカの到着時刻は、ロンドンの出発時刻より早かったのだ〔訳注：ロンドンとワシントンＤＣの時差は5時間〕。このように賞賛に値する点は多々あったものの、超音速飛行に付き物の欠点のせいで、〈コンコルド〉は悪名が高かった。なかでも、もっとも基本的で厄介な難題は、推力を高めて、増大する抗力に打ち勝つことだった。

抗力係数（飛行する機体が受けている抗力の大きさに関する係数）は、マッハ１を超えるとピークに達し、亜音速でも超音速でも小さくなる。このため、現代のジェット旅客機はすべてマッハ０・85程度で巡航し、１９５８年の〈ボーイング７０７〉就航以来、その速度はほぼ一定である。しかし、揚抗比《ようこうひ》（Ｌ／Ｄ、揚力と抗力の比。この値が高いほど前進に必要な推力が小さくてすむ）は速度が上がると減少するが、航続距離は短くなる。〈ボーイング７８７〉の場合、マッハ０・85で巡航すると揚抗比が18、マッハ１では約15、マッハ２ではわずか10になる。〈ボーイング７８７〉の最大航続距離が１万４０００キロメートル近いのに対し、〈コンコルド〉は６７００キロメートル弱しかなく、無給油での太平洋横断飛行には足りない（サンフランシスコから東京までの飛行距離は８２４６キロメートル）。

　抗力係数をできるだけ小さくするには、機体の面積（すなわち胴体の直径）を小さくする必要がある。つまり胴体を細くすればいいのだが、亜音速機では幅の広いワイドボディ機が好まれる傾向がある。〈コンコルド〉の胴体幅は２・９メートルしかなく、ジェットエンジン以前のピストンエンジン機では最大航続距離を誇る大型旅客機〈コンステレーション〉の胴体幅より２割ほど狭く、〈ボーイング７４７〉や最新の〈７８７〉（５・77メートル）の半分ほどしかない。アメリカの航空史家リチャード・Ｋ・スミスは「〈ボーイング７４７〉の登場によって、〈コンコルド〉は閉所恐怖症の人間にとって恐怖でしかなくなった」と指摘したほどだ。〈コンコルド〉は単一通路の両側に２席ずつしか座席がなく、足元はそれほど窮屈ではないのだが、肘を広げられない。シートにはパッドが入っているものの、客室には混雑した安いチャーター便のような雰囲気が広がっていた。

　〈コンコルド〉は断面積こそ小さいが、超音速に耐えるために、空虚重量は同程度の大きさの亜音速機より重く、有償荷重は総重量の10％程度しかなく、〈ボーイング７４７〉の半分ほどの割合しかない。つまり、超音速機では貨物を積んで稼ぐことができないのだ。いっぽう、ワイドボディのジェット旅客機はいずれも商用の貨物機として重要な役割を担っている。みなさんも実際に、貨物室ドア上部の窓際の席から、あるいは空港ターミナルから、旅客機の腹部のあたりに大きなパレット輸送用トラックから貨物を積み込んでいる現場を見たことがあるだろう。航空機の製造に必要な材料は、速度が上がれば上がるほど条件が厳しくなるが、マッハ２までなら最高品質のアルミニウム合金でほぼまかなえる。マッハ２・２になると機体先端部の温度が１３５℃に達し、最新のジェット旅客機の胴体や翼の大半を構成している炭素繊維強化プラスチックが軟化する温度（90℃）より高くなる。そのため、もっと重いチタンや鋼鉄が最適の選択肢となる（炭素繊維強化プラスチックのほうが引張強度は高いが、合金鋼のなかには８００℃までの温度に耐えられるものがある）。

さらに、ターボファン・エンジンでは吸入した全空気量のうち、圧縮機を通り燃焼に使われる空気と、燃やさずにそのまま排出した空気の量の比率（バイパス比）が10：1、もしくは10を超えるほど効率がいいうえ、騒音も低い。だが、超音速機はこの高バイパス比のターボファン・エンジンを利用できないのだ。また〈コンコルド〉のエンジンは、離陸時に、また遷音速領域で抗力がピークに達したときに推力増強装置《アフターバーナー》を必要とするが、アフターバーナーは燃料消費を増やすうえ、ただでさえ費用のかかるメンテナンスを複雑にし、離陸時の騒音まで増大させる。よって、〈コンコルド〉は世界初のワイドボディ機〈ボーイング７４７〉と比べると、乗客1人当たり3倍以上のジェット燃料を消費した。１９７０年の時点では、原油は1バレル当たり約2ドルで取引されていたため、効率の違いはそれほど問題にはならなかったのかもしれない。ところがそれからＯＰＥＣが原油価格の大幅引きあげを2度も実施したため、10年後、原油は1バレル当たり40ドル近い価格で取引されるようになったのである。

こうした背景から、当初の楽観的な予測においてさえ、超音速飛行によって利益を得るのは無理だと考えられていた。そもそも1950年代後半から1960年代前半にかけて、世界の大手航空会社は最新の長距離型プロペラ機（ロッキード〈コンステレーション〉、ダグラス〈DC－7〉、ブリストル〈ブリタニア〉）が収益をあげる前に、ジェット機へと急速に切り替えをおこなったため、財政状況が悪化していた。さらに、その10年後、航空各社はまた大きなジレンマに陥った。最新のワイドボディのジェット旅客機（1970年には〈ボーイング747〉、1971年にはマクドネル・ダグラス〈DC－10〉がすでに就航していた）を何機も獲得するか、それとも世界初の超音速機の誕生を待つかという選択を迫られたのだ。だが後者を選ぶには、不確実な要素が多かった。機体にアルミニウム合金を利用する第一世代の超音速機（最大速度マッハ2）が、まだ開発されてはいないというのに、アルミニウム合金を使用しない第二世代の超音速機（最大速度マッハ3）に取って代わられる可能性があったのだ。さらに1965年の時点で、超音速機でアメリカ大陸横断飛行をする際の固定費（ソニックブームによる悪影響は勘定に入れない）は亜音速機の約4倍、変動費はほぼ同じ、整備費は4倍と試算されていたのである。

　開発に莫大な費用がかかったうえ――最終的なユニットコスト〔訳注：1座席を1キロメートル輸送するための費用〕は当初の予想の最低12倍になったと考えられ――就航機数も限られていたため、結局、〈コンコルド〉はまったく利益をあげることができなかったが、OPECの方策によって損失はさらに増大した。これとは対照的に、やはり1969年に原型機が初飛行した〈ボーイング747〉は旅客機の世界に革命を起こした。これは議論の余地のない事実である。航空会社は高い収益をあげ、乗客は安価な料金とワイドボディ設計によるゆったりとした乗り心地を気に入り、ボーイング社は2022年までに〈ボーイング747〉を1600機近く製造した。かたや〈コンコルド〉は20機しか製造されず、商用運航されたのは14機だけ。さらに〈コンコルド〉を「購入」したのはエールフランスとブリティッシュ・エアウェイズのみで、その取得にも、すべてのフライトにも、英仏の巨額の税金が注ぎ込まれたのだ。

それに、どうにかこうにか、超音速飛行が利益をあげられる段階まで奇跡的にこぎつけたとしても、環境面での問題から航路や目的地が制限されるため、またしても振り出しに戻ることになるだろう。リチャード・ガーウィンは、ソニックブームの強度がピークに達すると「ジャンボジェット50機の同時離陸」と同等の衝撃波を感じると表現した。そのような体験を何度してもかまわない有権者などいるはずがない。よって、たとえ商用運航がついに可能になったとしても、アメリカの超音速旅客機が大陸を横断する可能性がないのは明白で、〈コンコルド〉がニューヨークの空港に着陸できるようになったのは、抵抗、拒否、訴訟を経て、何年もの法廷闘争の末にようやく（条件付きで）許可されてからだった。

旅客機の速度が着実に上昇を続けるのだから、超音速飛行が次のステップとして考えられるのは「自然な流れ」……ではない。１９５０年代後半以降、大半のジェット旅客機の巡航速度はマッハ0・85で一定に保たれている。よって、超音速飛行を追い求めた騒動をもっとも正確に評価したのは、リチャード・K・スミスだろう。彼は超音速飛行への固執を「伝染性の強迫観念による狂乱の国際航空一代記」と呼んだ。「最初から最後まで、英・仏・米において、超音速旅客機は世間が必要としない空飛ぶ機械だったのだ。つまり、政治的な航空機だったのである」と。

アメリカのスタートアップによる新たな夢

それでも、より速いスピードの実現こそが自然の摂理であるという思い込みはまだ残っている。よって、このトピックの最後では、超音速飛行の復活に向けた近年の試みを紹介しなければならない。アメリカ連邦議会が国産の超音速機開発計画を潰してから半世紀、そして〈コンコルド〉が最後のフライトをしてから20年近くが経過したというのに、いま、新たな超音速機の夢が生まれつつあるのだ。その誇張された謳い文句、超楽観的なスケジュール、技術的なあらゆる問題はすぐにも解決できるという自信たっぷりの態度を見ていると、１９６０年代初頭を思い起こさずにはいられない。しかも今回は、ヨーロッパの政府、航空会社、航空機メーカーが結託しているわけではなく、アメリカのスタートアップが驚愕《きょうがく》の未来を約束しているのだ。

　ＥＵは環境への配慮を優先し、厳しい規制を敷いており、〈コンコルド〉のような体験をするのはもうごめんだと思っているようだ。いっぽうロシアでは、中央航空流体力学研究所が複合材料を用いて、ソニックブームを65デシベルに抑えた超音速機（マッハ１・６、座席数60〜80、最大離陸重量１２０トン、航続距離８５００キロメートル）を設計しており、２０３０年の生産開始を目指し、年間20〜30機の国内需要を見込んでいる。また、ツポレフ社の設計部門は超音速機をまた飛行させたいと考えており、ビジネスジェット機（マッハ１・３〜１・６、座席数30）の開発に取り組み、２０２７年の初飛行を見込んでいる。

　こうした話を真剣に受けとめる前に、ロシアが〈スホーイ・スーパージェット１００〉でどのような成功をおさめたのか、思いだしてもらいたい。〈スホーイ・スーパージェット１００〉は、世界に広く普及しているエアバスに対抗するために開発されたナローボディの地域間輸送用ジェット旅客機だ。超音速ジェット戦闘機（〈Ｓｕ－30〉の最大速度はマッハ２）の設計で有名なスホーイ社は、〈スホーイ・スーパージェット１００〉の開発を２０００年に始め、２０１１年に初の商業飛行をおこなったが、２０２０年までにロシア以外の航空会社でこの機を発注したのはメキシコのインテルジェット社だけで、それもごくわずかだった（そして現在は運航停止中の機体の整備という問題に頭を悩ませている）。同様に、近年のアメリカの計画にも疑いの目を向けるべきだろう。新型コロナウイルスの感染拡大が始まる前は、数のうえでは勢いがあるように見えた。２０１９年の時点で、超音速機を開発しているアメリカの企業が、アエリオン社、スパイク・エアロスペース社、ロッキード・マーティン社、ブーム・テクノロジー社と4社もあったのだ。

２００４年創業のアエリオン社は、２０２３年までに超音速ビジネスジェット（座席数８～12、陸上での巡航速度マッハ０・95、海上ではマッハ１・４）を飛行させ、２０２５年までに就航させると発表した。ボーイング社やGE社と提携し、今後20年間で５００～６００機の販売を見込んでいたのだ。ところが、それから17年という歳月が流れたにもかかわらず、試験機でさえ製造することができないまま、アエリオン社は２０２１年5月、事業を停止した。またスパイク・エアロスペース社は同社のウェブサイトで、マッハ１・６で飛行する座席数18の「静寂そのもののビジネスジェット」を「騒音をともなうソニックブームを起こさずに」飛行させると、開発目標を掲げている。ちなみに、同社が発表しているスケジュールは次のとおり。座席数40～50の設計の超音速機の初飛行が２０１８年、２０２３年までに認証を取得予定。２０２１年には座席数18に切り替えたモデルを設計し、２０２５年に認証を取得予定。そして、２０２１年末の現実――なにひとつ、実現していない。

残るはロッキード・マーティン社とブーム・テクノロジー社だ。ロッキード・マーティン社の巡航速度マッハ１・8、座席数40、ツイン・エンジンを搭載した超音速機の計画は漠然としていて、同社が２０１８年から着手しているＮＡＳＡの実験用超音速機〈X－59〉の開発に成功するか否かを注視するしかない。いずれにせよ、ロッキード・マーティン社は超音速機には新しいエンジンが必要だと考えており、導入スケジュールは未定だ。

最後に紹介するのは、ブーム・テクノロジー社だ。座席数55、マッハ２・２の超音速ジェット機〈オーバーチュア〉の製造を計画している新興航空機メーカー、ブーム・テクノロジー社の創業者でＣＥＯを務めるブレイク・ショールほど、胸を張って数々のスケジュールを発表した経営者はいないだろう。２０１９年、ショールはこう宣言した。２０２０年代半ばには商用化を実現し、製造を開始してから最初の10年間で市場から１０００〜２０００機の受注を見込んでいる、と。

そして２０２０年10月、同社は超音速実証機〈ＸＢ－１〉の完成披露をおこなった。そこでは２０２２年に導入予定の〈オーバーチュア〉の3分の1の大きさのモデルを披露し、基本設計やコックピットの人間工学を説明し、「フライトそのものを体験」することを目的としていた。ところが、その体験ができるのはたった1人のパイロットに限られていたうえ、動力となるのはＧＥ社が開発したＪ85という小型ターボジェットエンジン3基で、すでに半世紀以上、軍事でも民間でも利用されてきており（設計は１９５４年）、その性能を証明する必要などないに等しかった。当然のことながら、実物大の機体ではべつのエンジンを搭載しなければならず、ロールス・ロイス社もエンジン開発に参加してはいるが、いまのところ具体的なエンジンは選ばれていない。２０２２年の時点で、同社のスケジュールは以下のとおり。２０２２年に新工場の建設を発表、２０２３年に〈オーバーチュア〉1号機の製造を開始、２０２５年に1号機が完成、２０２６年に初飛行、そして迅速に認証を得て、２０２９年に座席数65の超音速ジェット機の商用運航を開始するという。

つまり、ジェット旅客機を1機も製造したことのない企業が、まったく新しい超音速機の設計から複雑なサプライチェーンの確保（現代のジェット旅客機は無数の専門下請け業者が納入する部品を利用している）、組立、試験、認証取得までにかかる時間を、ボーイング社のそれより短くすると言い張っているのだ——世界有数の航空機メーカーで、これまでに数万機もの航空機を製造してきた企業が従来の設計を踏襲した〈ボーイング７８７〉の認証を得るまでにかかった時間より短縮する、と。ボーイング社が発表しているように、「〈７８７〉が認証を得るまでの8年間のプロセスは、ボーイング社の歴史においてもっとも厳しいものであり、〈７８７〉の設計には、1世紀近くをかけて学んできた航空技術と安全性の向上が反映されている」。そして、よく知られているように、〈７８７〉が就航を開始したとき、ボーイング社はまだ多くの問題を抱えていたのである。

それなのに、航空機を製造した経験がいっさいないブーム・テクノロジー社は、まったく前例のない設計の航空機を、世界でもっとも経験を積んだ航空機メーカーよりも早く開発するつもりなのだ。これにくわえて、エンジンには炭素をいっさい排出しない液体燃料を持続的に供給するという。ショールによれば、「基本的にやっているのは、大気中の炭素を吸い込み、液化してジェット燃料に変えたものを航空機に搭載するだけだ……炭素を循環させているだけなんだよ」。では、なぜ、すべての航空会社がすでにそうした手法をとっていないのだろう？　それは、こうしたプロセスでは航空燃料の大規模な製造はできないし、たとえ小規模でなら可能であったとしても、いまジェット燃料として利用されているケロシンの少なくとも5倍はコストがかかるからではないだろうか？　それに、バイオジェット燃料（すべての工程で機械類が再生可能エネルギーを使用しないかぎり、「カーボンフリー」には当たらない）を利用した場合でも、やはりケロシンの3～4倍のコストがかかるからではないだろうか？　さらに、そうした燃料を利用した場合、〈ボーイング７８７〉と比較して乗客１人当たりが少なくとも4～5倍のエネルギーを消費するため、経済的には正当化できないからではないだろうか？

いや、そんなことは問題ではないらしい。２０２１年のインタビューでショールは、最終的な目標は「世界のどこにでも4時間以内で、かつ１００ドルで飛べる」ようになることだと述べた。それを実現するのは「2、3世代あとの航空機」になるだろうと条件を設けたものの、たとえそうした条件がついたとしても、途方もなく信じられないようなことが次から次へと起こらないかぎり、そんな未来は実現しないだろう。「世界のどこにでも」とは、つまり、距離が最長2万キロになる。この距離を4時間で飛ぶには時速５０００キロメートル、すなわち（成層圏下部の高度20キロメートルを巡航した場合）マッハ４・７が必要だ。これは史上最速の軍用ジェット機、ロッキード社の超音速偵察機〈ＳＲ－71ブラックバード〉が成層圏下部の高度約25キロで巡航した場合のマッハ３・３よりだいぶ速い（はるかに速い高高度極超音速実験機〈Ｘ－15〉は自力では離陸できず、母機からロケットエンジンで空中発進する）。よって、こうした謳い文句が出来すぎた話なのは一目瞭然だ。

　ブーム・テクノロジー社の進捗状況についてあなたがなにを耳にしようが（あるいは耳にしなくても）、基本的な事実は変わらない。超音速飛行が亜音速飛行に取って代わったという事実はない。それどころか、わずかな市場さえ奪っていないのだ。数々の理由により、航空機開発の次のステップとして超音速航空機を開発するのは必然ではない。超音速航空機の利点が、あまたの欠点を上回ることはないからだ。この現実が近い将来、変わることはないだろう。

第4章　待ちわびているのに、いまだに実現されない発明

言わずもがなではあるが、私たちがずっと待ち望んでいるにもかかわらず、いまだに実現されていない発明は山ほどあるうえ、切望されている例を挙げれば切りがない。よって、本章の目的はそこにはない。がんの撲滅や寿命の急激な延伸など、万人の願望でありながら大きな進歩が見られない課題について、ここで蒸し返すつもりもない。そうした課題の目標は誤った前提に基づいているからだ。アメリカでは、ニクソン大統領が第一期政権時の１９７１年に「米国がん対策法」に署名し、がん撲滅を国の明確な優先事項としたため、いわゆる「がんとの戦争」が始まった。つまり、こうした動きによって「がん撲滅」という疑わしい目標が設定されたのである。それから半世紀以上が経過した現在、アメリカにおける死因の第2位はがんだが、同時に、私たちはこれまでの記録を失敗の連続と一蹴するわけにはいかないし、真の解決策の到来をただ無力に待ちつづけていたわけでもない。

たとえば特定の悪性腫瘍に関しては、適切な観点から評価すれば多くの成果があがっていることがわかる。小児白血病の治癒率や寛解率は上昇しているし、前立腺がんは早期発見と有効な治療が可能になってきている。さらに人口全体の罹患率や生存率も改善の方向に向かっている。アメリカ国立がん研究所の２０２１年の年次報告書によれば、男性に多い19種類のがんのうち11種類（悪性黒色腫《メラノーマ》、肺がん、白血病、骨髄腫など）、女性に多い20種類のがんのうち14種類で、それぞれ死亡率が低下し

ており、なかでも悪性黒色腫と肺がんの罹患率はともに低下している。

同様に「寿命の急激な延伸」も「達成されていない目標」と見なすべきではないし、世間がその実現に向けた打開策を待ち望んでいると考えるべきでもない。世界の富裕国の大半は、産業革命以前と比べれば寿命を大幅に延ばしてきた。１８００年には約40年だった寿命が２０００年には約80年と倍増し、現在、男女あわせた平均寿命のトップは日本の85歳弱である。このような寿命の延伸を経て、寿命に関する可能性と限界については深い考察を得られるようになった。もし、人間の寿命に上限がないのであれば、年齢が高い層ほど、生存率改善の恩恵を受けるはずだ。たしかに１９９０年代前半まではその傾向が見られたが、その後、生存率の改善は頭打ちになり、１００歳を超えると生存率は低下し、１９９７年に１２２・４歳で死亡した史上最高齢者を超える人はまだ出ていない。よって、人間の最大寿命には自然の制約があり、内臓や筋肉を動かすうえで不可欠なタンパク質の一種であるエラスチンの減少がその主因であると結論づける強いエビデンスもあがっている。

こうした誤解や達成不可能な目標とはまたべつに、本章では、きわめて狭い分野の（困難かつ非常に複雑な）テクノロジーの実現化が近づいているどころか、どんどん遠ざかっている事実にも目を向け、時代の古いものから順番に説明していく。その最たる例が、２世紀以上も前から実現化が取り沙汰されてきたアイデア、いわゆる「真空チューブ列車」だ。真空チューブで人や物資を迅速に輸送するという技術は、19世紀の時点では魅力的ではあるものの机上の空論にすぎなかったが、20世紀に入ると新たな材料や推進力を利用できるようになり、難題は山積しているものの、最終的には達成できるはずの目標へと変化していった。

この真空（に近い）チューブを利用した高速輸送システムとは対照的に、まだ達成されていない画期的な目標の第二の例として挙げるのは、穀物（小麦、稲、トウモロコシ）をマメ科植物のように機能させて、大量の合成肥料を利用せずに土壌細菌との共生によって必要な窒素の大半を確保させようとする試みだ。この目標についてはメディアが無批判にもてはやすこともなければ、繰り返し注目しているわけでもないが、べつに意外な話ではない。環境に害を及ぼさずに、かつ効率よく主要穀物を栽培する方法の研究であるからだ。猛スピードで動くモノや電子工学に夢中になっている現代人が、こうした栽培方法に関心を示さないのも無理はない。さらに、穀物にどんな栄養素が必要であるかをしっかりと理解しているのは富裕国のごく一部の人間であり、大半の人は穀物の栽培に窒素がどれほど必要であるのかさえ想像もつかないだろう。だが、実際のところ、穀物の成長に必要な栄養素として欠かせない窒素をどれほど入手できるかが、小麦（製粉してパンやペイストリーの材料にする）やトウモロコシ（家畜の飼料となり、牛乳や卵や食肉を生みだす）の栽培においてもっとも共通する制限要因となっているのだ。

　このアイデアは、１３０年以上前に、根粒菌《こんりゅうきん》（マメ科植物の根にくっついている小さい瘤《こぶ》のようなもの）という細菌がマメ科植物と共生し、大気中の窒素をアンモニアに変換して、植物の生育に欠かせない窒素を供給していることが判明したときに生まれた。そして１９７０年代に入ると、遺伝子工学の進歩により、この作用を主要穀物でも利用できるのではないかという期待が高まった。ところが、それから半世紀たったいま――細菌のゲノム解析技術が進展し、大気中の窒素を水溶性のアンモニアに変換する能力を伝える遺伝子を同定できるようになったという大きな進歩があったにもかかわらず――「みずから肥料をつくりだす主要穀物の栽培」という目標にはまったく近づいていない。

　新時代の到来を告げる発明の商用化の時期が何度も延期されてきた第三の例として挙げるのは「制御核融合」だ。制御核融合とは、数十億年もの歳月をかけて恒星が大量のエネルギー量子を放出させている反応のいくつかを再現しようとするもので、核分裂反応の最初の実証実験が成功する以前の段階から、その可能性が検討されていた。いっぽう、核分裂反応に関しては第二次世界大戦中、きわめて短い研究開発を経て、実際に利用されて破壊的な結果をもたらし、その10年後には原子力発電所の商用化も実現した。

1950年代に核分裂反応を利用した原子力発電所が稼働するようになると、研究者は制御核融合の可能性を探りはじめただけでなく、実験装置の設計に着手した。それから60年以上が経過したいまでも、この設計で提示された制御核融合の維持に必要な条件を満たそうと、模索が続けられている。しかし、もっと規模の大きい高性能の装置で試験を重ねてきたにもかかわらず、次こそが商用化前の最後の試験になるという見込みはない。核融合発電の実現は自信をもって予測できる未来ではなく、一部の有識者の推測にすぎないのだ。

ハイパーループ——真空（に近い）空間で移動する高速輸送システム

2013年8月12日、テスラ社CEOのイーロン・マスクが超高速輸送システム「ハイパーループ・アルファ」構想を発表した。冒頭で、このアイデアが生まれるまでの経緯を説明するにあたり、彼は尋ねた。「まったく新しい輸送の手法があるでしょうか?」と。それは航空機、電車、自動車、船舶に次ぐ第五の手法となり、もっと安全で、もっと速く、もっとコストが安く、もっと便利でありながら、天候に左右されず、自己動力供給を持続し、地震に強く、沿線の住民に悪影響を及ぼさないものになるだろうと、彼は説明した（図4・1）。そしてマスクは「こうした特徴をもつ輸送システムとして、これまでさまざまなアイデアが提案されてきた。はるか昔のロバート・ゴダード〔訳注：本章で後述〕から、近年のランド研究所〔訳注：アメリカのシンクタンク〕やET3社〔訳注：アメリカの輸送

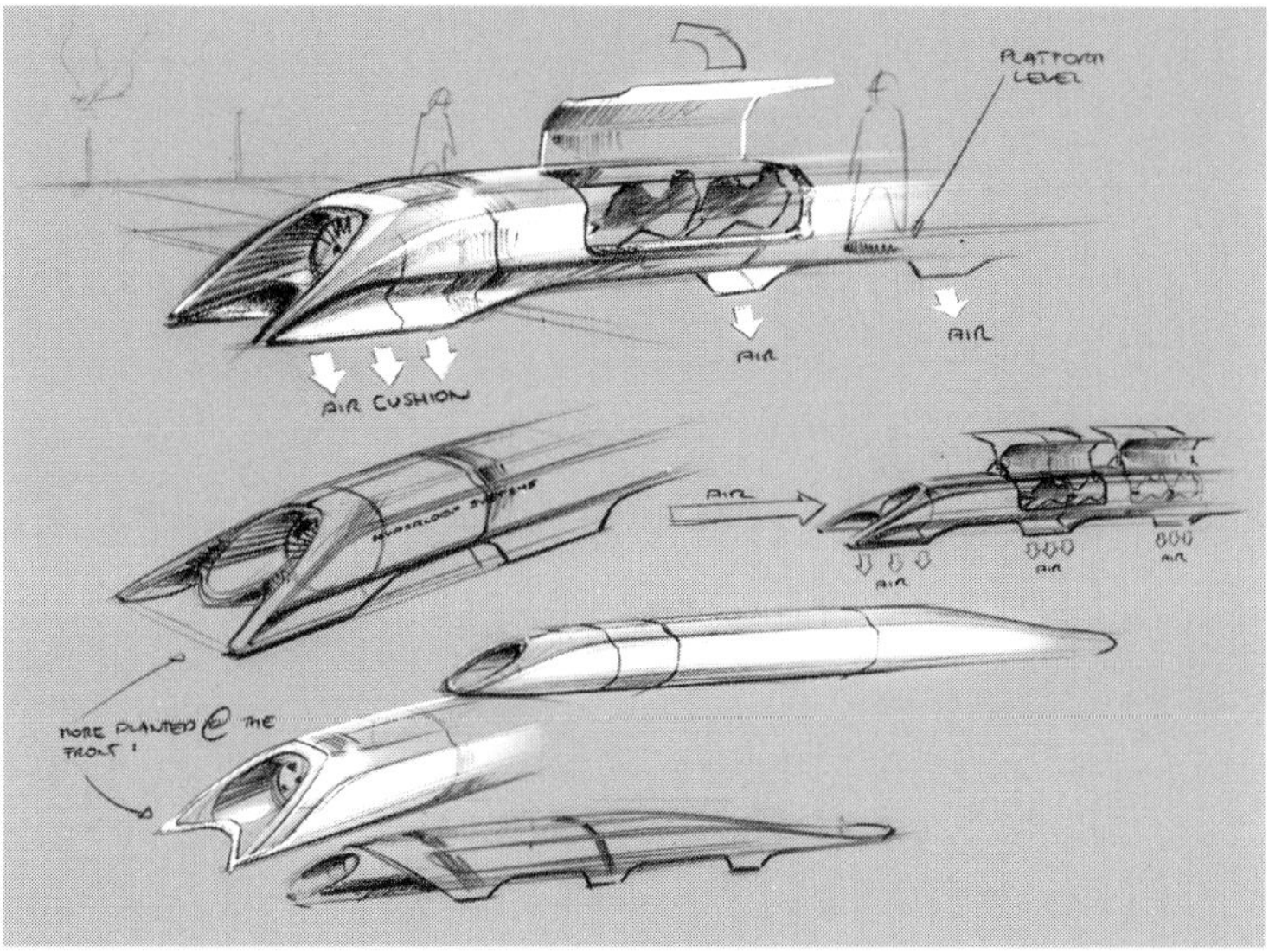

図 4.1　2013 年のハイパーループ・アルファ構想で示された初の想像図。出典：Hyperloop Alpha, http://tesla.com

システムのスタートアップ」によるここ数十年の提案にいたるまで多々あるものの、残念ながら、そのすべてがうまくいっていない」と述べている。彼の二番目の言及に関していえば、まさにそのとおりだ。そして一番目の発言は、このアイデアがどのようにして生まれたかをよく表現している。つまり、超高速輸送システムに関する理論的な提案が初めてなされてから長い時間が流れたにもかかわらず、近い将来、このアイデアを商用化できるという謳い文句には懐疑的な態度を示し、慎重を期すべきなのだ。

　まず指摘したいのは、マスクがこの輸送システムに見当違いの呼び名をつけたことだ。そもそも「ループ」とは、曲げたり交差させたりできる曲線が生みだす形を指す。となれば、「ハイパー」（「超」、「過度」の意）ループとは、いったいどんな形を指すのだろう？　すなわち「ハイパーループ」という名称は、それ自体が不正確であり、大きな誤解を与えかねない。マスクの構想では、カプセル（ポッド）のなかに乗客を密封して、チューブ内を猛スピードで運ぶ。チューブ内では空気がクッションの役割を果たすのでポッドが浮く（磁気浮上を利用した設計もある）。まっすぐな金属製チューブを高架またはトンネル内部でつなぎ、チューブ内部の圧力は非常に低い（真空に近い）。磁力の反発を推力として利用し、直線状のチューブの上部に装着されたソーラーパネルで発電し動力を得る（ほかの方法で動力を得る設計もある）。マスクはこのように、第五の輸送手段としてハイパーループを分類しているのだが、その分類自体が誤解を与えかねない。さらに、この輸送システムは複数の要素で構成されているのだが、その特徴が設計によっててんでんばらばらなのだ。

目に見えるインフラは「チューブ」で、ごく少数の乗客しか運べない「ポッド」という呼び名の車両が収まる程度の直径しかない。このチューブは地上の高架か地下トンネルに（もっともコストが安い例ではプレハブ工法で）設置される。ポッドの大きさは乗客の人数によって異なり（ハイパーループ・アルファ構想では最大乗車定員28人、ほかの設計では4～１００人とさまざま）、リクライニングチェアでくつろげるものから仰向けになって横になれるものまで、快適性もさまざまだ。スピードも亜音速から音速（時速１２３５キロメートル）に迫る速度まであり、それだけの高速を達成するには完全な真空状態（真空状態にするだけでも高いコストがかかるうえ、スピードの維持にも費用がかかる）にするか、きわめて低圧（真空状態よりも維持はしやすいが、管理がむずかしい）でのみ可能になる。ハイパーループ・アルファのチューブ内の気圧は１００パスカルに減圧されていて、海抜０メートルでの標準大気圧の１０００分の1未満だ。ポッドは空気をクッション代わりにして滑るか、磁気浮上する。最新のシステムでは、先進的なリニアモーターを利用するという。

２００年以上前からあるコンセプト

だが歴史を振り返れば、こうしたアイデアに目新しいところがまったくないことがわかる。「第五の輸送手段」という基本コンセプトは２００年以上前からあり、以来、さまざまな特許が出願され、いくつか詳細な提案がなされ、なかには実際に部品が製造され、模型や実物大模型がつくられたものもあった。それでも、真空チューブや低圧チューブを利用した超高速輸送システム（輸送するのは乗客のみであれ、貨物のみであれ、その両方であれ）は一例も完成していないし、稼働もしていない。設計の基本的な構成要素をすべて揃えたシステムでの短距離の試験さえおこなわれていないのだ。

ハイパーループの構成要素のなかでもっとも古くからあるのはチューブだが、低圧を利用するという考え方もまた2世紀以上前から存在していた。意外なことに、画期的な第五の輸送手段なるもののおもな特徴は、リヴァプール&マンチェスター鉄道よりも古くから取り沙汰されていた。つまり、１８３０年に蒸気機関車が初めて大都市を結び、乗客と貨物を運ぶようになる前から、チューブを利用した輸送手段というアイデアがあったのだ。イギリスの時計職人で発明家のジョージ・メドハーストは、チューブ内での高速移動を明確に提案した先駆者で、１８１０年に『空気で手紙や貨物を確実かつ迅速に運ぶ新たな手法』という小冊子を出版し、チューブ内の空気圧（蒸気機関で発生させる）で前進させる小さな中空容器で手紙を送る方法を提案し、同じ原理を使えば（相応に圧力を上げれば）、運河や馬車と比べて最低10倍のスピードで物品を運べると述べた。

１８１２年、彼はこの案をもっと詳細に説明した小冊子『空気の力と速度によって、断面積30平方フィートのチューブを利用した鉄路で物品と乗客を迅速に運ぶ計画に関する計算、所見、実用性の証明、その効果と利点』を出版し、１８２７年（彼の没年）には、さらに長いタイトルの小冊子『全国に輸送網を拡大可能で、馬などの役畜の力を借りずに、現在の移動手段の4分の1以下の費用で、時速60マイルであらゆる物品、家畜、乗客を運ぶ斬新な内陸輸送手段』を出版した。

　彼が出版した小冊子はどれも広く知られることはなかったが、１８２５年になると、チューブ・真空状態・高速を利用して、ロンドン-エディンバラ間の６００キロメートル以上の距離を5分未満（そう、なんと単位は「時間」ではなく「分」）で走破するという大胆きわまる提案を、イギリス国民は目にすることになった。新たに創業されたロンドン・エディンバラ真空トンネル会社の出資者たちは、「計画を慎重に吟味した結果」をエディンバラ・スター紙に発表し、このプロジェクトは「ロンドン-エディンバラ間に金属製のトンネルまたはチューブを建設し、２都市間で、また途中にある町にも物品や乗客を運ぶことを目的とし、社は1株１００ポンドで20万株の株式を発行し、英貨２０００万ポンドの資本金を獲得する」と述べた。

　このプロジェクトでは、２本並んで設置するトンネル（チューブ）に付随して、２マイルごとにボイラーを設置し、そこから発生した蒸気で真空状態をつくりだす。出発した列車の最後部車両のうしろで真空状態の封印が解かれると、なだれこんできた空気によって車両がチューブの奥へと突入していき、「非常に頑丈で気密性の高いスライドドアが用いられた車両が、摩擦を和らげるために設置された複数の小さな円筒状のローラーの上を走る」のだ。チューブの直径はわずか4フィート（約１・2メートル）しかないので、列車は貨物だけを運び、乗客はチューブ上部に固定されたレールの上を走る鉄道車両に乗る。鉄道車両はチューブ内の貨物列車と強力な磁石で連結していて、猛スピードで走る貨物列車が客車を引っ張り、８００キロメートル近い距離を5分以内で走破するという。

　ロンドン機械学報は「社会の労働者階級」に科学的知識を広めるために刊行された新たな定期刊行物だったが、「投資の対象となる前に、荒唐無稽な計画を嘲笑する」べく、警告を述べた学報を増刷した。まさに慧眼《けいがん》！　当時のイギリスでは蒸気を利用した産業が推進されていたため、とんでもない主張、投資詐欺、技術的な奇跡が起こるというニセの予言などが次から次へと登場しており、当時有名だった風刺漫画家は、真空チューブを利用した旅行ができるという初期の謳い文句を風刺するチャンスを逃さなかった。ウィリアム・ヒース（１７９４〜１８４０年）は当初「肖像画家・従軍画家」と自称していたが、１８２０年代には風刺的な手彩色銅版画を発表するようになり、当時の政治情勢を揶揄したり、人間の愚行を風刺したりするようになった。

　１８２９年、ロンドンのトーマス・マクレーンがヒースの手彩色銅版画を集めて『知性の行進。世界はどう進歩していくのか』（*March of Intellect. Lord how this world improves as we grow older*）を出版した。あるページには、南アフリカのケープタウンとインドのベンガルをつなぐ吊り橋、速度《ヴェロシティ》（VELOCITY）という呼称の蒸気機関で走る馬の形の4輪車、4個の気球に吊るされた台に銃などの武器をもつ乗客を乗せて飛ぶ台、イギリスからオーストラリアへ移送する囚人を乗せた大きな翼のあるトビウオなど、近未来的で珍妙な機械類のイラストがぎっしりと描かれている。この銅版画でもっとも目を引くのは「グランド真空チューブ社」なる企業の革新的な発想によって、ロンドン東部のグリニッジからインドのベンガルまで直接乗客を運ぶ、継ぎ目のない巨大金属製チューブだ（図４・２）。

　ヒースがイギリスとインドを結ぶ大陸間輸送システムをカラーで描いた頃には、真空に関する理解が進んでいて、チューブ内で空前のスピードをだすには真空が最適であることがわかっていた。しかし、その程度の理解では、どんな素材が必要なのかはわからなかった。１８２０年代には、鋳鉄《ちゅうてつ》は豊富に製造されていたが、張力の高い鋼鉄を安価に大量生産することはできず（１８５６年に特許を取得したベッセマー転炉の発明後にようやく大量生産が可能になった）、数百キロメートルも続くチューブ内に非常に低い気圧をつくりだし、その状態を維持する信頼の置ける手段はなかったし、真空状

図 4.2　ベンガルまで延びるグランド真空チューブ社の金属製チューブ：ウィリアム・ヒースが描いた1829年の手彩色銅版画では、ロンドン－エディンバラ間をチューブを利用して移動するという、それほど突拍子もないわけではないが、不可能な交通システムを風刺している。出典：William Heath, *A Futuristic Vision* (etching) (London: Thos. McLean, ca. May 1829), Wellcome Library no.37252i, https://wellcomecollection.org/works/re2aprgu で閲覧可能。CC ライセンスの条件を満たして転載（Creative Commons Attribution International 4.0 license）。

態で密封された車両に人を安全に乗せる方法も見つかっていなかった。

こうしてロンドンからスコットランドまで5分間で移動するというアイデアは、その後の数十年で見る間にかえりみられなくなったが、こんどはべつの鉄道のアイデアが次々に登場した。なかでも、推力にいっぷう変わった力を利用しようとした計画のなかで、いちばんユニークなのは「大気圧」鉄道の商用化の試みだった。大気圧鉄道は機関車が不要で、大気圧を利用して貨車を推進する。その仕組みは、まず、ピストンのある気密性の高いパイプをレールのあいだに置く。線路沿いに設置した蒸気機関がピストン前方のパイプから空気を吸いあげ、内部に部分的な真空状態をつくりだす。すると、ピストン後方の空気圧が高くなり、車両を推進させるのだ（パイプ上部の穴から突きだしている金属のプレートでピストンと接続する）。あきらかな利点は、機関車がだす騒音、煙、火花がなくてすむところと、機関車が牽引する列車よりも、傾斜のきつい坂を登れることだった。

こうした取り組みは、１８３５年に全英空気圧鉄道協会に対する提案から始まった。そして１８３９年、ジェイコブとジョセフのサミューダ兄弟が短い線路で試運転をおこなった。最高時速48キロメートルで、パイプ内の圧力は通常の大気圧の50%にまで落とされた。１８４０年代初頭にはアイルランドで最初の商業路線、キングスタウンとダルキーを結ぶダルキー大気圧鉄道が短期間運行された。こうした試みに感銘を受けたのが、イギリスでもっとも有名なエンジニアといわれたイザムバード・K・ブルネルだ。エンジニア仲間で、イギリスでは機関車の設計者として著名なロバート・スティーヴンソンが大気圧鉄道計画を「巨大なぺてん」と警告したにもかかわらず、ブルネルは推進した。そして、エクセターとプリマスを結ぶサウス・デヴォン鉄道の52マイルの区間に導入することにした。工事は１８４４年に始まり、ブルネルは完成前からクロイドン鉄道の短い区間に大気圧鉄道を導入していた。

しかし、１８４８年9月、1年足らずの「大気圧」運転（システムの故障が続いたため、１８４７年まで蒸気機関を利用）を続け、金銭的に多額の損失をだしたあと、大気圧鉄道の試みは終わりを迎えた。数カ月にわたり、ブルネルは成功すると言いつづけたが、運行には克服できない多くの課題がつきまとった。おそらくいちばん厄介な課題は、パイプのなかで動くスロットだった。ピストン前方の部分的な真空状態を維持するには密封シールが必要だったが、獣脂で処理した革製のフラップはネズミに齧《かじ》られやすかったうえ、密封する力が弱く、乾燥するともろくなった。この後も、短命に終わった短距離の大気圧鉄道が１８４７年から１８６０年にかけてパリ近郊を走り、１８６４年にロンドンの水晶宮《クリスタルパレス》〔訳注：１８５１年の第一回万国博覧会の会場として建設。博覧会終了後、１８５４年にロンドン郊外に移設されて残った〕でわずか５５０メートルを、１８７０年から１８７３年にかけてはニューヨーク市のブロードウェイの地下で、圧縮空気で動く地下鉄の線路をわずか95メートルだけ走った。当時は蒸気機関車の馬力と効率がアップしたうえ、19世紀後半には電気機関車も登場したため、扱いにくい「大気圧」を利用した鉄道計画は見る見る競争力を失っていった。

磁気浮上式鉄道のアイデア

密封したチューブを利用する高速輸送システム開発の長い歴史において、次なる進展は「磁気浮上」というアイデアとともに訪れた。この新たな手法に関する初の特許は、１９０２年にアルバート・C・アルバートソン、１９０５年にアルフレート・ゼーデンが取得し、少なくとも３人の発明家が磁気浮上を利用した輸送システムというコンセプトの発展に寄与した。年代順に見れば、このアイデアを初めて文書に残したのは、のちにアメリカのロケット推進技術の発案者として名を馳せた物理学者ロバート・ゴダードである。ゴダードはウースター工科大１年生のときに、授業で「１９５０年の旅」という課題を与えられた際、永久磁石直流機で推力を得た列車がチューブ内を浮上したまま移動し、ニューヨークからボストンまでの距離を10分間で走るという構想を述べた。１９０４年12月20日、彼はこの構想の内容を仲間に読み聞かせ、１９０６年１月には「高速の賭け」というタイトルの短編に書きなおし、サイエンティフィック・アメリカン誌に寄稿した。

結局、この短編は要約され、基本的な技術に関する事実を述べるにとどまり、１９０９年11月20日

図 4.3　エミール・バチェレットと磁気浮上式鉄道の小型模型。出典：Émile Bachelet Collection, Archives Center, National Museum of American History

号に掲載されたのは、わずか3分の1ページほどの文章だった。しかし、こうした遅れがあったにもかかわらず、ゴダードがのちに強調したように、彼のアイデアが発表されたのは、１８８０年代初頭にアメリカに移住したフランスの電気技師エミール・バチェレットが１９１０年4月2日に浮上式高速鉄道の特許を出願する前だった。だが、世間が注目して大騒ぎをしたのはゴダードのアイデアではなく、バチェレットの研究のほうだった。１９１２年3月19日、バチェレットは「浮上式搬送装置」の米国特許を取得し、その後、磁気浮上式鉄道の小型模型を発表した。この模型は線路の下に強力な「反発する磁石」を並べ、アルミニウム製の基盤を置き、チューブ状の鋼鉄製で先端が尖っている車両を走らせるデザインで、招待した専門家やメディアの双方から高い評価を得た（図４・３）。

第一次世界大戦前に磁気浮上式鉄道の設計を手がけた3人目の発明家は、シベリアのトムスク工科大学物理学部長ボリス・ペトロヴィッチ・ヴァインベルクだ。彼は１９１１年から１９１３年にかけて、10キログラムの鉄製の車両、全長20メートル（直径32センチメートル）の銅製の環状真空トンネル、車両を吊り下げるパイプの上部で順次作動する筒形コイルという構成の模型をつくり、最終的に時速6キロメートルで周回させた。このコンセプトの実証に続いて、時速８００～１０００キロメートルで走行する実物大の模型のプロジェクトが提案された。乗客は直径０・９メートル、全長２・５メートルの鋼鉄製で葉巻形の乗り物に横たわる。彼の著書『摩擦のない移動』は、１９１４年にロシアで刊行され、彼はロシア軍の命令で砲弾の輸送警備のためアメリカに送られたあと、１９１７年にはエレクトリカル・エクスペリメンター誌に「未来の電気鉄道で時速５００マイルの旅」という論文を、１９１９年にはポピュラー・サイエンス・マンスリー誌に「ニューヨークからサンフランシスコまで半日で真空中を移動する電磁的手法」という論文を寄稿し、彼が提案するアイデアを簡単な図解で示した。

１９２０年には、ロバート・バラード・デイヴィが真空鉄道の米国特許を取得し、「一般的な構成は、間隔をあけて設置する駅のあいだをチューブでつなぐ。チューブは一部が真空になっており、車両はそれを推力にして走るため、空気抵抗が弱まり、非常に速いスピードで走行できる」と述べた。だが、これだけでは目新しいところはなにもない。そこで彼は「駅にはまったく新しい発想の装置を置き、チューブ内の真空の度合いを調節し、車両が駅に進入したり進出したりできるようにする。チューブ内の真空状態を維持できるよう、空気の流入は防がれている」うえ、「前述の駅にはちょうつがい付きのスライド式ドアがあり、真空状態を密封する新たな装置も付属している」と述べた。

こうしたアイデアはいずれも実用化にはいたらなかったが、ゴダードの案は第二次世界大戦後、だいぶ遅れて注目されるようになった。１９４５年８月10日に亡くなるまで３カ月弱となった頃、ゴダードは真空管輸送システムの３ページにわたる詳細な技術図版を添付した米国特許を出願し、彼の死後、１９５０年６月20日にグッゲンハイム財団と共同で妻のエスターが取得した。ところが１９５０年代は自動車の大型化、航空路線の拡大、鉄道乗客数の減少（アメリカでは１９２０年にピークを迎えていた）の時代だった。それでも１９５０年代から１９６０年代にかけて浮上式輸送システムに関する特許は新たに取得され、アメリカで注目すべきアイデアは１９７２年、サンタモニカのランド研究所のロバート・ソルターが発表したものだった。これは真空の「チューブ線路」の「路盤」構造を形成する電気伝導体の脈流または振動電流によって生じる電磁波を駆動力とし、その上を「チューブ型乗り物」が走るという超高速輸送システムだった。

　信じられないことにソルターは、このニューヨーク－ロサンゼルス間の大陸横断輸送システムのスピードは「時速数千マイルという単位になるだろう」と述べた。そして、それほどの超音速――イギリスとフランスが共同開発し、１９６９年に初飛行したジェット旅客機〈コンコルド〉のスピードをはるかにしのぐ――は、地下を直線で走るトンネルがあって初めて可能になるが、その建設費はシステム全体にかかる建設費のごく一部にすぎないと断言した。そして１９７８年、ソルターは自分が発案した〈プレーントラン〉なら「大陸間を結ぶトンネルを海中に設けて、世界的なネットワークへと拡張できる」し、それが実現すれば「安全、便利、低コスト、効率的、無公害」な輸送システムが誕生すると述べた。これは批判的意見にいっさい耳を貸さず、自分の構想に執着するという発明家に見られがちな現象の申し分のない例だ！

　かたや現実世界では、１９７０年代から１９８０年代にかけて、アメリカでは時代遅れになった鉄道網の老朽化が進んだが、日本とヨーロッパでは高速の鉄道網が拡大した。１９６４年には東京と新大阪を結ぶ新幹線が開業し、１９８１年にはパリとリヨンを結ぶＴＧＶが開業した。同じ頃、日本やドイツなどの複数の国は磁気浮上式鉄道の実験を開始し、短い距離の線路が建設された。ドイツのエムスランド実験線（１９８４〜２０１１年）は死亡事故のあと閉鎖されたが、日本の研究者たちは、２０１５年、超電導リニア車両でついに時速６０３キロメートルという世界最速記録を達成した。また、世界で初めて商用化された短距離の磁気浮上式鉄道は、ドイツの設計を採用して２００４年に商業運行を開始した中国の浦東《プードン》国際空港と上海市街を結ぶ路線だ。そして２００５年には日本の愛知県で磁気浮上式リニアモーターカー〈リニモ〉が開業し、２０１６年と２０１７年には韓国と中国で、もっと短い距離で速度も比較的遅い路線が３本、開業した。日本のリニア中央新幹線は、品川と新大阪を結ぶ初の長距離磁気浮上式鉄道で、いまも建設が続いているものの、完成予定の時期は何度も延期され、現時点では２０２０年代後半の開業をめざしている。

高速輸送システムの新たな商業プロジェクト

東アジア以外の地域では、北米やヨーロッパで磁気浮上式輸送システムの大胆な計画が、国内のみならず国際的なものも多々あったが、いっさい実用化されていない。そのため、ハイパーループ・アルファ構想が発表されると、メディアはもちろん、同種の設計には長い歴史があることなど知らないハイテク愛好家たちがすぐに飛びつき、驚くほど独創的だ、じつに革命的だと褒めそやした。そのため、高速輸送システムの新たな構想が次から次へと誕生し、無知な賞賛のみならず、技術的な評価や設計案までが相次ぐ事態となった。ひいては、このアイデアを商用化するための会社が何社も創業されたのである。

なかでも、イギリスの実業家リチャード・ブランソンが投資する企業のひとつヴァージン・ハイパールループ・ワン社は、とんでもなく野心的な計画を立てている。ネバダ州にある実験施設に全長５００メートルの短いテストコースを設け、２０２０年には２人乗りの実験用ポッドが最高時速１７５キロをだしたが、これはそれほど驚くべき成果とはいえない（１９６０年代から高速鉄道はもっと速いスピードで定期運行している）。同社が野心的なのは、ワイオミング州シャイアン（人口60万人弱）とヒューストン（１８００キロメートル以上離れている）を結ぶメガプロジェクトを含む路線をアメリカ国内で11路線、コルシカ島とサルデーニャ島、スペインとモロッコを海底で結ぶヨーロッパ内の９路線、インド（プネー－ムンバイ）やサウジアラビア（リヤド－ジェッダ）の路線のほかにも、アラブ首長国連邦での計画を挙げているところだ。

いっぽう、ハイパーループTT社はフランスに全長３２０メートルの試験線を所有しており、チェコのモラヴィア地方のブルノとスロヴァキアの首都ブラティスラヴァ、インドのアーンドラ・プラデーシュ州のヴィジャヤワダとアマラヴァティといった、比較的規模の小さい（そしてわりと近い）ふたつの都市を結ぶという、これまでは考えられなかった路線を開通する計画を立てている。初期の報告では、商業用ハイパーループ路線の完成は２０１７年とされていたが、その後は２０１９年に、それからまた２０２０年へと延期された。こうして完成予定の年が発表されては延期され、いまだに実物大の試験車で納得のできる実験はおこなわれていないし、２都市を結ぶ、信頼が置けて、安全で、利益のあがる商業路線は１本も実現していない。２０２２年初めの時点で、トンネルのなかであろうと、支柱を利用した高架式チューブであろうと、ハイパーループは１本も稼働していない。そして、完成予想は早くても２０２０年代後半へと延期された。また高速鉄道と比較した利点は１点も検証されていない――車輪がない（空気をクッションにした磁気浮上）、エネルギーの消費量がきわめて少ない、建設費が安いといった利点は、商業プロジェクトで一度も実証されていない。よって、こうした言い分はいずれも、しっかりと立証されないかぎり、「こうなればいいのに」という希望的観測の域をでないのだ。

課題はいまなお解決していない

19世紀から20世紀にかけての技術者たちは、チューブやポッドの製造に必要な材料や技術などわからなかったし、内圧を真空に近いレベルまで下げる方法も、カプセルを安全かつ確実に長距離で推進させるテクニックも知らなかった。そのため、密封された乗り物を利用した高速輸送技術は、世間の人々には理解されなかった。そして、当時の課題はいまなお解決していない。よって、こうした構想にはとんでもない困難が付き物であることをいちばんよく理解している人たち――真空に詳しい物理学者や鉄道技師――は、こう指摘してきた。真空チューブが音速に近いスピードで乗客を運べるようにするには、解決しなければならない難問が多々あり、鋼鉄の車輪やレールをもつ高速列車と比べれば10分の1程度にしか普及しないだろう、と。

だが、イーロン・マスクはこれまでのところ、高速チューブ輸送システムにまつわる多様な課題をずっと軽視してきた。路線の選択から、システム全体にかかる実際の費用まで、さまざまな課題を矮《わい》小化《しょうか》してきたのだ。支柱の上に数百キロメートルにわたる高架チューブを建設しても「農家がつねに対処している状況、つまり樹木や電柱が周囲にある状況と比較して、最小限の混乱しか招くことはない」などと言うのは、実際にポッドの大きさをどのくらいにするのか、高架チューブへのアクセスをどうやって建設し、保守していくのかといった問題を故意に無視している証拠だ。さらに重要なことに、フリーウェイから高圧送電線に至るまで、これまでのさまざまなプロジェクト設計の前例を見ればわかるように、ルートを選び、その承認を得るにはきわめて複雑なプロセスを経なければならず、スケジュールが遅れたり、ルートを迂回《うかい》したりというトラブルが付き物なのだ。

ところが２０１７年7月、イーロン・マスクが突然、こう発表したのは有名な話だ。自身が立ちあげた掘削会社、ボーリング・カンパニーが「ニューヨーク－フィラデルフィア－ボルティモア－ワシントンＤＣを29分間で結ぶハイパーループの地下建設について、政府から口頭で承認を得たところだ」とツイートしたのである。しかし、数十億ドル規模のプロジェクトの承認を得るには、複雑な準備、評価、交渉をこなさなければならず、連邦政府や州政府、地元行政の協力を得て、山ほどの認可を得なければならないし、そのあとにも無数の規制や許認可が待っている。そのため、この事実を知っている人なら、マスクのこのツイートを読んで、信じられないと思ったことだろう。このツイートは、時速１０００キロで走る列車のために全長６００キロメートルのトンネルを建設するというプロジェクトをやりとげた経験も記録もいっさいない企業に対して、ワシントンＤＣのだれかがただ電話で「政府からの口頭の承認」を与えたと言っているようなものなのだから。

さらに、この国はニューヨークとワシントンＤＣを結ぶ古い鉄道路線の改修工事をすることさえできず、平均時速がたった１２５キロメートルの「高速」列車アセラ・エクスプレス以上の鉄道さえもっていないのが現状なのだ。もっと人口密度の高いヨーロッパでさえ、時速２００～３００キロメートルの真の高速列車を数千キロにわたって建設しているし、さらに人口密度の高い中国でさえ数万キロメートルにわたる高速鉄道を完成させているというのに。同様に、ひとつ前の世代では大規模な建設プロジェクトの大半で見積りよりコストが超過してきたことを知っている人たちには、企業の資金調達にともなう資本コストの総額など不確実な推測にすぎないことがよくわかっている。

たしかにいまは新素材も入手できるし、前例がないほど強力かつ複雑な推進・制御システムを利用できるようになったが、いまのところ、こうした新たな輸送システムの構想に、安価な建設費や低い運用コスト、競争力のある操作性といったものがくわわる見込みはない。金属製パイプのなかを音速という猛スピードで移動するポッドのなかにいれば閉所恐怖症を起こしかねないし（ポッド内部の壁に美しい景色の画像を投影したところで息苦しさはそう簡単に軽減できないだろう！）、もっとも懸念されている圧力差にともなうリスクなど、工学的に「初」となる数々の問題を克服していかなければならない。ハイパーループは完璧な真空状態を維持する構想ではないようだが、圧力が１００パスカルでもじゅうぶん真空に近い。上部対流圏（高度10キロメートル程度）を飛ぶジェット旅客機にさえ、その２００倍以上の圧力がかかるのに、ハイパーループの場合は上部成層圏（高度50キロメートル）に相当する圧力を受けながら操作しなければならないだろう。

　移動中の最悪のシナリオのひとつは、減圧による大事故だ。そして、ハイパーループでは極端な圧力差が生じるため、真空状態に近いチューブで乗客用ポッドを運んでいるあいだに事故が生じれば大惨事になるだろう。支柱の上に渡された鋼鉄製のチューブの内側と外側では数千倍もの圧力差があるため、チューブが粉々にならないよう強靭《きょうじん》に設計しなければならない。さらに数百キロメートルもの距離で安全を保ち、チューブ内を猛スピードで移動するポッドから生じる圧力にも耐えなければならない。コース全体のチューブで生じる熱膨張や、チューブの上部と下部で異なる熱膨張にも対処しなければならない。いずれの熱膨張も暑い季節で顕著になる。気候による通常の温度差が50℃だとすると（零下10℃から40℃まで）、この輸送システム全体のチューブの接合部には、無数のエキスパンションジョイント（伸縮管継手《しんしゅくくだつぎて》）が必要となり、そこでもまた真空に近い状態を維持しなければならない。

　地下にチューブを設置すれば、こうした問題の大半はなくなるだろう。だが、そこでも、やはり工学的に「初」となる数々の課題を解決しなければならない。数千キロメートルには及ばなくても、数百キロメートルにわたるトンネルを建設すれば、当然のことながら、地震が多い地域も通るだろう。また、現代のトンネル工事は見事に機械化が進んではいるものの、コストはいまだに高いままだ。世界最長のトンネル、スイスにある全長57キロメートルのゴッタルドベーストンネルの総工費は約１０5億ドルで（1キロメートル当たり2億ドル近い）、２０１６年の完成までに17年近い歳月をかけた。それに、わかりきったことではあるが、真空に近いチューブを広範に張り巡らせれば、テロリストの標的になりやすい。比較的小さい爆発を起こすだけで、減圧によって次から次へと大惨事が続くからだ。

そして２０２２年、このアイデアに対する輸送の専門家たちの見解を、私たちは包括的に得ることができた。磁気浮上システム国際会議が実施した世界規模の調査によると、輸送の専門家たちはハイパーループ構想を認めていない。そのおもな理由は、運用が複雑で安全性に問題があるから、そしてインフラと運用の両面でコストを過小評価しているからだ。要するに、そもそも計画自体が不完全であるうえ、こうした批判的な意見をかんがみて、２０１３年以降の現状に目を向ければ、この新たなシステムが第五の輸送手段としてわが都市に開通するのを待ち望んでいる新し物好きな人たちには「バランスのいい食事と運動を心がけて、長生きしてください」と助言するのが賢明だろう。１８１0年以来、メドハースト、ゴダード、バチェレット、ソルターらが主張してきた未来がことごとく見込み違いに終わったことを教訓にすれば、このチューブ内旅行に対する近年の熱狂がほんの少しでも報われるには、よほど長生きしなければならないからだ。私たちの想像より万事がうまくいったとしても、最初に料金を支払う旅行者が、ワイオミング州シャイアン、チェコのブルノ、インドのヴィジャヤワダといった都市でポッドに乗り込み、音速に近いスピードで加速され、数百キロメートル離れた次の駅にほんの数分後に到着するまでには、おそろしく長い年数がかかるだろう。私たちは２００年以上前からそんな夢を見ていて、いまだにその実現を待っているのだから。

窒素固定作物

いま、私たちが世界に関する理解を深め、健康に関する知識を身につけているのは、１８６７年から１９１４年にかけて科学技術が大きく進歩したからで、この時期の進展は賞賛してもしたりないくらいだ。この数十年間で、内燃機関、発電、電球、電動機《モーター》といったものが発明され、商用化されたうえ、鋼鉄を安価に生産できるようになり、アルミニウムの精錬が可能になり、電話機が登場し、世界初のプラスチックや電子機器が誕生し、無線通信が急速に普及したのだから。さらに感染症が流行する理由や、健全な成長に必要な栄養素（とくにタンパク質を十分に摂取する必要性）の理解が進むと同時に、手ごろな価格での食料供給を維持するには、植物に必要な栄養素を与えなければならないこともわかってきた。

後者について理解が進んだのは、とりわけ重要だった。当時は工業化が進んで経済と社会が連動し、二度と起こらないほどの大きな変化が生じていたからだ。急激な人口増加、都市部への大規模な移住、可処分所得の増加、工場やサービス業における女性の雇用の増加による食料需要の増加と食習慣の変化が、この大転換を牽引していたのである。都市部の人口増加により、１人当たりの植物性食品の消費量が増えただけでなく、それまで消費量が限られていた動物性タンパク質（肉、卵、乳製品）の購入量も増加し、需要に供給が追いつかなくなったのだ。そうなれば当然、家畜の飼料のために大量の収穫物を割かなければならず、農作業（耕耘、種まき、収穫）を機械化し、役畜を大量に飼育する必要も生じた。19世紀末のアメリカでは、馬やラバの飼料用に国内の広大な農地の5分の1を充てなければならなくなったほどだ。

ところが、作付面積当たりの収穫量は低いままで、アメリカとロシアの小麦は1ヘクタール当たり1トン未満にすぎず、もっとも生産性の高いヨーロッパの地域でさえ1ヘクタール当たり1・5トン程度だった。それまでには前例がないほどの規模で農地が拡大され、北アメリカ中西部の大平原《グレートプレーンズ》とカナダの大草原《プレーリー》地帯の草地と同様、ロシア、南アメリカ、オーストラリアでも荒地が農地に開墾されていたが、それも終わりを迎えようとしていた。そのため、食料の需要は増加しているのに、それに見合う供給は頭打ちという問題を早急に解決する必要が生じていた――そして植物学、生化学、農学の発展により、私たちは歴史上初めて、この不安な見通しを変えるためにすべきことを理解したのである。

「緑の革命」を起こした発明

１８９８年９月、この課題と解決策が化学者・物理学者のウィリアム・クルックスによって記憶に残る言葉で説明された。彼はブリストルで開催された英国科学振興協会の年次総会で会長として講演をおこない、「すべての文明国は、食料不足という命にかかわる危機に直面している」と述べ、その後、この言葉はあちこちで引用されるようになった。彼はさらに、需要の増加によって１９３０年には世界で小麦の供給不足が起こるだろうと推測した。そのうえで、この問題に対するもっとも有効な解決策と、その焦点となる対策を明示した。作物への施肥《せひ》を増やし、窒素を活用しなければならない、と。窒素は、植物が生育のために必要とする多量要素で、窒素が足りなければ小麦（実際には、すべての穀物）の収穫量に限界が生じる。そしてクルックスは、家畜の糞や緑肥《りょくひ》（アルファルファやクローバー）だけでは将来の肥料需要に応じきれないことを見抜いていた。また、この時代の唯一の重要な無機肥料はチリのアタカマ砂漠で採掘される硝酸塩（チリ硝石）だったが、その供給には限界があることもあきらかだった。

それなら、大気中に無限に存在する窒素を利用すればいい。空気の80％近くを占める窒素の不活性分子（N_2）を反応性の高い化合物（できればアンモニア、NH_3）に変えるプロセスを「窒素固定」という。こうして空気中の窒素を固定し、それを作物に吸収させれば、収穫量を増やせるというわけだ。クルックスはこう述べている。

> 窒素固定の技術は、文明化された人類の進歩に必要不可欠である。これまでにさまざまな発見がなされてきたが、そうした発見はわれわれに知的な慰めや贅沢《ぜいたく》な生活をもたらし、利便性を高めてきた。おかげで、われわれは日常を効率よく送れるようになり、富の早期獲得、時間の節約、健康の増進、不安の軽減などが可能になった。だが、窒素固定は遠い未来の課題ではない……この問題に立ちむかい、救出に駆けつけなければならないのは化学者なのだ……実験室での努力が実れば、世界から飢餓がなくなり、最終的には豊富な食料が生産されるようになるだろう。

そして驚くなかれ、このクルックスの訴えからわずか十数年後に、救いの手が伸ばされた。１９０９年、カールスルーエ工科大学で教授を務めていた化学者フリッツ・ハーバーが、空気中の窒素からアンモニアを合成することに成功したのである。ハーバーは、空気中の窒素と、高温のコークスを水蒸気と反応させて得た水素を、高圧下で金属（鉄）を触媒にして反応させ、アンモニアを合成したのだ。彼の研究は、当時、工業用化学品の製造で世界トップに君臨していたドイツのＢＡＳＦ社の支援

図 4.4　窒素と水素からアンモニアを合成できることを初めて実証したフリッツ・ハーバー（1868 ～ 1934 年、写真左）。カール・ボッシュ（1874 ～ 1940 年、写真右）は、アンモニア合成の工業化を実現させた。

を受けることになった。そして、社内でもっとも有能なエンジニアであるカール・ボッシュが研究の指揮をとった。こうしてハーバーが実験室で実証した成果が、見る間に工業製品という形になったのである（図４・４）。

ＢＡＳＦ社は１９１３年９月にアンモニアの合成を開始したが、この化合物はすぐに第一次世界大戦で火薬の原料として転用され、１９１８年以降は肥料として生産が再開されたものの、合成アンモニア由来の化合物（尿素、硝酸アンモニウム、硫酸塩）の大規模な利用は第二次世界大戦の終結を待たなければならなかった。そして１９６０年代になると「緑の革命」と呼ばれた農業革命が起こり、小麦の短稈《たんかん》品種〔訳注：茎の短い品種〕の開発、窒素肥料の普及、農薬の使用により、穀物の収穫量は記録的に増え、これを牽引したのが肥料投入の強化だった。

１９７０年には、化学肥料の世界の使用量は１９５０年の８倍以上となった。そして20世紀末には年間８０００万トンを超え、近年では年間１億２０００万トンに迫る勢いだ。

利点の多い発明にも欠点はある

その利点には議論の余地がない。私の計算では、世界人口の40％以上がハーバー・ボッシュ法で合成されたアンモニアから窒素を得た収穫物によって（直接的に農作物から、間接的には家畜の餌から）食用タンパク質を摂取している。中国では、その割合は人口の約50％にも当たる。だが、どれほど利点の多い発明にも、たいてい欠点があるものだ。まず、施肥された窒素の半分以上は作物に吸収されず、さまざまな経路（揮発、溶出、表土流出、細菌による亜酸化窒素への変換）で環境に漏出してしまう。施肥した窒素のうち、最終的に収穫された作物に含まれる割合は世界平均で50％を下回っており、中国の集約的な稲作では、その割合は３分の１ほどしかない。

２０２０年代に入ると、全世界の窒素肥料の消費量は年間平均約１億１０００万トンになった。前述の割合で計算すれば、その約半分の５０００万トン以上の窒素が（反応性の高い硝酸塩やアンモニアの化合物として）環境に流出することになる。さらに、この影響が及ぶのは北半球の農業地域に集中しており、そうした地域では窒素の年間消費量の平均が１ヘクタール当たり１００キログラムを超え、もっとも集約的に栽培されているトウモロコシや稲の場合、平均が１ヘクタール当たり２００キログラムを超えている。これはもちろん経済的にも相当な損失である（集約農業では通常、窒素肥料が変動費の５分の１を占める）うえ、大きな環境問題を引き起こす。

　こうした環境問題のなかでもとくに深刻なのは、いま、世界の沿岸部に「デッドゾーン」と呼ばれる低酸素海域が広がり、それをコントロールできないことだ。窒素が河川に流出し、池や湖に流れ込み、最終的に沿岸に到達する。すると、浅瀬で藻類が過剰に繁殖するのだ。この藻類が枯れて海底に沈むと、細菌による分解が始まり、このときに水中に溶解している酸素を消費するため、海水は低酸素状態になり、魚や海洋無脊椎動物が窒息してしまう。このようなデッドゾーンはいま、メキシコ湾、ヨーロッパや東アジアの海岸線に多く見られるようになっている。また、肥料から放出された窒素酸化物や二酸化窒素が大気中で反応して硝酸塩に変化し、酸性降下物（一般に酸性雨と呼ばれる現象で、硫黄酸化物の排出が主因となっている）を生みだす原因にもなっている。

　窒素肥料の施肥の副作用としてもうひとつ注目されているのが、硝酸塩の細菌分解による亜酸化窒素（N_2O）の発生である。亜酸化窒素は温室効果ガスであるだけではなく、１００年単位の時間スケールで見ると、温室効果ガスの代表格である二酸化炭素の約３００倍の地球温暖化係数をもつのだ。だが、亜酸化窒素は排出量が比較的少なく、最近の人為的な温室効果ガス排出量の６％ほどにすぎない。また化学肥料を長期にわたって大量に使用すると、土壌有機炭素（以前は堆肥や作物残渣が土壌中に溜まっていた）の減少や土壌生物の多様性の低下を招き、本来の土壌肥沃度に悪影響を及ぼす。よって高い収穫量を維持しつつも、肥料の使用量を最小限に抑える施肥は、現代の農学におけるもっとも重要な目標のひとつだ。

マメ科植物のような能力を穀類に

　このように窒素を強く求める主要穀物とは対照的に、マメ科植物（種子が食用となるエンドウ、インゲン、レンズ豆、大豆、ピーナッツ、およびクローバー、カラスノエンドウ、アルファルファなど土壌改良に役立つ緑肥）は、収穫量を増やすだけではなく、収穫後も土壌に窒素を蓄積するため、肥料をまったく、あるいは最小限しか必要としない。この違いは古代から知られていて、作物栽培に必

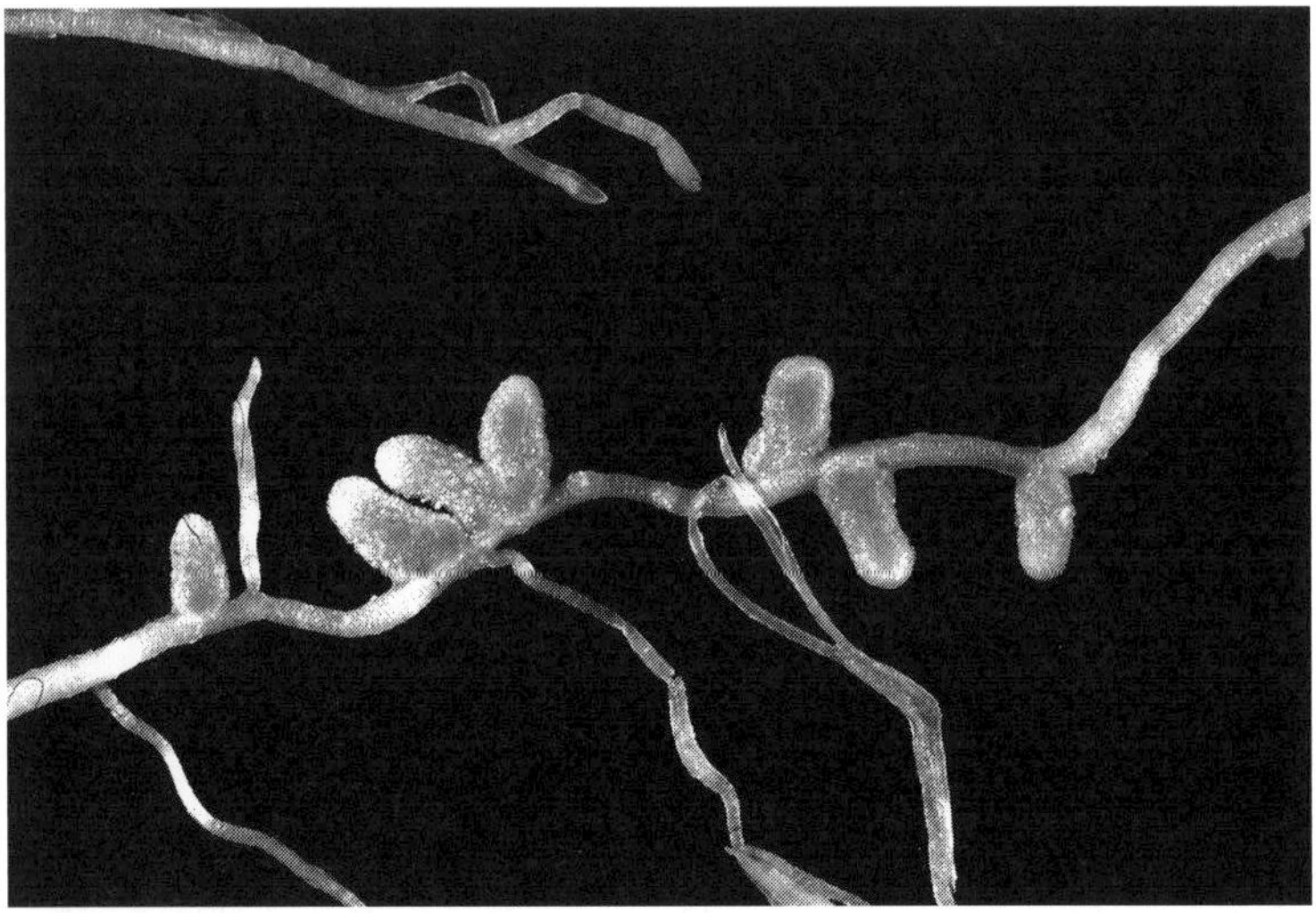

図 4.5　マメ科植物の根に付着した根粒菌。この土壌細菌が大気中の窒素をアンモニアに変換し（窒素固定）、マメ科植物に供給する。出典：Matthew Crook. ライセンスの条件を満たして転載。

要な多量要素の知識などなにもない当時の農民たちは、収穫量を増やすためにマメ科植物と一緒に穀物を栽培したり、穀物とマメ科植物を輪作したりしていた。だが、彼らはその理由をまったく理解していなかった。１８３８年になってようやくフランスの化学者ジャン・バティスト・ブサンゴーが、無菌の砂で育てたエンドウで実験をおこない、マメ科植物が実際に土壌に窒素をもたらしていることを証明した。つまり、マメ科植物が空気中の不活性な窒素をとりこみ、反応性の高い化合物を生成するという結論が導かれたわけだが、そのメカニズムは不明なままだった。

それから半世紀が経過し、１８８８年、ドイツの化学者ヘルマン・ヘルリーゲルとヘルマン・ウィルファルトが、マメ科の植物はイネ科の植物とは根本的に異なると推論した。イネ科の植物は、小麦、稲、大麦、オート麦など収穫量を増やすために多様な種類または栽培品種がある。いっぽうマメ科の植物は、空気中に豊富に存在する窒素をみずからとりこむことはできないが、根に共生している根粒菌という微生物によって空気中の窒素を栄養として利用しているのだろう、と（図4・5）。この推論が発表されてから数年後、微生物学者たちは、こうした根粒に住みつく細菌（リゾビウム属）のほかにも、土壌や水中に生息する自由生活性の〔訳注：ほかの生物に寄生せずに単独で生存できる〕窒素固定細菌を同定した。

つまり、われわれ人間が「高圧高温」という条件をととのえ、現代の大型アンモニア工場では標高0メートルの大気圧の200〜400倍もの高圧、400℃を超える高温でハーバー・ボッシュ法を実施しているというのに、リゾビウム属の細菌は「大気圧と常温」という環境でアンモニアを合成しているのだ。根粒菌がニトロゲナーゼという酵素をもっているからで、この酵素はふたつのタンパク質――モリブデン鉄タンパク質（MoFeタンパク質）と鉄タンパク質（Feタンパク質）――で構成され、水素と窒素を反応させてアンモニアを合成する。だが、この生物的窒素固定は大量のエネルギーを消費するうえ、ニトロゲナーゼは酸素に弱く、空気中で酸素に触れると不可逆的に失活するため、扱いが技術的に複雑だという現実がある。

根粒菌による窒素固定が発見されると、魅力的な可能性が生じた。穀類がマメ科植物のように機能するように誘導し、根が窒素固定細菌と共生できるようにすれば、必要な窒素のすべてを、あるいは大半を得られるようになるかもしれない。1917年の時点ですでに、イリノイ大学農業実験所の研究者トマス・バリルとロイ・ハンセンは「マメ科植物の細菌と非マメ科植物の共生は可能か？」というタイトルの報告書を発表していた。だが、それから数十年、これは単なる魅力的なアイデアにとどまり、実現に向けて実験が重ねられることはなかった。それでも、植物と細菌の生理学や遺伝学への理解が進むにつれて、あきらかにまだ実現が困難なこのアイデアをそう遠くない将来に実現できるかもしれないという期待が芽生えた。１９７０年、窒素を大量に施肥した穀類の高収量品種の開発を主導したことを認められ、ノーベル平和賞を受賞したアメリカの農学者ノーマン・ボーローグほど、この希望を明確に口にした者はいない。

　ボーローグはノーベル賞受賞の記念講演の最後のほうで、自分が夢見ているＳＦのような願望を訴えた。

> 小麦、稲、トウモロコシ、モロコシ、キビなどがよく育つ、緑豊かな収穫量の多い畑では、根粒を形成する窒素固定細菌から１ヘクタール当たり１００キログラムの窒素を無料で得ています。これらのリゾビウム・セレアリスの変異株は、１９９０年にマメ科植物などの根から得たリゾビウム属の株を利用して大規模な突然変異育種プログラムによって開発されました。この科学的発見により、世界中の農家で働くごくふつうの数億もの人たちが農業生産に革命を起こしました。彼らはいっさい費用をかけずに、作物に必要な肥料の大半を空気中の窒素を取り込んで穀物の根に固定し、そこから穀物の粒に変化させる摩訶《まか》ふしぎな微生物から直接、肥料の大半を得られるようにしたのです。

　こうした共生から得られる利点は明々白々。窒素の化学肥料を購入し、施肥する必要性が大幅に減るおかげで、穀物栽培はより収益性の高いものになるだろう。生物的窒素固定がもたらす環境上の利点は、施肥した肥料の揮発や溶出が大幅に減少し（水質汚染や酸性雨も減少）、温室効果ガスの排出も減り、土壌の質が改善される（土壌圧縮が緩和され、有機物が増え、含有窒素量も増加する）ことだ。マメ科植物のような窒素固定の能力を穀類でも活用しようとする研究は、１９７０年代に本格的に始まり、以来、波はあるものの、ずっと続けられてきた。

国際稲研究所は、稲に窒素固定根粒を形成させる可能性を評価するプロジェクトを立ちあげたし、アメリカ、カナダ、イギリス、インドで栽培されるほかの穀類を対象にした同様のプロジェクトも、政府、大学、財団、企業などから資金提供を受けた。だが１９８０年代半ばになると、窒素固定について討論するシンポジウムが開催されても、実験ではいっこうに進展が見られないため、「穀類の収穫量を向上させたという成功例はまだない」という結論で終わることになった。ところが、遺伝子工学によって商業的に大きな成功をおさめた品種が登場すると、将来は窒素固定でも遺伝子編集技術を活用できるのではないかという期待が高まった。１９９６年、バチルス・チューリンゲンシスという細菌から殺虫作用をもつ遺伝子を導入したトウモロコシや大豆の品種が開発され、害虫抵抗性をもたせた遺伝子組換え作物が誕生した。１９９５年には遺伝子組換えキャノーラ（食用油用のナタネ）が発売され、アメリカでは現在、遺伝子組換えをおこなったパパイヤ、ジャガイモ、アルファルファ、テンサイ、リンゴが栽培されている。

三つの方法

穀物に窒素を固定するには、三つの方法があることがわかっている。もっともわかりやすい第一の方法は、１世紀以上前に根粒菌との共生により窒素が固定される現象が発見されたときに提案された。マメ科植物で一般に見られるプロセスを再現し、根粒菌とマメ科植物のように双方にとって有益な相互作用を根粒菌と穀物でも可能にする方法を見つけて、穀物も根粒菌と共生できるようにすれば、窒素需要のかなりの割合を供給できるようになるはずだ、と。植物学者のなかには、まずは根粒のない穀物以外の種で窒素固定を導入するのが最善の策だと考える者もいる。いずれにせよ、この課題に関しては、生物学者は著名な遺伝学者テオドシウス・ドブジャンスキーのかの有名な格言を思い起こさずにはいられないだろう。いわく、「進化を考慮しない生物学はいっさい意味をなさない」。

進化（被子植物の種は1億年以上かけて多様化してきた）は、根粒菌の共生による窒素固定の能力を、栄養学的に重要な種にはまったく授けてこなかった。このようにマメ科以外の植物には根粒菌が共生しないという事実（根粒で窒素固定をおこなう細菌はほかにフランキア属という糸状の菌だけで、食用にならない２００ほどの植物の種で共生している）は、いっそう注目に値する。地球上の植物のすべての種にとって窒素不足は成長を阻害する主因であるにもかかわらず、これまでの進化において、この課題を少しでも克服する手法を身につけた種はごくわずかにすぎないからだ。

この謎のほかにも、現実的な懸念はいくつもある。マメ科植物は生産するエネルギー（炭素）の10～20％を根粒に供給しているものの、窒素の供給量が増えると光合成が促進されるため、エネルギーコストが比較的高くても、収穫量が減ることにはならない。だが、共生による窒素固定能を導入した穀物では、それほどの収穫量は見込めないだろう。つまり、窒素固定能をもつ穀物は、アジアの複数の国や地域では受け入れられないかもしれない。そうした場所では、人口密度の高い広大な土地に暮らす国民の食を支えなければならないからだ。

マメ科以外の作物に窒素を固定させる第二の方策は、穀物の根に付着している細菌（根粒菌のような集合体ではなく、自立的な増殖が可能）の働きを活性化して、穀物に必要な窒素をもっと供給させるか、マメ科以外の植物の組織に窒素固定能をもたせるかだ。いずれの手法も、まく前の段階で種子に処理をするか、葉面に散布する。この手法は、熱帯のイネ科植物に生息する細菌が発見された結果、浮上してきた。窒素を固定する自由生活性の（共生しない）細菌は多々あり、土壌にはシュードモナス属やアゾスピリルム属が、水中にはシアノバクテリア（ネンジュモ属やアナベナ属など）が生息し

図 4.6　ヨハンナ・デーベライナー（1924 ～ 2000 年）。ブラジルの微生物学者。トウモロコシとサトウキビの窒素固定研究の先駆者。出典：Embrapa, Brazilian Ministry of Agriculture

ている。だが、こうした細菌は根などの植物の器官とはまったく関係なく増殖しているため、たいてい穀物にはわずかな量の窒素を与えているにすぎない。

　しかし、1960年代後半、ブラジルの微生物学者ヨハンナ・デーベライナーが研究グループを率いて、複数の熱帯イネ科植物の根に付着する細菌（アセトバクター属、アゾスピリルム属、ヘルバスピリルム属）を発見した（図4・6）。これらの窒素固定細菌は、根粒といった目に見える植物の器官に生息し、宿主植物と共生しているのではなく、植物の根の表面や付近に分散し、根の滲出液《しんしゅつえき》の一部を吸収し、固定した窒素へと間接的に形を変える。のちに、穀物の根に生息するアゾスピリルム属による窒素固定は、稲とトウモロコシが必要とする窒素の総量に対して無視できないほどの貢献をしていることがわかった。

　この発見により、穀物の根に生息する共

生細菌の数を増やせるのではないかという考えがでてきた。しかし、この目標を効率よく実現するには、共生を促進する条件をもっと理解したうえで、共生細菌によって固定される窒素の濃度が低い点を考慮し、現実的に得られる窒素の最大値について、もっと理解を深めなければならない。たとえこれが成功したとしても、この努力はごくわずかな支援しか受けられないだろう。１９８８年、微生物学者ヨハンナ・デーベライナーとウラジミール・カバルカンテがブラジル産サトウキビの内生菌（植物の組織内に生息する菌）グルコンアセトバクター・ジアゾトロフィカスを発見すると、いっそう展望がひらけた。のちの研究により、ヘルバスピリルム属、アゾアルカス属、アゾスピリルム属といった窒素固定細菌もまた関与していることが判明したが、内生菌と非内生菌がどのような形で貢献しているのか、区別をつけるのはいまだに困難なままである。

　デイヴィッド・デントとエドワード・コッキングが創業したイギリスのアゾティック・テクノロジーズ社は、グルコンアセトバクター・ジアゾトロフィカスを利用した製品の特許を取得し、すでに販売を開始している。当初の製品は液体の種子処理剤だったが、いまは葉面散布剤も販売している。その謳い文句によれば、こうした製品を使用すれば、植物のすべての細胞がみずから窒素を固定できるようになるそうで、イギリス、アメリカ、カナダ、ドイツ、ベルギー、フランスではトウモロコシと小麦で、ベトナム、タイ、フィリピンでは稲で、すでにその効果が実証されているという。同社がアメリカでおこなったトウモロコシの栽培試験では、窒素肥料を減らしていないケースでは収穫量が平均５〜13％増え、場合によっては20％増加した。また、アジアで実施した稲の試験では、平均17〜20％の割合で反応が見られたという。

　同社はウェブサイトで、こうした処置をおこなえば作物が必要とする窒素の半分はまかなえると謳っている。アメリカとカナダでは、この処理剤は〈エンヴィタ〉という商品名で販売されていて（植《うえ》溝《みぞ》か葉面に散布する）、トウモロコシの収穫量を1エーカー当たり最低2・5ブッシェル（1ヘクタール当たり160キログラム近く）増加させるうえ、いっさいリスクをともなわないと保証している。だが、2020年と2021年にプラクティカル・ファーム・リサーチがケンタッキー、イリノイ、オハイオ、ミネソタの各州で独自に実施した試験では、対照群である（〈エンヴィタ〉を投与しない）区画での収穫量のほうがわずかに多かったため、その効果は代表的な植物成長調整剤より数％高くなるわけではないことも判明した。同様に、アイオワ州で実施された5回の葉面散布試験では、〈エンヴィタ〉はトウモロコシの収穫量に目立った効果を及ぼさず（無処理の区画の収穫量のほうがわずかに多い）、1回の試験では収穫量が大きく増えたものの、またべつの試験では収穫量が大きく減った。あきらかに、こうした結果は、社の宣伝文句とはまったく異なっている。

　さて、第三の手法は、もっとも急進的で、もっとも野心あふれるものだ。永遠に植物の特徴となるよう、共生に対する受容能力を遺伝子に組み込む手法だからだ。つまり、窒素固定遺伝子（*nif*）を直接、穀物に組み込み、いっさい微生物の力を借りずに、窒素を固定できる新たな品種の穀物をつくりだそうという目論見である。だが、これにはふたつの障壁が自然界で立ちはだかる。第一は、空気中の不活性な窒素をアンモニアに変換するうえで欠かせない触媒である窒素固定酵素ニトロゲナーゼがきわめて複雑な構造であること、第二は、この酵素が酸素に弱いことだ。

　カナダの遺伝子導入の研究では、ライ小麦で実験をおこなった。小麦とライ麦の交雑種であるライ小麦のほうが、小麦よりも効率よく遺伝子を導入できるからだ。そして、ナノキャリア（細胞膜透過ペプチド）を用いてミトコンドリアに窒素固定遺伝子群を導入する手法をとった。また、アメリカのマサチューセッツ工科大学の研究者たちは、植物遺伝学の実験でよく利用されるタバコの苗に根粒菌の窒素固定遺伝子を導入する研究をおこなっている。だが、この実験は困難をきわめる。そのプロセスで数々の遺伝子が関わってくるだけではなく、細菌と植物では遺伝子発現やプロセスを指示する細胞の構成物質が大きく異なるからだ。

いくら道のりが困難であろうと、遺伝子組換え穀物に窒素を固定させようとする試みはとまらないだろう。とはいえ、遺伝子組換え作物が過去や近年に直面した苦難を忘れてはならない。そうした作物は北米や南米の生産者に歓迎された（消費者にもおおむね受け入れられた）が、ＥＵのほぼすべての国と日本では避けられていて、中国やインドでは遺伝子組換えの綿花が栽培されているが、遺伝子組換えの主食や飼料作物は栽培されていない。こうした消極的な姿勢や完全な拒絶は、一般市民のあいだに恐怖心が広がっているからであり、簡単に消えはしないだろう。また遺伝子組換え作物は、食品のいかなる遺伝子組換えにも反対する環境活動家などのロビイストたちから猛反発を浴びている。

さらに踏み込んでいえば、動物飼料用のトウモロコシの遺伝子組換えと、主食であり西洋文明の基礎のひとつでもある小麦をいじることは、まったくの別物だ。その結果、遺伝子組換え小麦の品種は次々と開発され、試験を受けているものの、北米、ヨーロッパ、アジア、オーストラリアで商業的に生産されているものはない。アメリカ、カナダ、オーストラリアの場合、もうひとつ、明確な懸念がある。これらの国が主要な穀物輸出国であることだ。つまり、遺伝子組換え小麦をいくら生産したところで、遺伝子組換え食品をいっさい受け入れない世界の大半の国には輸出できないのだ。２０２０年10月、アルゼンチンの農牧水産省は、干魃《かんばつ》に強い遺伝子組換え小麦の品種ビオセレスＨＢ４を人間の食用として認可した。さて、ここから新たなトレンドが始まるのだろうか？　それとも、これは些《さ》末《まつ》な例外なのだろうか？　窒素を固定する根粒菌の共生が解明されてから１３０年以上、バリルとハンセンが窒素固定細菌と穀物の共生は可能なのだろうかと問うてから１世紀以上、ボーローグがノーベル賞受賞者としてかの有名なスピーチをおこなってから50年以上、そして遺伝子工学が飛躍的に進歩をとげてから数十年が経過したいま、私たちはこの問題をどう考えていくのだろう？

あとどのくらい時間がかかるかは答えられない

　1970年代には、テクノロジーの進歩により本物の変革が起こると約束され、1990年代にはさらに将来は楽観視されていた。遺伝子工学の進歩により、2020年代にはほんとうに穀物でも窒素固定を実現できるのだろうか？　現在の報道を見るかぎり、注目すべき研究の進展が報告されるたびに、穀物における窒素固定という聖杯に少しずつ「近づいている」ようだ――が、「近づいている」としても、実際にはあいかわらず達成できないままだ。ある年には「大きな進歩」があったと報道されても、5年たってもなんの進展も見られない。なかには、成果をあげられる時期についてはあやふやなままにしている主張もある。ギンコ・バイオワークス社（カスタムメイドで菌株《きんしゅ》を開発するボストンの企業）とリープス・バイ・バイエル（いまではアスピリンだけではなく、農業にも投資しているバイエル社の投資部門）の合弁会社として創業されたジョイン・バイオ社はウェブサイトで「弊社の最初の製品は、トウモロコシ、小麦、稲などの穀物が空気中の窒素を変換できるように遺伝子組換えをおこなった微生物です」と断言しているが、詳細を確認しようとスクロールすると「弊社の最初の製品は……遺伝子組換えをおこなった微生物になる予定です」と表現されている（＊2カ所の傍点は著者による）。

　ケンブリッジ大学作物科学センターのジャイルズ・オールドロイドは、窒素を固定できる穀物ができるまでに、あとどのくらい時間がかかるでしょうという質問に対して、最善の、そして唯一、正直な返答をしている。「その質問に対する答えはありません。私たちは未知の世界で研究を続けているのです」と。しかし、この未知の世界の面積は、数十年にわたる農学、植物科学、遺伝子に関する研究のおかげで、当然のことながらどんどん狭くなっている。それでも、大豆のような小麦、レンズ豆のような稲の栽培が、いつまでに可能になり、窒素肥料の使用を大幅に削減しつつも穀物の収穫量を確実に維持し、さまざまな点で環境保護に貢献するという実りの多い栽培をいつまでに実現できると明言することはできないのだ。

制御核融合

大きさにおいても、放射線においても、私たちの惑星系の中心にある恒星には、とりたてて目立つ特徴はない。銀河系にはみずから光熱を放出する恒星が数千億個もあり、そのなかには太陽と非常によく似たものが数百万個はある。太陽は特徴的な黄色を帯びているため、天文学者たちは恒星を光のスペクトル〔訳注：分光器を通して分解された光の帯〕で分類して、その真ん中あたりに太陽を位置づけている。大きさに関していえば、太陽系にもっとも近い恒星系の星アルファ・ケンタウリAと同様、スペクトル分類〔訳注：恒星を表面温度（スペクトル型）と光度階級でいくつかの型にまとめたもの〕はＧ２Ｖ型で、ごく一般的な矮星《わいせい》（主系列星）〔訳注：光度階級がVの恒星〕である。初期の太陽は、誕生から約45億年が経過した現在と比較すると、放射エネルギーが3分の1近く少なかった。太陽はごく平凡な恒星で、とくに目立つ特徴はないものの、放出するエネルギー量には驚かされる。太陽が宇宙空間に放出している放射エネルギー（太陽光度）は約３・８×10^{26}ワット（ジュール毎秒）であるのに対し、世界の総電力消費量（すべての燃料、水力、原子力、風力、太陽光を利用した発電による）は約１・８×10^{13}ワットであり、13桁（数十兆倍）もの差があるのだから。

これほど大量のエネルギーをどうやって太陽が生みだしているのかは、現代以前に太陽を観察していた人たちにとって謎だったにちがいない。そして、ようやく19世紀を迎えると、この尋常ならざるエネルギー放出の説明に使える分析ツールが登場した。太陽がエネルギーを生みだすプロセスを、地球上でよく見られるプロセスにたとえるとするならば、いちばんわかりやすいのは「燃焼」だろうが、その変換プロセス（化学的にいえば急激な酸化）だけでは、この巨大な星の熱と光を生みだすだけの十分なエネルギーを放出できない（炭素１グラムが燃焼すると30ジュール、水素１グラムが燃焼すると１１３ジュールのエネルギーが放出される）。熱力学の始祖のひとりであるドイツの医師・物理学者ユリウス・ロベルト・フォン・マイヤーは１８４８年に発表した論文で、太陽の熱は表面に衝突してくる隕石《いんせき》のエネルギーから生じているという（間違った）結論を述べた。そして、やはりドイツの物理学者のヘルマン・フォン・ヘルムホルツが、重力エネルギーを熱に変換しているのではないかという説を発表した。重力に引っ張られて、太陽の外側の層が内側へと動き、太陽がゆっくりと収縮していくと、その落ちていくエネルギー（重力エネルギー）がエネルギー源になり、太陽が明るく、きわめて高温になると考えたのである。太陽の直径（約１３９万３０００キロメートル）が１年ごとに40メートル収縮した場合、人類が数千年にわたって観測を続けたところで、それは気づかないほどわずかな動きにすぎないだろう。それでも、19世紀半ばに太陽が放出していたエネルギーを生みだすには十分だろうし、10^{15}秒間ほど、つまり３０００万年以上にわたってエネルギーを生みだすにも十分なはずだ、と。

　これはあきらかに、地球が誕生してからの時間をだいぶ短くして計算されていた。同時代の地質学や生物学の研究者たちは、地球や生物の進化のスパンはそれよりもはるかに長くないと辻褄《つじつま》があわないことを示していたからだ。生物は長い時間をかけて進化を遂げてきたとダーウィンは主張したが、物理学者たちの主張とは相容れなかった。ということは、ダーウィンの説にはやはり無理があるのだろうか（実際のところ、ダーウィンは死ぬまで弁明できなかった）。それとも、物理学者たちが間違った説明をしているのだろうか。その後、放射線の研究が進み（１８９６年にアンリ・ベクレルが放射線を発見したのが始まり）、太陽の年齢が約50億年と推測されるようになると、太陽のエネルギー源は重力エネルギーであるという仮説が成り立たないことがわかり、とんでもなく長い期間、持続する反応とはなにかを解明する研究が始まった。

　１９２０年代、イギリスの天体物理学者アーサー・エディントンが、恒星は核融合と、電子と陽電子の対消滅《ついしょうめつ》によってエネルギーを得ているという仮説を立て、恒星の内部はそうした反応を起こせるほど高温であると述べた。そして１９３０年代に入ると、ついに核物理学の進歩により、太陽が核反応によって放射線を放出することがあきらかになり、その10年後には、核反応のプロセスもわかってきた。もっとも可能性が高いと思われていたシンプルなプロセスは、２個の陽子の融合から始まり、重水素（デューテリウム）ができるという説で、１９３７年に物理学者カール・フリードリヒ・フォン・ヴァイツゼッカーが仮説を述べ、その後すぐに物理学者チャールズ・クリッチフィールドとハンス・ベーテが実験をおこない、この説が正しいことを立証した。この反応により、陽電子とニュートリノも放出され、重水素はほかの陽子と融合してヘリウムの同位体を生成し、最初の反応で生じたものより１桁大きいエネルギーを放出するのだ。

　さらにベーテは、もうひとつの反応についても説明した。炭素と水素が融合して窒素の同位体とガンマ線を生成し、最後には窒素と水素の同位体が炭素とヘリウムを生成するというサイクルを示したところ、この研究を認められ、１９６７年にノーベル物理学賞を受賞した（図４・７）。炭素と窒素は触媒としてのみ使用され、この反応により４個の水素原子核が結合して１個のヘリウム原子核ができる。１９３８年、ベーテは「炭素－窒素サイクルが太陽内部における適切なエネルギー生成に寄与

図 4.7　ハンス・ベーテ（1906 ～ 2005 年）は、太陽の核融合反応を説明し、ノーベル物理学賞を受賞した。出典：Los Alamos National Laboratory

している」ことを発見した。このように陽子－陽子連鎖反応（ｐｐチェイン）で水素をヘリウムに変換する核融合は、絶対温度が１３００万ケルビンに達したときに初めて生じ、絶対温度が１５００万ケルビンを超すと炭素－窒素サイクル〔訳注：現在はこのサイクルに酸素もくわわるとされ、ＣＮＯサイクルと呼ばれている〕が繰り返されるようになる。

　太陽核で起こる反応は、地上の気圧の約２５００億倍という高圧状態で進み、毎秒４３０万トンの質量を減らし、３・89×10^{26}ジュールのエネルギーを放出している。このエネルギーは急速に熱に変換されて外部に運ばれ、光球面〔訳注：可視光線を放つ層〕で1平方メートル当たり約64メガワットのエネルギーを放出する。この放射エネルギーはほとんど吸収されずに地球の軌道に到達し、地球の大気圏の上端で垂直に入射する太陽エネルギー量（太陽定数）は、1平方メートル当たり約１３７０ワットだ。

　さて、こうして長々と太陽内部での核融合について説明してきたのは、制御核融合を実現させようという努力は、太陽が膨大なエネルギーを放出する極限状態を地球で再現し、その結果生じた熱を発電に利用しようという試みにほかならないからだ。

商用化への道筋

太陽の核融合を1回かぎりの形で再現し、ほぼ瞬時にエネルギーを放出する試み——すなわち未曾有の爆発力の源として核融合を利用すること——は、ベーテが１９３８年にその仕組みを解明してからわずか14年後におこなわれた。１９３８年の時点では、ベーテと、その他の著名なアメリカ人物理学者（ロバート・オッペンハイマーを筆頭に、アーネスト・ローレンス、グレン・シーボーグ、フィリップ・アベルソン）、そしてヨーロッパからアメリカに逃げてきた科学者たち（エンリコ・フェルミ、レオ・シラード、ジョン・フォン・ノイマン、エドワード・テラーなどが有名）は、わずか数年後に重元素の核分裂を利用した世界初の核兵器の設計と製造に協力して取り組むことになろうとは思ってもいなかった。そして１９４２年、国家軍事プロジェクト「マンハッタン計画」が本格的に始まり、ベーテが理論物理学部門の責任者となり、１９４５年7月、史上初の核分裂兵器の実験がおこなわれ、8月6日に広島に、9日には長崎に、それぞれ原爆が投下された。

その頃には、すでにエドワード・テラーとエンリコ・フェルミは核融合爆弾だけでなく、核融合反応の制御の可能性についても考えており、6年後にはテラーが物理学的に重要な設計の問題を解決し、ついに１９５２年、アメリカは史上初の水素爆弾の実験をおこなった（重量が74トンもある固定した装置を利用した）（図4・8）。ソ連の物理学者たちは、１９５５年11月に初の熱核兵器（ＴＮＴ換算〔訳注：トリニトロトルエン火薬の質量への換算〕で１６０万トン）実験をおこなった。その後は米ソともに、いっそう強力な兵器を製造していったが、アメリカは１９５４年に核出力15メガトン相当の水爆

図 4.8　エドワード・テラー（1908 ～ 2003 年）とアメリカが実施した史上初の水爆実験。出典：Lawrence Livermore National Laboratory; Comprehensive Nuclear-Test-Ban Treaty Organization

実験を実施したあと、実験を中止したのに対し、ソ連は１９６１年10月に核出力58メガトン相当の実験をおこなっている。ベーテが核融合反応のプロセスを説明してから20年も経たないうちに、恒星内部での核融合を再現し、数百万人規模の都市でさえ瞬時に破壊できる前代未聞のパワーとエネルギーをもつ兵器を製造できるようになったのだ。

　前述したように、アメリカにおける核分裂反応の商用化は、これまでと同様に兵器としてか、潜水艦の動力源として設計された加圧水型原子炉として利用する方法で進展してきた。いっぽう核融合反応に関しては、商用化への道筋が核分裂反応とは大きく異なる。核融合反応を利用した水素爆弾は、産業や宇宙で役立つ熱を発生させる、発電に利用するなど、ほかの目的で活用することができないのだ。そのために必要となるのは、核融合が生じるまでの長時間、プラズマを閉じ込めておく容器だった。プラズマとは、超高温下で気体の分子の原子核から電子がはがれ落ちて電離し、不規則に運動している状態を指す。核融合を制御するもっとも簡単な（あくまでも相対的に「簡単」という意味での）方法は、水素のより重い同位体である重水素と三重水素、すなわちデューテリウムとトリチウムを核融合させて、ヘリウムの同位体をつくる方法だ。

　核融合に必要な温度では、水素の同位体はプラズマの形で存在する。重水素と三重水素の原子核を融合させるには、少なくとも10キロ電子ボルト（1万電子ボルト）という莫大な量のエネルギーが必要になる。１電子ボルトが１万１６０６ケルビン（絶対温度）なので、これは摂氏約1億１０００万℃以上に相当する。まず、重水素原子2個を核融合させると、三重水素1個と陽子1個が生成され、$^{2}\mathrm{H}+{}^{2}\mathrm{H}\rightarrow{}^{3}\mathrm{H}+\mathrm{p}$となる。次に、べつの重水素と三重水素が互いに高い運動エネルギーで融合し、ヘリウム４（高エネルギーのアルファ粒子）とさらに高エネルギーの中性子を生成して、$^{2}\mathrm{H}+{}^{3}\mathrm{H}\rightarrow{}^{4}\mathrm{He}+\mathrm{n}$となる。ヘリウムは、この核融合で生じる全エネルギーの20％を生みだしており、ヘリウムが十分なエネルギーを供給すると、プラズマは外部からエネルギーを得なくても高温を維持する（自己加熱する「燃焼」プラズマの状態）。

　中性子は、核融合で生じるエネルギーの80％をもってプラズマから飛びだし、その中性子がべつのところで吸収されて熱が生じ、最終的に化石燃料を利用した大型発電所（蒸気タービンで発電している）と同様の発電をすることができる。制御核融合に必要な2種類の元素は豊富にある。重水素は海水（海水1立方メートル当たり33グラムの重水素が含まれている）とリチウムから分離できる。軽金属のリチウムはバッテリー用の需要が高いものの、その埋蔵量（２０２０年には１７００万トン近くある）は、近年のレベルで約２００年分の採取に足る。しかし、将来の核融合プラントでは、自然界ではきわめて希少な同位体である三重水素（宇宙線と大気の衝突により大気中で生成される）を自力でつくる必要がある。この三重水素は、閉じ込められたプラズマの周りを囲むリチウムのブランケットのなかで中性子を取り込み、その核反応により生成される。

　核融合が可能になる高エネルギー原子核衝突を実現するには、超高温の維持、核衝突の確率を十分に高められるだけのプラズマ密度の維持、熱を絶えず発生するために必要なプラズマの長時間維持という三つの条件を満たさなければならない。どれも高いハードルではあるが、制御核融合の研究が始められた当初は、大勢の物理学者たちが比較的早い時期にこのハードルを越えられるだろうと考えていた。実際、１９５５年にジュネーブで開催された第一回原子力平和利用国際会議で議長を務めたインドの核物理学者ホミ・J・バーバは、開会のスピーチで「核融合のエネルギーを制御して放出する方法が、今後20年のうちに発見されるであろう」と述べている。

注目すべき実験

これは、核融合に対する数々の誇張した予想のひとつにすぎないが、１９５０年代には注目すべき実験がいくつかおこなわれた。なかでも有名なのは、１９５１年に制御核融合の研究を開始したソ連のクルチャトフ研究所での実験だった。

ソ連の物理学者の多くは、核融合で高温プラズマを閉じ込めるには「磁場閉じ込め方式」がもっとも成功しやすいと考えていた。これには数々の複雑な手順を踏む方式もあるが、彼らが好んだのは、きわめて強力な磁石でプラズマを真空容器に閉じ込める方法で、（ドーナツ型の）筒状のトロイダル磁場コイルを用いた。１９５０年代初頭にイーゴリ・タムとアンドレイ・サハロフの貢献により研究が発展し、プラズマ閉じ込め方式の熱核融合実験炉の設計（１９５０年代後半に初の実験がおこなわれた）は、トカマク方式として知られている。これはロシア語で磁気コイル付きトロイダル磁場を指す ***to****roidal'naya* ***ka****mera s* ***ma****gnitnymi* ***k****atushkami* の頭文字と2文字目をとった頭字語である。

ほかにも、１９５０年代の注目すべき実験炉の設計のなかには、アメリカの天体物理学者ライマン・スピッツァーのステラレータ（らせん状にコイルを容器に巻きつけ、ねじれた磁力線の磁場を発生させてプラズマを制御する）やZピンチ（磁気圧によりプラズマを圧縮する）などがある。１９５０年代から１９６０年代にかけて、より高いプラズマ温度の実現は遅々として進まなかったが、１９７５年にはソ連の最高性能トカマク型実験炉で１０００電子ボルト（約１１６０万ケルビン）というプラズマ温度に達し、そのわずか3年後には８０００電子ボルト（約９２８０万ケルビン）に到達した。こうして制御核融合の研究は成長産業へと変貌を遂げた。アメリカでは、ロスアラモス国立研究所、ローレンス・リバモア国立研究所、オークリッジ国立研究所、ローレンス・バークレー国立研究所、サンディア国立研究所といった大規模な政府系研究所、そして大学（マサチューセッツ工科、コロンビア、プリンストン、カリフォルニア、テキサス）、複数の民間企業が研究に参加しているが、その規模は世界の磁場核融合研究の6分の1ほどにすぎないうえ、資金の多くはＥＵ（約40％）と日本（約20％）に頼っている。１９７０年以降、約60の大規模な制御核融合の設計概念が生まれ、アメリカ、ロシア、日本、ＥＵに１００を超える実験施設が建設された。

マスメディア報道の誤り

こうした努力はつねに二流メディアの関心を呼び、実験の進展が発表されるたびに注目を浴びた。たしかに、注目したくなるのも無理はない。核融合は究極のクリーンエネルギー源であり、無尽蔵で、持続可能で、二酸化炭素を排出せず、いつでもどこにでも施設を設置できると説明されてきたのだから。つまり、必要に応じて利用できる「ボトルのなかの太陽」のようなものだと言われてきたのである。さらに近年、温室効果ガス排出が問題視されるようになると、注目はいっそう高まった。もちろん、核融合によって二酸化炭素やメタンを排出することはないが、残念なことに、制御核融合の実験に関するマスメディアの報道は、ふたつの点でつねに誤りがある。第一に、ほんの少しの成果を「ブレイクスルー」と呼び、もちあげること。第二に、そして重要なことに、そうした「ブレイクスルー」とは、制御核融合がたんなる机上の空論ではなく、実現に向けてわずかに実験が成功しただけであり、熱と電気を発生させるために広く展開できる方法の商用化への道が拓けたわけではないことを、明確に伝えていないことだ。

　少し身をいれて調べれば、こうした報道はすぐに見つかる。では、ここ40年ほどのあいだに英語で報道された例をいくつか紹介しよう。１９７８年のサイエンス誌、「核融合のブレイクスルーが発表されるたびに、メディアが大騒ぎすることが判明」。１９８５年のサイエンス・ダイジェスト誌、「ブレイクスルーが核融合の実現を近づける」。１９８９年のサイエンス誌、「核融合のブレイクスルー？.」。２０１２年のザ・ヒル紙（アメリカの政治専門紙）、「核融合のブレイクスルーは、アメリカのエネルギーと産業界の新時代の幕開け」。２０１５年のサイエンス誌、「詳細を明かそうとしない核融合開発企業が原子炉のブレイクスルーを主張」。２０２１年のクラリオンニュース、「核融合時代がやってくる」。２０２１年のマサチューセッツ工科大学サステナビリティ・オフィス、「ボトルのなかの太陽」。

この「ボトルのなかの太陽」というタイトルのニュースリリースでは、マサチューセッツ工科大学と共同研究を進めるコモンウェルス・フュージョン・システムズの研究者たちが開発した世界でもっとも頑丈な高温超伝導体の実証実験が報告されている。この種の進展が見られた際には、報道は最新の成果を伝えて終わりというわけにはいかない。よって、この実験は「脱炭素発電への道を切り拓くブレイクスルー」であり、「核融合炉の実用化に一歩近づく」、「そう遠くない将来、世界のエネルギーシステムを一新し、気候変動を遠ざける競争において優位に立ち、前例のないテクノロジーを入手できるという希望」を抱かせるものなのだ。さらに大げさなコメントもあった。マサチューセッツ工科大学プラズマ科学・核融合センターのデニス・ホワイト所長は、「この磁石は核融合科学とエネルギー、双方の軌道を変えるだろうし、ゆくゆくは世界のエネルギー情勢を一変させると、われわれは考えている」と言い切ったのだから。

また、２０２１年にはアメリカの国立点火施設（ローレンス・リバモア国立研究所にある核融合実験施設）で、巨大な高出力レーザー装置から出力したレーザーパルスをごく小さなターゲットに集中して照射し、１京《けい》〔訳注：１０００兆の10倍〕ワットを超えるエネルギーを発生させ、ミニチュアのホットスポットをつくりだすことに成功した。ところが、レーザーを照射したのはわずか１００兆分の１

秒で、投入したレーザーのエネルギーとほぼ同じ量のエネルギーしか得られなかった。それでも、この2021年8月の実験では、以前（2018年）の実験と比較すると25倍のエネルギーを生みだしたため、研究者たちは「核融合点火が射程内に入ってきた」と胸を張った。この研究では、核融合反応を起こすために「慣性閉じ込め方式」（重水素と三重水素を満たしたカプセルにレーザー、あるいは荷電粒子ビームを照射して圧縮し、爆発的に核融合反応を点火させる）を採用しており、磁場閉じ込め方式に代わる可能性があると見られていたが、これまでのところ、その進展は遅々としている。

実際どこまで進んでいるのか

メディアのこのような大げさな言い回しや過剰な宣伝文句はさておき、実際のところ、核融合の開発はいったいどこまで進んでいるのだろう？　この問いに答えるには「エネルギー増倍率」（Q値）に着目すればいい。Q値とは、重水素と三重水素を利用した核融合による熱出力と、プラズマを加熱して核融合反応を起こすために投入するエネルギーの比率である。よって当然、Q値＝1が損益分岐点となる。核融合炉設計の歴史は、このQ値が上昇してきた軌跡をなぞればいい。これまでのところ、最高のQ値は0・67で、イギリスにある欧州トーラス共同研究施設（JET）のトカマク型核融合実験装置が達成した。またフランスでは史上最大規模の国際熱核融合実験炉（ITER《イーター》）が建設中で、Q値が損益分岐点に達するだけではなく、1を大幅に上回ることを目的としている。この国際協力プロジェクトが発足したきっかけは、1985年にジュネーブで開催された米ソ首脳会談〔訳注：アメリカのレーガン大統領とソ連のゴルバチョフ共産党書記長が会談し、核兵器削減などについて協議し、核融合研究開発推進に関する共同声明を発表した〕にさかのぼる。その後、2006年にITER建設の協定が結ばれ、2010年に南フランスのカダラッシュで建設が始まった。このプロジェクトにはEU、日本、ロシア、

図 4.9　完成すれば（完成予定日は変わりつづけている）、世界最大の核融合装置となる予定の ITER トカマク型核融合実験炉。出典：Image © ITER Organization, http://www.iter.org

アメリカ、中国、インド、韓国の7極が参加している（図4・9）。

トカマク型核融合炉の例に漏れず、ITERには中心ソレノイドコイルがあり、ドーナツ状の真空容器の周囲をトロイダル磁場コイルとポロイダル磁場コイルがそれぞれ垂直と水平に巻かれている。このドーナツ状のものが半径6・2メートル、容積830立方メートルのプラズマ用真空容器で、閉じ込めた磁場の強さは5・3テスラ、核融合出力500メガワット（熱出力）だ。この熱出力はQ≧10に相当し（水素プラズマを約1億5000万℃に加熱するには50メガワットのエネルギー投入が必要）、核融合炉の連続運転に必要な核燃焼プラズマを世界で初めて実現すると謳っている。ITERでは400秒から600秒間、燃焼プラズマを発生させることを目標としており、これは実際に稼働する核融合発電所の実現の可能性を示すのに十分な時間である。しかし、ITERはあくまでも投入したエネルギーを上回る「正味エネルギー」生成の実現の可能性を実証し、もっと大規模で、最終的には商用化できる核融合設計の基盤を築くことを目的としていることを忘れてはならない。実際にエネルギーを生みだす原型炉製造を目的としてはいないのだ。

ＩＴＥＲの運転開始は当初、２０１６年を予定していた。だが２０１２年には、最初のプラズマ点火予定が２０２０年に延期され、２０１６年６月にはそれがまた２０２５年12月（三重水素を用いた最初の運転は２０３５年）に延期された。だが、本格的な運用開始がいつになろうと、ＩＴＥＲが発電に利用できる熱出力を得ることはないだろうし、核融合反応を繰り返すこともないだろう。というのも、正味エネルギーを得られるのは、核融合による熱出力と、プラズマを加熱する投入エネルギー（50メガワット）の比率Q値が1を超えるときだけで、施設全体で消費する電力量は計算に入れていないからだ。ＩＴＥＲの施設全体の電力消費量は約３００メガワットになると考えられ、その大半は超伝導磁石をマイナス２６９℃まで冷却し、15メガアンペアのプラズマ電流を生成するうえで必要な極低温環境をつくりだすために割かれている。

制御核融合によって放出された熱エネルギーは、発電のために利用することを目的としている。従来の熱交換システムは、核融合炉から適切な量の熱を取りだし、水を加熱し、発生した水蒸気を大型発電システムに供給するというプロセスを経た。この１４０年ほどの歴史ある熱交換の効率は着実に改善しており、超臨界圧〔訳注：超臨界圧において水は加熱によって沸騰をともなわず連続的に蒸気に変化する〕で駆動する最新のタービン発電機では、高温の熱の40％以上を電気に変えることができる。したがってＩＴＥＲが実際に発電所として稼働し、その熱効率が40％と仮定した場合、投入した５００メガワットの熱エネルギーを２００メガワットの電力に変換するため、そこからＩＴＥＲの施設全体の電力消費量約３００メガワットを引くと、正味エネルギーは１００メガワットの損失となる。つまり、現在の、あるいは将来の発電法の一手として競争力のある核融合炉を運用し、商用化するには、いまよりもかなり高いQ値を実現しなければならないのだ。

では、いったいそれが実現するのはいつになるのだろう？　ＩＴＥＲが20年間、実験段階での運転を続けたあと、後継機である原型炉ＤＥＭＯ《デモ》の建設を始める予定だったが、その時期もＩＴＥＲ完成の遅延により延期となっている。２０１２年にＩＴＥＲが計画した当初のスケジュールでは、原型炉ＤＥＭＯは２０４０年代前半に運転を開始することになっていたが、２０１７年には、楽観的に見たとしても、その時期は２０５４年になると発表された。また、国によってそのスケジュールは異なり、インドと韓国はＤＥＭＯの建設着工を２０３７年としているいっぽう、ロシアとアメリカは２０５０年、またはその数年後に核融合中性子源プロジェクトＤＥＭＯ－ＦＮＳを開始するという目標を掲げている。本当にこれほどのスピードで開発が進むのであれば、２０６０年には世界のエネルギー消費量の約１％を核融合で供給できると謳う試算もある。

ＩＴＥＲ以降の予測には、技術上の不確実性があるにもかかわらず、投資者に対する約束が織り込まれている。そして、核融合が実際に利益をあげるまでにさらに30年から35年かかるという一般的な予測は、１９５０年代から続く「30年後には成功する」という予測と変わらない。この70年で、世界は制御核融合の開発に少なくとも６００億ドル（２０２０年のドルで換算）を費やしたが、核融合はおそらく歴史上類を見ない蜃気楼《ファタ・モルガーナ》であり、その姿はつねに遠ざかっている。なにしろ、いつだって「30年後には実現できる」と言われているのだから。私はこの、いつもはるか彼方にある予定日を目にするたびに、１９８０年代初頭に知己を得たマサチューセッツ工科大学の物理学教授で、プラズマ物理学の研究に生涯を捧げた故デイヴィッド・ローズが、核融合発電の商用化について私に語ったことを思いだす。いわく、「Q値を1より大きくするのは、困難という言葉では足りず、厄介きわまるものになるだろう」と。

もっとも厄介なのは、燃料容器の課題と、核融合のプロセスにおける大量の電力消費だ。まず、容器について説明していこう。重水素と三重水素の核融合で発生する中性子は固体容器にダメージを及ぼし、容器の鋼材が膨張、損傷、脆化《ぜいか》によってもろくなる。また、放射性廃棄物の単位質量当たりの放射能は、核分裂炉で生じるものよりはるかに小さいが、廃棄物の量は数倍も多く、永久的に使用できる最終処理場が必要になる。さらに核分裂炉とは異なり、核融合炉の場合、こうした容器の損傷や放射性廃棄物の大半が有用な発電をいっさいしなくても生じるのだ。次に、核融合炉では、ヘリウム液化冷凍装置、給水ポンプや真空ポンプ、三重水素の処理、その他のプラント、および磁場閉じ込め装置などで電力が消費される。よって、300メガワットの小型核融合プラントで120メガワット（熱効率40％）の電力を生みだしても、施設内の電力需要を継続してまかなうことはできない。もっと規模の大きい核融合プラントを実現できたときに初めて、定格出力に占める割合が小さくなり、ようやく経済的になるのだ。

それだけではない。この取り組みにかかる費用は、あくまでも推測の域をでない。当初、ITER建設費の見積りは50億ユーロと低かったが、2016年になるとITER機構長はプロジェクトが10年遅れ、少なくとも40億ユーロの予算超過となっていることを認め、その後の報告では総費用が150億ユーロに達した。さらに2018年にはアメリカのエネルギー省がITERのコスト見積りを約3倍の650億ドルとした。ITER幹部はその見積りを退けたが、2021年には新型コロナウイルス感染症拡大によるスケジュールの遅れとコスト超過を認めた。強化学習による制御を活用したとしても、実証炉（少なくとも3基は2040年以降に建設予定）のコスト見積りは、どんなに安く評価しても2000億ドルを下回ることはないだろう。

核融合炉発電の商用化までに、制御核融合に対する１９５０年から２０５０年までの支出の総額は２０００億ドルという額になるかもしれない。それでも、約束どおりに実証炉が稼働するのであれば、それほど悪い買い物ではない。２０００億ドルという金額はギリシャのＧＤＰにほぼ等しく、バイデン大統領が２０２１年に発表したインフラ投資計画で国の研究開発を強化するために投じるとした予算よりも少ないからだ。そして、もっとも現実的な観点から見れば、20年にわたって続けたあげく、混乱をきわめたアメリカの撤退とタリバンの完勝で終わったアフガニスタン戦争で費やした金額の10分の１にすぎない。

しかし、核融合の信者たちは、私がこれまで述べてきた遅延、難題、コストといった問題をまったく意に介さない。それどころか、新型コロナウイルスの世界的流行が始まった翌年、きわめて楽観的な主張がなされた。米国エネルギー省の元科学担当次官は、２０２１年９月、「核融合時代が到来したことを万人が認めるべきだ」と書いた。また２０２１年10月には、ニューヨーカー誌が「グリーン・ドリーム」というタイトルで「無限のクリーンエネルギー、ついに実現？」というサブタイトルの長い記事を掲載した。２０２２年初めには、ローレンス・リバモア国立研究所の物理学者を中心とする科学者グループが、慣性閉じ込め方式の爆縮を利用して実験室で核燃焼プラズマを生成し、これまでのあらゆる実験とは異なり、短時間でプラズマが点火状態を達成したと発表した。たしかに、これはレーザー照射による核融合を実現に近づける重要な進歩ではあるが、近い将来の商用化に近づいたわけではない。

常温核融合は科学か

制御核融合の取り組みに関して、これまでざっと説明してきたが、１９８９年までさかのぼらなければ、この話を終えることはできない。この年の初め、電気分析化学の専門誌ジャーナル・オブ・エレクトロアナリティカル・ケミストリーに掲載された短い論文と記者会見のなかで、制御熱核融合の研究におけるそれまでの数十年のニュースとはまったくの別物といえるほどの急進展を告げる出来事が報告された。ユタ大学のスタンリー・ポンズとサウサンプトン大学のマーティン・フライシュマンという2人の物理学者が、試験管のなかで重水素原子核を室温で融合させることに成功したと発表したのである。重水を満たした試験管にパラジウムと白金の電極を入れて電気分解をおこなったところ、パラジウムに多くの重水素原子が吸収されたため、原子核の一部が融合して正味エネルギーが生じ（電気分解のために投入したエネルギーを上回った）、中性子とガンマ線も検出された、と。これはあきらかに恒星内部のような条件下でのみ達成可能なプロセスだと考えたマスコミは、すぐにこれを「常温核融合」と呼びはじめた。

その後、マスコミがこの件を大きく騒ぎたてたことや、このセンセーショナルな発見を再現しようとする実験が広くおこなわれたことに、あらためて触れる必要はないだろう。この年の末には、専門家チームが米国エネルギー省に対して、これ以上、常温核融合の研究に資金を投入しないように忠告した。この常温核融合という研究分野はいま、低エネルギー核反応（ＬＥＮＲ）として知られており、最近（２０１９年）の多施設評価（過去に常温核融合を切って捨てたのは時期尚早だったのではないかという可能性を考慮しておこなわれた）では、次のように結論を要約した。「われわれの調査によれば、そのような効果があるという証拠はいまのところいっさいない」と。そして評価の副産物として、「この未知のパラメータ空間には、まだ多くの興味深い科学が残されている」ことを認めたが、それは現代科学におけるほかの無数のテーマについても当てはまる。しかし、２０２１年10月に開催された国防高等研究計画局の会議ではじつに楽観的な発表があり、「低エネルギー核反応は生じているし、実際に核反応をともなっている」ため、実験結果は「実用化の可能性を示唆している」と結論づけられた。

　低エネルギー核反応の信奉者たちは毎年新たな論文を次々に発表しており、その多くが、自分たちの研究は「病的科学」〔訳注：アメリカの物理化学者アーヴィング・ラングミュアが事実ではない事柄に関する科学を「病的科学」と呼びはじめた〕（ネイチャー誌でサイエンス・ライターのフィリップ・ボールが低エネルギー核反応を実際にそう表現した）には当てはまらない、重水とパラジウム電極と白金電極という簡単な仕組みだけで人類に無限のエネルギー源を供給できるようになれば、結局は自分たちの正当性が認められるだろうと主張している。しかし、このような主張は30年以上も続いているにもかかわらず、説得力のある証拠はまだひとつもないのが厳然たる事実だ。仮にそうした証拠が見つかったとしても、高温での熱核融合で得た教訓をかんがみれば、常温核融合の最終的な商用化の時期を示す前に、きわめて懐疑的な見方をするのが当然の分別というものだろう。高温であろうと常温であろうと核融合が実用化される日を、私たちはいまだに待ちわびているのだ。

第5章　テクノロジー楽観主義、誇大な謳い文句、現実的な期待

本書を執筆したのは、いたってささやかな目標があったからだ。発明における成功とは、私たちが連綿と努力を続けてきた結果のひとつにすぎないことを、みなさんの頭の片隅に留めておいていただきたいのだ。当初は世間に受け入れられていた発明が失敗する例もあれば、「この発明が市場を支配する」という大胆な夢がいつまでたっても実現しない例もある。数世代にわたって（ときには度を越えた努力を続けて）開発に取り組んだところで、数十年が経過しても思い描いていた商用化に近づかない例もある。さらに、過去の厳然たる事実を否定する主張がいくらでてきたところで、今後、その事実はまた繰り返される可能性が高いことも忘れてはならない。昨今、ベストセラーとなっている書籍では「新たな発明による進歩がますます加速化していく」という見解が詳述されているが、本書の最終章では、そうした見解の誤りを事実を列挙して指摘し、この比類なきイノベーション時代の進歩について誇張がすぎる主張を論破していきたい。現代の技術の進歩を真摯に学ぶ者にとって、こうした世間の風潮に警戒をうながす姿勢をもつのは当然であり、そこから基本的な教訓をいくつか学ぶべきなのだ。

第一に、あらゆる大きな進歩、広く普及した技術には、なにかしら懸念すべき点があるということだ。当初は賞賛ばかりされていて、望ましくない結果が明確でなくても、だいぶ時間がたってから問

題が浮上してくる場合があるのだ。たとえば有鉛ガソリンやクロロフルオロカーボン類は当初からその危険性が知られていたものの、商用化されて数十年たってから、望ましくない結果がともなうことがあきらかになった。つまり、当初の懸念があとになってから現実になった典型例だ。

第二に、商用化を最優先にしたり、便利ではあるものの、あきらかに最善の技術ではないものを導入したりすると、長期的に見れば成功をもたらさないということだ。発電の商用化を急ぐあまり、原子力潜水艦の原子炉を結局は「引きあげ」ざるをえなかった歴史がその事実を明示している。

第三に、ある発明が最終的に受け入れられるか、社会に適合するか、商業的に成功するかは、その開発と商用化の初期段階では判断できないということだ。ましてや、たとえ世間へのお披露目がすんだとしても、まだ実験や試行段階にある場合はなおさらだ。飛行船や超音速旅客機をあわてて商用化した例を見れば、それがよくわかる。

第四に、その発明にきわめて困難な課題がともない、たとえ潤沢な資金を得て根気強く開発を続け、数十年の努力を重ねても成功する保証がないのであれば、懐疑的な態度をとるべきであることだ。制御核融合を成功させようとする努力を見れば、そうした試みがどのような末路をたどるか、一目瞭然だろう。

ところが、現実を知り、過去の失敗や教訓となる経験から真摯に学ぼうとする姿勢は、たとえそれが謙虚な姿勢であろうと、現代社会ではますます受け入れられなくなっている。それどころか科学的な教養のない、ときには計算さえ苦手な大勢の人たちが新発明に関する大げさな謳い文句に毎日のように触れているのが現状だ——「ブレイクスルー」という表現は誇張がすぎるというのに。最悪なのは、現代社会を「一変させる」であろう根本的な変化が、あるいは流行の言い回しでいえば既成概念を「ぶっ壊す」ほどの変革がすぐにも起こるという、あきらかに虚偽の見通しを広めるうえで、ニュースメディアが一役買っていることだ。このような状況こそ、「ポスト真実《トゥルース》」〔訳注：客観的な事実よりも個人の感情に訴えかけて世論を動かすこと〕の社会であるという表現は、残念ながら、それほど誇張した物言いではない。

「ブレイクスルー」ではない「ブレイクスルー」の数々

「ブレイクスルー」と呼べる発見、および、その開発のスピードや社会に及ぼす影響の大きさに関する誤った情報が世間にあふれていることを考えれば、この疑わしいジャンルの発明を体系立てて説明しようものなら、長々しく退屈な内容になるだろう。よって本章ではまず、こうした謳い文句があるジャンルの幅の広さについて指摘していきたい。その内容は「惑星の植民地化」から「思考へのアクセス」までと規模はさまざまだが、実現する時期の見通しや詳細に関する謳い文句を見れば、どう考えても不可能なことがわかる。

テラフォーミングからブレイン・コンピュータ・インターフェースまで

２０１７年、次のような予想が発表された。２０２２年には火星植民地化を目的とした最初の飛行がおこなわれ、その後すぐに火星を「テラフォーミング」する（大気をつくりだして居住可能な世界にする）準備をととのえ、やがては人類による大規模な植民地化が進むだろう、と。ＳＦの設定なら、これは古くからあるネタで、独創性のかけらもない寓話である。実際、多くの作家がこの設定をとりあげてきた。なかでも、１９５０年に『火星年代記』を発表した作家のレイ・ブラッドベリほど、想像力豊かに表現した作家はいない。とはいえ、火星の植民地化は実際の科学技術の進歩の予測や説明としては、完全におとぎ話である。ところが、長年、メディアが大真面目に繰り返し報じてきたせいで、妄想にすぎない火星地球化計画がスケジュールどおりに進行しているかのような印象を与えているのだ。

さかんにもちあげられているこうした発明の規模は大小さまざまで（火星地球化から神経回路の再編まで）、サイズの小さいほうの代表例が、機械と人間の脳をつなげる「ブレイン・コンピュータ・インターフェース」（ＢＣＩ）だ。ＢＣＩはこの20年ほどで研究が進んできた技術で、特定の神経細胞《ニューロン》をターゲットにして、脳のなかに直接、小型の電子装置を埋め込み、脳とコンピュータなどとのインターフェースをとる（頭部やその周辺をいっさい傷つけずにセンサーを装着する非侵襲式の方法では、侵襲式ほど正確に脳の信号を読み取ることができない）ため、倫理的にも身体的にもさまざまな危険や不具合がともなうのは目に見えている。しかし、ＢＣＩの進歩に関するメディアの報道を読むかぎり、そうした事実はいっさい伝わってこない。

これは私個人が感じた印象ではなく、２０１０年から２０１７年にかけて発表されたＢＣＩに関する４０００件近いニュース報道を詳細に検証した結果、得た結論である。その評決は明確だ。メディアは過剰に好意的な報道をしただけではなく、その大半がＢＣＩの可能性についてとんでもなく誇張して表現する非現実的な推測だった（「聖書の奇跡が実現する」、「将来の活用法は無限大」）。それだけではなく、すべてのニュース報道の4分の1が、実現する見込みがきわめて低い極端な主張で占められていた（「ブラジルの東海岸の砂浜に寝そべったまま、火星の地表を移動するロボットを動かす」から「数十年後には不死が実現する」といったものまで）。かたや、こうした技術とは切っても切れないリスクや倫理上の問題についてはいっさい触れられていない。

「惑星を地球化する」、「脳とＡＩを融合させる」といった見込みを聞かされていれば、当然のことながら、こうした絵空事に比べれば地に足が着いているように感じられるイノベーションなら簡単に実現できるように思えてくる。たとえば近年、メディアは大々的に「２０１０年代には、完全な自律走行車が完成する」と、繰り返し報じてきた。いわく、２０２０年には人間がいっさい操縦する必要のない車がいたるところを走行し、運転者は走行中に本を読んだり、睡眠をとったりできるようになる。また、いま路上を走っている内燃機関を利用した車は、２０２５年にはすべて電気自動車に取って代わられるという報道もあった。この予測は２０１７年にはほぼ達成されたとして、またもや広く報道された。だが、現実を確認してみよう。２０２２年の時点で、完全な自律走行車は存在しない。世界の道路を走っている14億台の自動車のうち、電気自動車は２％ほどだが、じつのところ「グリーン」でもない。走行に必要な電力の大半を化石燃料の燃焼から得ているからで、２０２２年には、一般的な電力の約60％が石炭と天然ガスの燃焼によって得たものだった。

　そしていまごろはとっくに人工知能（ＡＩ）がすべての医療診断を引き継いでいるはずだった。なんといっても、コンピュータはすでに世界最強のチェスプレイヤーだけではなく、最強の囲碁棋士までも打ち負かしたのだから、ＩＢＭが開発した〈ワトソン〉のようなＡＩがすべての放射線診断医の職を奪うのは、それほどむずかしくないと思われたのだ。だが、現実を見てみよう。２０２２年１月、ＩＢＭはワトソン・ヘルス事業の一部を売却し、ヘルスケア事業から撤退することを発表した。どうやら、医師はまだ重要らしい！　また医療のデジタル化に関しては問題が山積していて、もっとも単純な作業であるカルテの電子化でさえ悪影響がともなう。スタンフォード大学医学部の研究者による２０１８年の調査によれば、回答した医師の74％が、電子健康記録（ＥＨＲ）システムを導入すると仕事量が増えると感じていた。さらに重要なことに、電子カルテ作成に時間を割かれるせいで、患者に対して実際に診察する時間が減っていると、医師の69％が述べている。また電子カルテを利用すれば、個人情報をハッカーに盗まれるリスクが生じる（病院への度重なるサイバー攻撃は「患者が診察料を支払うシステムを再開させたければカネを払え」と恐喝するのがいかに簡単であるかをよく物語っている）。そもそも、使い勝手の悪いシステムほどイライラさせられるものはない。なぜ、医師と看護師は例外なく驚異的な能力をもつタイピストにならざるをえないのだろう？　不調を訴える患者ではなく、パソコン画面に目を釘付けにしている医師を生む新たな医療モデルのどこに賞賛すべき点があるのだろう？

　こうしたリストはじつに広い範囲を網羅していて、リアルな3次元仮想空間で（アバターとして）新たな人生を歩めるようになるという稚拙な約束もある。この種の妄想が広がっていることをよく示す証拠は、２０２１年にフェイスブックが社名を「メタ」に変更したことだろう。人々がいずれ仮想空間《メタバース》での暮らしを好むようになると思い込んでいるのだ（このような推論をするにいたった考え方を表現するうえで適切な形容詞は見つからないが、この行動の説明にふさわしい名詞は「妄想」だろう）。もうひとつの「妄想」の明確な候補は、ＣＲＩＳＰＲという遺伝子工学のテクノロジーで可能になる驚異の技術で、標的とするＤＮＡの配列を改変するゲノム編集技術だ。だが、盛んにあおりたてる報道を見ていると、遺伝子改変が可能な世界が目の前にあるように思えてくる。そもそも、中国の遺伝子学者たちはすでに「ゲノム編集ベビー」を誕生させていたのに、イノベーションに理解がない官僚から待ったをかけられていたのではないだろうか？　それに、もうひとつ、近年の例を挙げよう。資産運用会社フランクリン・テンプルトンの２０２２年の広告は、「自分の服を育てる（訳注：微生物で生地をつくる技術を利用する）のが、自分の車を印刷するのと同じくらい簡単だったら？」と尋ねている。どうやら、３Ｄプリンターによる車の完成品の製造（実現していない）を、いまでは簡単に実現できる商用化の代表例と考えているらしい。だが２０２２年の時点では、大手自動車メーカーでさえ、生産ラインに必要な材料やマイクロプロセッサの調達に四苦八苦している。車を自宅のプリンターで製造できるはずがない！

新薬開発、長距離航空輸送、AI

こうしたリストは長々と続くが、ここでは発明のカテゴリーのなかでまったくべつの分野でありながら、近年、ひときわ目立っているものについて少し説明していこう。それは「新薬開発」、「長距離航空輸送」、「ＡＩ」だ。

医療における研究（それに関連する創薬）は、ブレイクスルー関連のニュースの常連となっている。現代の科学研究はたいてい競争が激化していて、巨額の資金が投入されているため、発見の報告は（たいていはまだ試験段階で）大学や組織のプレスリリースを通じておこなわれ、疑わしい主張が始まる。２０１４年、ブリティッシュ・メディカル・ジャーナル誌に掲載された５００件近いバイオメディカルや健康関連の科学的プレスリリースの40％に誇張された報告が見られたうえ、３分の１に誇張された因果関係の記述があり、リリースでの発表後のニュース記事の60％近くにも誇張が含まれていた。さらに驚くべきことに、いまではまったく根拠のない言い分までが事実として扱われ、信じられないことに、このような展開を防ぐのが責務であるはずの当局が、そうした言い分を事実として是認することさえある。

アメリカのバイオ医薬品大手バイオジェン社のアルツハイマー型認知症の治療薬〈アデュヘルム〉（一般名アデュカヌマブ）の顚末《てんまつ》はその代表例だ。２０２０年11月、アメリカ食品医薬品局（ＦＤＡ）の末梢《まつしょう》・中枢神経系薬物諮問委員会の11人のメンバーは、アルツハイマー型認知症の治療薬として、メーカーが提出した初期のエビデンスの有効性を検討することになった。その結果、この新薬に「イエス」を投票したメンバーはゼロで、10人が「ノー」に投票し、1人が「不明」とした——それなのに、その7カ月後、FDAは年間5万6000ドルという高額の価格設定を認可したのである。この治療薬は広く支持されている従来のアミロイドカスケード仮説（アミロイドβ《ベータ》タンパク質が脳に蓄積・沈着する）に基づいているが、この仮説そのものに疑問点も多い。この仮説は1984年に立てられたが、近年の抗アミロイド療法の臨床試験はいずれも完全な失敗といえる形で終わっている。

近年、アメリカの創薬のペースは加速化しているが、承認率に急激な増加傾向は見られない。1950年から1980年にかけて、FDAの年平均の承認確率は15％から20％と、それほど変動していなかった。1980年代には20％を超え、1996年には53％を記録し、2002年には17％まで下がり、その後は（やはり変動はあるものの）2018年に59％という新記録を達成した。2006年以降の上昇は歓迎され、そこには過去最多のBLA（バイオ医薬品承認申請）に対する承認も含まれていた。現在も主流であるNME（化学者が合成した新有効成分を含む医薬品）とは異なり、バイオ医薬品の大半は微生物（細菌や酵素）、植物、動物の細胞を培養したものから精製したタンパク質であり、関節リウマチや尋常性乾癬《かんせん》から一部のがんに至る疾患の治療に効果があることがわかっている。

遺伝子組換え技術を利用した初のバイオ医薬品である糖尿病治療薬〈ヒューマリン〉は1982年に承認され、2020年までに170以上のバイオ医薬品が入手可能になり、それらは大きく三つのカテゴリーに分類される。第一のカテゴリーはモノクローナル抗体で、異物である細胞に対する免疫系の攻撃を修復、増強、模倣するために抗体をクローン増殖させたものだ。モノクローナル抗体の最初の医薬品は急性移植拒絶反応を抑制するために承認されたが、抗がん剤や抗炎症治療薬がいまでは一般的であり、2020年にFDAは新型コロナウイルス感染症の治療薬としてふたつの化合物を承認した。ほかのふたつのカテゴリーのバイオ医薬品は（脂肪酸や複合糖質を分解する酵素が欠損している患者の）酵素の遺伝子の組換えや調節をおこなったり、細胞表面受容体の働きを阻害したりする（進行がんの治療に利用）。２０１３年まで、１年間に承認されるバイオ医薬品の絶対数は２〜６件で、ごくわずかな変動しかなかったが、それ以降は10件強となり、歓迎すべき増加ではあるものの、持続的かつ加速的な増加の傾向は見られない。

医学研究は多々ある研究開発の取り組みのひとつにすぎないが、真実とは思えないほど都合のいいプレスリリースが多い分野でもある。「実現が目前に迫っている」、「商用化もそう遠い話ではない」といった大げさな表現が、いまでは大衆に科学の進歩を伝える際の常套《じょうとう》手段となっているのだ。

いっぽう航空技術は、私が数十年にわたってその発展を注視してきた分野であり、同様の傾向があることを明確に示している。２０１７年、ボーイング社とアメリカの格安航空会社ジェットブルー社は、電動航空機を開発するズナム・エアロ社に出資し、２０２２年には「アメリカの空の旅を一変させる」と約束した。地方空港から離陸する小型（座席数９〜12）の近距離用の電動航空機を大量に導入すると謳ったのである。ところが、２０１９年にズナム・エアロ社は休眠状態となった。いっぽう、全電動式航空機を開発するイスラエルのエビエーション社ＣＥＯは、２０１９年６月のパリ航空ショーで全電動旅客機〈アリス〉を披露した。アリスは電気推進モーターを両翼端に１基ずつ装備している特異な設計の全電動旅客機で、座席数は９。ＣＥＯは「将来、もしかすると……ではなく、実際に運用可能である」と述べた。

ところが、運用可能ではなかった。２０２０年には試験飛行もおこなわれず、２０２１年には推進モーターが翼端から機体のうしろに移された。初飛行は２０２１年末、受注先への納品は２０２４年と約束されていたのに〔訳注：その後、２０２２年９月に初飛行に成功、２０２７年までの納品を目標にしている〕。また２０２１年11月8日には、ブラジルの航空機メーカー、エンブラエル社の副社長が、同社が座席数9〜50の航空機開発に4種類のコンセプトに基づいて取り組んでいると発表したところ〔流行のゼロカーボンの流れに後れをとっていると見られたくないのは一目瞭然だった〕、「エンブラエル社が持続可能な航空機の設計を4種類発表、新たな航空艦隊の発進」と報道された。だが、同社がこれまでにおこなったのは、２０３０年代という漠然とした時期に生産開始予定の水素燃料電池を搭載したハイブリッド電動プロペラ機4機の画像公開だけで、「二酸化炭素排出ゼロへの競争における先導役」になると証明するものではない。エンブラエル社はコンセプトデザインをいくつか発表して時流に乗ろうとしているだけなのに、メディアがそれを「新たな航空艦隊の発進」に仕立てあげたのだ。

　しかし、カリフォルニア州の水素燃料電池を搭載する航空機開発スタートアップの2社、ゼロアビア社とユニバーサル・ハイドロジェン社によれば、設計段階にはあるものの、いずれもその性能を証明する予定はほとんどないそうだ。ゼロアビア社は２０２３年までに座席数20の航空機に高性能の水素燃料電池を搭載すると約束している〔訳注：２０２３年1月に初飛行に成功〕。またユニバーサル・ハイドロジェン社は２０２２年9月までにグリーン水素〔訳注：再生可能エネルギーなどを使って、温室効果ガスを排出せずに、水を電気分解して製造した水素〕の燃料電池を搭載した座席数40の航空機〔燃料は「独自の軽量モジュラーカプセル」で供給される〕の完成を約束するだけでなく、大陸横断や大西洋横断といった長距離飛行が可能な航空機の開発まで計画している。後者はナローボディの〈エアバスＡ３２１〉と同じ乗客数だが、水素カプセルを搭載するため全長は9メートルほど長くなり、機体後部のスペースの3分の1ほどを占める。その構想はシンプルそのもの。「機体を少し長くして」、「軽量」な水素カプセル一式を搭載し、ジョン・Ｆ・ケネディ国際空港からパリのシャルル・ド・ゴール空港に飛べばいいだけの話。だが、そんなことが実現可能なら、どうして数十年も前にエアバス社やボーイング社がそのすばらしいアイデアを実行に移さなかったのだろう？　その答えは明々白々だ。また、現代の発明や技術進歩のカテゴリーで、ＡＩに関する記事ほどお粗末で役に立たないものはないだろう。２０２１年10月に発行されたＩＥＥＥ（米国電気電子技術者協会）の機関誌ＩＥＥＥスペクトラムのＡＩ特集記事（おもな寄稿はオンラインで閲覧可能）は、ＡＩが直面する課題やこれまでの失敗を見事に要約している。そもそも、ＡＩの能力や目標に関しては、その開発にたずさわっている人間でさえ誤解していることが多い。なにもこれは私が浅薄な知識で言っているわけではなく、カリフォルニア大学バークレー校の世界屈指のＡＩ研究者マイケル・Ｉ・ジョーダンがだした結論だ。彼は機械にできること、つまり人間と同程度の能力を仕事や作業で発揮したり、単純なレベルのパターンを認識したりすることについて言及したうえで、推論するうえでも、複雑な現実世界や社会の相互作用において人間の脳の代わりを果たすうえでも、ＡＩはまだ力不足だと指摘したのである。

　たしかに人間の五感では簡単に識別できないパターンや経路であれば、コンピュータはかなり初歩的な分析テクニックで察知し、記憶し、思い起こすことができるし、人間には不可能なスピードと規模でそれらを実行できる。たとえばＩＢＭがチェス専用に開発したスーパーコンピュータ〈ディープ・ブルー〉がチェスの世界王者だったガルリ・カスパロフに勝利をおさめたのも、数十万枚もの実際のＸ線画像で訓練を受けたプログラムが乳房組織のがんの病変部を識別するのも、この部類だ。だが残念ながら、ジョーダンが強調するように「テクノロジーの潮流に関する議論において、大衆はＡＩの意味を混同している。コンピュータのなかには知的思考のようなものがあり、その知性のおかげでテクノロジーが進歩し、人間と競いあうようになっていると誤解しているのだ。コンピュータに知的思考などできないのに、あたかもそんなことが可能かのように、人々は話題にしている」のが現状だ。

ニューラルネットワークとは、人間の脳内の神経細胞のネットワーク構造に似せてつくった数理モデルで、シンプルな処理をおこなう接点が相互に多層で接続されていて、コンピュータが訓練データを分析しながらタスクを学習する機械学習で利用されている。だが、その進歩の過程は複雑で、無数の——ときには致命的な——失敗に悩まされてきた。ニューラルネットワークは不安定で、特定のタスクには長《た》けているが、一般的な知性が大きく欠落しているため、みずからの「判断」を過信したり、自信がもてなかったりしやすい。また偏りがあるうえ（現実は学習アルゴリズムよりもはるかに複雑かもしれない）、過去に学んだことを忘れてしまう破局的忘却もあり、不確実性の定量化が苦手で、常識が欠如している。そしておそらくもっとも意外なことに、高校生がごくふつうに解ける数学の問題にさえ解答できないといった弱点があるのだ。

　さらに、画像認識や物の操作で非常に高い精度を達成できるようにＡＩシステムを訓練するには——とりわけ誤り率《エラーレート》を低くしたい場合——多大なエネルギーを投入しなければならない。ＡＩ開発を主導してきたエンジニアや科学者がじつに現実的な方法で「ＡＩにできることと、その課題」を3点にまとめて簡潔に評価しているので、紹介しよう。モントリオール学習アルゴリズム研究所の計算機科学者ヨシュア・ベンジオいわく、「いまのところ、2歳の子どもの知能レベルに近づいているとも思えない」。ニューヨーク大学の計算機科学者ヤン・ルカンいわく、「いま欠けているのは、機械が観察と相互作用によって世界の仕組みを学べるようにできる原理だ」。そしてランディングＡＩ社のアンドリュー・エンいわく、「すべてのＡＩには……そのコンセプトと実際の生産性にギャップがあるという証拠がある」。

　というわけで、結論はあきらかだ。ＡＩ開発の道は非常に多面的で複雑なプロセスであり、どれほどの進歩を遂げたかは数十年後、あるいは数世代後に評価されなければならない。比較的簡単なタスクに関してはめざましい成果をあげていても、プログラムされた機械の能力をはるかに超えた知能の領域がまだ残っているのが現状なのだ。しかし、『ＡＩと人類』のなかで著者のヘンリー・キッシンジャー（元アメリカ国務長官）、エリック・シュミット（グーグルの元ＣＥＯ）、ダニエル・ハッテンロッカー（マサチューセッツ工科大学のコンピュータ研究者）の３人は「今、新たな時代が始まろうとしている」と述べている。自律型兵器の登場によって紛争の予測が困難になり（あたかも、これまでは紛争の予測で大きな成功をおさめてきたような物言いだ！）、戦争をコントロールできなくなるため、世界最終戦争が近づくだろう、と。そのいっぽうでＡＩは「非常に役に立つ」ものであり、私たちの能力を増幅・最適化し、深層ニューラルネットワークを用いた学習から生まれる豊かで前例のない祝福の時代を到来させるという考え方がある。崩壊しつつある文明と、さらに魅力が増す未来のあいだで揺れ動く現代の論説では、手に負えないほどの複雑さがあるとか、不確実な結果がともなうとかいう指摘は好まれないのだ。

　よって現時点では、簡単に確認できる事実を拠り所にして、進歩と発明のスピードに対して単刀直入に疑問を投げかけ、「発明において広範かつ急速な指数関数的成長はまったく見られない」という私の結論を支持すべきだろう。幸い、これはさしてむずかしいことではない。１９６０年以降のコンピュータの処理能力と処理速度の進歩を、近代経済のほかの主要分野における進歩と比較するための情報は山ほどあり、評決はあきらかだ。半導体エレクトロニクスの進歩と、そのデバイスへの応用はじつにめざましく、パソコンから携帯電話、地球観測衛星、データや画像の処理まで、多様な分野で指数関数的かつ急速な成長が見られてきた。しかし、現代経済におけるその他ほぼすべての分野では、食料生産から長距離輸送に至るまで、イノベーションが加速化していることを示す証拠はいっさいないのである。

「加速化するイノベーション」という根拠のない説

イノベーションのペース、もっと一般的に考えればあらゆる成長のスピードを大勢の人が誤解している。「ある変数が指数関数的に増える」とはどういう意味かを、そもそも誤解しているからだ。「指数関数的成長」とは、かならずしも急速に成長していることを意味するわけではない。「直線的成長」とは同じ期間に同じ量が増えることを指すが、「指数関数的成長」とは同じ期間に同じ率で量が増えることを指す。よって、その率がきわめて低ければ、相当な違いがわかるようになるには長い時間がかかる。そこで次に、時間をかけて違いが生じる現実世界の例を紹介しよう。

21世紀最初の20年間、アフリカの人口は年平均約2・5%という比較的速いスピードで指数関数的成長を遂げた。つまり、2000年の約8億1100万人から2020年には約13億4000万人へと65%も増加したのだ。いっぽう、世界の栄養不良の子どもの多くはアフリカに暮らしている。そして牛乳は子どもの成長に欠かせないすぐれたタンパク質源だが、21世紀に入ってからの20年間で、アフリカの乳牛1頭当たりの乳量は年平均0・8%しか増えなかった。主食となる穀物の収穫量はもっと速いペースで増加し、年平均1・3%だったが、その増加率はアフリカ大陸の人口増加率の半分にすぎない。よって、人口増加に見合うペースで進歩が続くなどという話はありえないのだ。なにしろ、世界でもっとも人口が急増するいっぽうで、もっとも貧しいアフリカ大陸は、たった1世代のあいだに世界からどんどん後れをとっているのだから！　この点を念頭に置いたうえで、現実世界ではごくわずかな現象に影響を及ぼすにすぎない急速な指数関数的成長と、人間の活動や成果の大半に見られる、もっと一般的な低・中程度の指数関数的成長とを比較していこう。

急速な指数関数的成長

半導体エレクトロニクスの急速な指数関数的進歩ほど、発明のペースとイノベーションの普及に関する現代の考え方に影響を及ぼし、かつ、ゆがませたものはない。まずはトランジスタ（１９４０年代後半）から始まり、集積回路（１９６０年代初頭）、マイクロプロセッサ（その10年後）が誕生し、工業生産、輸送、サービス、家庭、通信への大量導入へと、やはり急速に広がっていったのだから。集積回路のシリコン基板にますます多くの素子を詰め込めるようになったことから、「漸進的な成長の時代から脱した」という確信が生じるようになったのである。このプロセスは、米インテルの共同創業者ゴードン・ムーアが半導体の集積率（部品の密度）は18カ月ごとに倍増すると述べたため（のちに「24カ月ごと」に訂正された）、「ムーアの法則」という名称で広く知られるようになった。実際、このペースで増加が続いた結果、１９７１年に発売された世界初のマイクロプロセッサIntel 4004と比較すると、２０２０年には7桁（１０００万倍以上）多い部品を集積したマイクロチップが誕生している。

　こうした成果は、オンライン決済システム（ペイパル）、ｅコマース企業（アリババ、アマゾン）、ソーシャルメディア（フェイスブック、インスタグラム、ツイッター改めX）といった電子データ処理を利用するビジネスの急成長を支える基盤となった。さらには、１９５０年代の14インチ型の白黒テレビ（かさばる箱のようなデザインだった）から、数百万種類もの色を表示できる80インチを超える薄型壁掛けテレビへの移行を、１人の人間が生きている期間に可能にした。また有線の固定電話（長距離通話をすると高額の料金を課された）から、会話ができるだけではなく、通勤時間に地下鉄車内で気軽に映画を観られるてのひらサイズの軽量なスマートフォンへの移行は、質的な違いがあまりにも大きく、有意義な質的比較分析すらできないほどの大飛躍だった。

もうひとつ、エレクトロニクスの急速な成長の代表例を紹介しよう。マイクロチップが登場する２年前の１９６９年７月、史上初の人類による月面着陸に成功したアポロ11号に搭載されていたコンピュータは、宇宙船を月面に誘導した。コンピュータの重量は32キログラムで（あきらかに持ち運びはできない）、重量１キログラム当たりのランダムアクセスメモリ（ＲＡＭ）の容量はたったの62バイトだった。かたや２０２２年、本書を執筆するために使用したデル社の一般的なノートパソコンは、持ち運びできる重量（約２・２キログラム）で、重量１キログラム当たり約３・５ギガバイトのＲＡＭを搭載している。つまり、性能が17億５０００万倍、向上したのだ。意外なことではないだろうが、こうしたとんでもない進歩――数字の桁数があまりにも多いので、私が10億単位ではなく１００万単位や１兆単位で記述していても、大半の読者は気づかないだろう――は比較的短期間で起こっていて、強烈な印象を残す。するとどういうわけか、私たちの生活に欠かせない重要な技術のなかで、変わらないものやわずかな進歩しか見られないものと比べて、不釣り合いなほどはるかに重要なもののように認識してしまうのだ。

さらに、こうした驚嘆するほどの急速な指数関数的《エクスポネンシャル》成長は、ほかの現実の領域でも同様に目をみはるほどの成長の前兆や基盤になると見なされている。デジタル化とＡＩの進歩に牽引される急速な指数関数的成長は、太陽電池、バッテリー、電気自動車、さらには都市農業の分野ですでに生じている。また、驚嘆のイノベーションが次々と誕生していると四六時中報道するメディアにくわえ、エクスポネンシャル・テクノロジーやエクスポネンシャル・オーガニゼーション〔訳注：飛躍的に成長する企業〕に関する本、エクスポネンシャルな成長のための戦略に関する本、エクスポネンシャルな成長を達成するための７大ポイントを伝授する本や、『エクスポネンシャルなビジネス成長に必要な８本の柱』

（*8 Pillars for Exponential Business Growth*）という本まで出版されている。ついには、『エクスポネンシャル時代——混沌《こんとん》とした変化と破壊的な力の時代の先取りをする戦略』（*The Exponential Era: Strategies to Stay Ahead of the Curve in an Era of Chaotic Changes and Disruptive Forces*）や『エクスポネンシャル時代——加速するテクノロジーはビジネス、政治、社会をどう一変させるのか』（*The Exponential Age: How Accelerating Technology is Transforming Business, Politics and Society*）といった壮大なタイトルの本まで登場したのである。

　この時点で、私たちは旅客機のコックピットから聞こえてくる心地よい声の忠告に従うほうがいいのかもしれない。ただリラックスして座り、旅を愉《たの》しめばいいのだ。急速な指数関数的成長によって変化はいっそう加速化し、古いものは粉砕され、形を変え、やがて万事はみずから問題を解決できるようになる。世界から病気や貧困がなくなり、物質的な豊かさが満ちあふれた新時代が到来するというわけだ。こうした約束にいっさい疑問をもたないようにするために、驚異的な理解力、無限の能力、そして（ほぼ無償で）世界が豊かになると過剰なまでの未来を描く4人、ジョエル・モキイア、ユヴアル・ノア・ハラリ、アジム・アズハール、レイ・カーツワイルの言葉をそれぞれ引用しよう。

　アメリカの経済史学者ジョエル・モキイアは、大げさな物言いをするこの4人のなかでは、まだ抑制のきいた意見を述べている。彼は「発明の終焉」を危惧する声が「われわれの時代では活発にあげられるようになった」と見なしている——が、歴史や科学を真摯に研究している者は、そんなふうには考えていない。べつに新たな発明が誕生しないと考えているわけではなく、近年の、そして未来の発明のペースを論じているだけで、この点に関しては、すでに本章の冒頭で説明した。そしてモキイアは、発明のスピードが「どんどん加速化する」派に確実に属しており、一般的な病原菌に薬剤耐性を生じさせない新たな抗生物質の登場、大量の共生窒素固定をおこなうよう細菌を「指導」する植物、

「太りやすくする代謝調節因子」の操作による肥満撲滅の実現を予測している。たしかに大胆ではあるものの、同様の意見のなかではまだ控えめな彼の見解は、数々の発明により万人が救済されるのではなく、いくつかの長年の課題に対して発明による解決がなされるだろうと予測している。

　これに対して、歴史学者のユヴァル・ノア・ハラリは著書『ホモ・デウス――テクノロジーとサピエンスの未来』（河出書房新社）のなかで、データ至上主義が実現すれば、未知のものがなくなり、すべての現象を説明できるようになり、無限の発明が生じるという未来を描いている。ハラリは「データ至上主義では、森羅万象がデータの流れからできており、どんな現象やものの価値もデータ処理にどれだけ寄与するかで決まるとされている」と明言している。よって、当然のことながら「人類という種全体を単一のデータ処理システムとして解釈してもいいかもしれない。一人ひとりの人間はそのシステムのチップの役目を果たす」ようになるのだ。そうなれば、データ至上主義は「学者や知識人にも、何世紀にもわたって私たちを寄せつけなかった科学の聖杯を与えることを約束する。その聖杯とは、音楽学から経済学、果ては生物学に至るまで、科学のあらゆる学問領域を統一する、単一の包括的な理論」になるという（以上、柴田裕之訳）。この「データ至上主義」なるもので味付けしたシチューに対して、次の反論ほど小気味のいいものはないだろう。作家のデイヴィッド・バーリンスキは、完璧に近い判決をくだし、「データ至上主義は、ハラリがおそろしくだまされやすいことを示すうえで、このうえなく役に立っている……データ至上主義は聖杯などではない……すべてを統一するものでもない……人間は神になろうとしているわけでもない。ハラリはずっと誤解に基づいた情報を伝えている」と述べている。まったくもって、そのとおり！

　起業家、投資家、そしてニュースレター「エクスポネンシャル・ビュー」の編集者でもあり、『エクスポネンシャル――加速化するテクノロジーがわれわれを置いてけぼりにするなか、われわれがすべきこと』（*Exponential: How Accelerating Technology Is Leaving Us Behind and What to Do about It*）の著者でもあるアジム・アズハールは機械の進歩に夢中になっていて、新たなテクノロジーは「ますます加速化するペースで発明され、規模を拡大していくいっぽうで、価格は急激に下がっている」と述べている。彼はそのテクノロジーのグループにコンピューティング、ＡＩ、バイオテクノロジーだけではなく、再生可能エネルギー由来の電気や再生可能エネルギーの貯蔵も含めている。その結果、豊饒《コルヌコピア》な世界がすぐそこまで近づいているというのだ。「いま、すべてが豊富な時代に突入している。人類史上初めて、エネルギー、食料、コンピューティング、その他もろもろがとんでもなく安価に生産できるようになるだろう」と。こうした物言いは、私が「悪の帝国」の支配下にある小学校〔訳注:「悪の帝国」は冷戦時代にアメリカのレーガン大統領がソ連を非難したときの呼称。著者は共産主義政権下のチェコスロバキアで育った〕で聞かされた文言を彷彿《ほうふつ》とさせる。国の支配者たちが共産主義体制を確立すれば、すぐにでもこの世は至福の地になると、私たちは聞かされていたのだ。

宗教やイデオロギーの信念をもっているにせよ、テクノ・オプティミズム（技術楽観主義）の豊饒主義者であるにせよ、心の底からなにかを信じている人たちを説得するのは無理な話だが、ハラリとアズハールの見解には1点だけ、弁護できるところがある。指数関数的に加速するイノベーションのもっとも熱心な支持者であるレイ・カーツワイルとは違い、ハラリとアズハールは万事を知り、万事が説明され、豊かさをもたらす（基本的に無料で！）時代がいつ到来するのか、具体的な日付を特定していないし、実際にイノベーションのスピードがどのくらいになるかも明示していないのだ。かたや、アメリカの発明家・未来学者で、現在はグーグルのエンジニアリング部門のディレクターを務めているレイ・カーツワイルは、いずれの点においてもまったく疑念を抱いていない。カーツワイルによれば、２０４５年には機械の知能が人間の知能を上回り、このふたつの知能が融合して人類は不死となり、宇宙の植民地化がたやすくおこなえるようになるという――その結果、指数関数的成長のスピードはどんどん上がり、シンギュラリティに到達し――知能があらゆる方向に拡大していき、光速で宇宙を満たしていくというのだ。

　ただし、そうならない場合をのぞいては、だ。急速な指数関数的成長は、マイクロプロセッサにより可能になった活動や、そうしたサービスを大衆に提供する企業にとっては象徴的なものではあるが、そうした成長もすでにゆるやかに拡大する段階に入っている。たとえば、可視光線より短い波長の電磁波を利用した印刷技術により、１個のマイクロチップに薄いトランジスタを大量に詰め込めるようになった。このプロセスは線幅80マイクロメートルのトランジスタから始まり、現在では線幅７ナノメートルのマイクロチップが一般的であり（最初の設計と比較すると、線幅の比率は０・０００８７５）、２０２１年にはＩＢＭが世界初となる線幅２ナノメートルのマイクロチップの開発を発表し、２０２４年にも量産開始とした。ケイ素（シリコン）原子の直径は約０・２ナノメートルなので、線幅２ナノメートルのマイクロチップ１個でもシリコン原子が10個並んだだけの幅となり、50年前から始まった縮小するいっぽうのプロセスにもさすがに物理的限界が見えてきている。

　１９９３年（インテル社のPentium）から２００３年（ＡＭＤ社のAthlon 64）までのあいだに、１個のマイクロプロセッサに搭載されたトランジスタ数は最大で３１０万から１億５９０万になり、最終的にはムーアの法則（2年ごとに倍増すると９９２０万になる）を少し上回ることになった。だが、その進歩のスピードは鈍化している。２００８年、インテル社Xeonのトランジスタ数は19億、10年後のグラフコア社Colossus MK1 GC2の場合は２３６億で、2年で2倍になるのであれば約６０００億になるはずだった。その結果、最高のプロセッサの性能の伸びは、１９８６年から２００３年のあいだに年52%、２００３年から２０１１年のあいだに年23%、そして最終的に２０１５年から２０１８

年のあいだに４％未満へと減少している。成長のあらゆるケースと同様に、Ｓ字カーブが形成され、急速な指数関数的成長の時代はもう過去のものとなったのだ。

さらに重要なことに、１９７０年代以降の電子回路設計と電子機器の性能の向上がどれほど賞賛されようと、私たちの日常生活のほぼすべての場面において、このようなスピードで進展を遂げたテクノロジーはいっさいない。急速な指数関数的成長は、現代文明の存続に関わる基本的な経済活動の進歩に寄与していないのだ。穀物の収穫量、エネルギー効率、輸送の速度、大規模な工学プロジェクトの完遂、また新薬開発の成功確率や長寿の実現など、健康や生活の質を左右する重要な要因についても、いっさい貢献していないし、こうした現実を示す例をあげれば切りがない。

インスタグラムのアプリは、リリースを開始したその日に２万５０００人のユーザーを、その10週後には１００万人のユーザーを獲得した。たしかに、めまいがするほどの指数関数的成長ではあるが、これはあきらかに一時的なものにすぎない。無数の地球外文明と交信できるようにならないかぎり、インスタグラムが地球の人口を超えるユーザーを獲得することはできないからだ。では、まだ社員が13人しかいなかったときに、インスタグラムが10億ドルを超える金額でフェイスブック社（当時）に買収されたという事実は、指数関数的成長の卒倒するほどすばらしい例なのだろうか。それとも、現代社会には理不尽なまでに優位に立つ者がいるという例なのだろうか。これと比較するために、牛乳、パン、トマトなどを生産している企業の評価を調べてもらいたい。食料が絶え間なく供給されなければ、みなさんは生きていくことができないが、インスタグラムやティックトックがこの世から突然消えてしまっても、同じ地球に暮らす数億もの人たちは気づきもしないだろう。

低い指数関数的成長

そもそも、インスタグラムのめまいがするほどの一時的な成長、あるいは、そうした現象が生じているという事実と、栄養不良の人たちの数が相変わらず増加しているという世界的な問題と、いったいどちらが重要なのだろうか。栄養不良の人たちの割合は1世代にわたってじわじわとほぼ直線的に減少し、２０１５年には世界人口の11%という低水準になったが、その後ふたたび上昇に転じ、現在、アフリカでは20%前後で推移している。サハラ砂漠以南のアフリカでは４人に１人、中央部では３人に１人が飢餓を経験しているのだ。それなのに、次世代の世界人口の増加の90%以上が、すでに飢えているアフリカで起こると予想されている。妊婦や成長期の子どもの栄養不良は、当人の一生にさまざまな悪影響を及ぼすことがわかっている。さらに成人からは十全に働けるだけの能力を奪い、万人の生活の質を落とすのだ。

いまや80億人になった（じきに１００億人に近づくだろう）人類の生存に必要な主要穀物の収穫量の増加においても、現代文明が機能するうえで不可欠なプロセスの改善においても、急激な指数関数的進歩の徴候はいっさい見られない。マイクロプロセッサの性能は約2年ごとに倍増するという（初期はもっと速い）ムーアの法則は、年平均約35%もの（初期はもっと高い）指数関数的成長を意味し、50年間、改良を重ねた結果、７桁（すなわち１０００万倍以上）も増加したことになる。これとは対照的に、食料、材料、エネルギー生産における年平均の増加率はごくわずかにすぎず、１～２%といったところで、指数関数的成長の観点から見ればきわめて低い。それでも、年平均１%の増加率であれば50年後には初期値の１・65倍になるし、２%の増加であれば２・７倍の増加になる。

次に、近年の農作物の収穫量の推移で注目すべき点をいくつか紹介しよう。21世紀最初の20年間で、アジアにおける稲の収穫量は年平均１%増加したが、アフリカ大陸サハラ砂漠以南の主食であるソルガムの収穫量は年平均約０・８％しか増加しておらず、２０２０年にはオーストラリアの小麦とヨーロッパのジャガイモの平均収穫量はどちらも20年前と比べて１％増加しただけで、年平均の増加率はごくわずか（０・１％未満）にとどまった。さらに残念なことに、畜産物にも同様の増加率の低さが見てとれる。前述したように、アフリカでは人口が急増しているにもかかわらず、乳牛１頭当たりの乳量にはほとんど増加が見られないのだ。

同様に指数関数的成長率が低いのは、切実に進歩を必要としている多くの国の経済成長だ。１９６０年以降、アフリカ大陸サハラ以南の１人当たり実質ＧＤＰの成長率は、年平均０・７％に届いていない。ブラジルではその半分の期間で２％に届かず、例外的に急成長を続ける中国でさえ１９９１年から２０１９年にかけて５％を超える程度だ。技術進歩、生産能力、効率の成長率も同様に抑制されている。世界の電力の大半は大型の蒸気タービンで生産されており、その効率はこの１００年間で年平均約１・５％向上している。鉄鋼業のエネルギー効率は改善を続けているが、製鉄におけるエネルギー消費量の減少率は、過去70年で年平均２％未満だった。そして前述したように（失敗に終わった〈コンコルド〉は除外して）、ジェット旅客機の平均巡航速度は１９５８年以降、まったく向上していない。

この10年で、読者のみなさんは電池《バッテリー》設計の飛躍的な進歩に関するさまざまなニュース記事をごらんになったと思うが、私自身はこの50年間、携帯可能なエネルギー貯蔵装置の性能に加速度的な成長をまったく見いだせずにきた。１９００年の時点では、もっとも高性能の電池（鉛蓄電池《なまりちくでんち》）のエネルギー密度は25ワット時毎キログラムだった。そして２０２２年、大規模に商業展開されているもっとも高性能のリチウムイオン電池（実験にはあまり向いていない）のエネルギー密度は12倍になっていて、年平均わずか２％の増加率に相当する。これは、ほかの産業技術や装置の性能の成長率とほぼ同じであり、ムーアの法則の期待値よりも1桁低い。さらに、２０２２年の電池のエネルギー密度の10倍の密度をもつ電池（３０００ワット時毎キログラム弱）でさえ、１キログラムのケロシン（ジェット燃料）のエネルギーの4分の1程度しか蓄えられない。よって、電池で飛ぶジェット旅客機の実用化のめどが立たないのは当然だ。

　また指数関数的変化の逆の現象として、太陽電池パネルのコストが驚くほど安くなり、太陽光発電が奇跡のようなブレイクスルーになるだろうという記事は多々、書かれてきたし、そうした言い分が広く知られるようになった。だが、太陽電池パネルのコスト低下が実際の太陽光発電のコストの唯一の要因であるかのように熱心に報じる記事に関しては、しっかりとチェックすることをお勧めする。さもなければ、１９５０年代半ばに原子力発電の熱心な推奨が始まった頃と同じ状況におちいってしまうおそれがあるからだ——「太陽光による発電はあまりにも安すぎて計測できないほどで、まさにタダ同然だ」と言われて真に受けるようなものなのだから。

　現実に目を向けると、アメリカの住宅用太陽光発電システム（パネル枚数22）の詳細なデータでは、パネルそのもののコストは総費用の15%程度にすぎない。残りは電気部品や架台（パネルを屋根や整地された地面に固定する台）、パワーコンディショナー（直流電気を交流電気に変える）、人件費、その他のソフトコストだ。あきらかに、鋼鉄やアルミニウムといった材料から、送電線、認可、検査の費用、はては消費税にいたるすべてのコストがゼロに近づいているわけではない。したがって、設置にかかる総費用（パネルが供給する直流電流１ワット当たりにかかるドル）は、２０１０年から２０１５年にかけては55%の減少、２０１５年から２０２０年にかけては20%の減少と、あきらかに改善率が低下している。さらに、こうしたコストには、発電全体に占める不安定な発電（太陽光や風力）の割合増加によって必要になる追加経費は含まれていない。

長時間にわたる電力不足や電力供給の中断を防ぐには、こうした不安定な発電方式をいざというときに頼れる蓄電でバックアップするしかない。あるいは、太陽光や風力の発電に依存する地域が一時的な曇りや長期にわたって風が吹かない状態が続いた場合、影響を受けない地域から電力供給を受けるための信頼できる長距離高圧送電線が必要となる。しかし、この電力供給システム全体のコストは低下しておらず、大規模な送電網の確保に必要な長距離高圧送電線の建設は、欧米でも計画より遅れている。それに太陽光パネルの実質的なコストには、本来であれば解体や廃棄の費用、できればリサイクルの費用も含めるべきだろう。また、再生可能エネルギーによる発電のコストが急落しているのに、風力や太陽光といった新しい再生可能エネルギーによる発電の割合が高いデンマーク、アイルランド、ドイツのＥＵ3カ国は、なぜヨーロッパ大陸のなかでも電気料金が高いのだろう？　２０２１年のＥＵ平均は1キロワット時当たり０・24ユーロだったが、アイルランドの料金は25％、デンマークは45％、ドイツは37％で、それぞれＥＵ平均より高いのだ。

現代文明の基盤を築いた10年間

そんなことはどうだっていいのだろう。そうした疑問、留意点、異議——基本的な物理学の事実、既知の定数、利用できる範囲の速度、容量——を述べたところで、ほとんどかえりみられることはなく、加速を続けるイノベーションによって克服すべき課題としてすべて扱われているのだから。しかし、人間のもっとも基本的な活動に関するかぎり、すべての分野を網羅して成長が加速化している徴候はない。この当然の結論は、１８４０年から２０１０年という2世紀近い期間のアメリカ産業界のイノベーションの詳細な研究によって裏付けられた。この論文の筆頭著者ブライアン・ケリーら４人のアメリカ人経済学者は、特許文献のテキスト分析を利用してイノベーションの新しい指標を設け、主要産業における長期的変化を検証し、もっとも大きなブレイクスルーと考えられるものを特定した。

この分析は、イノベーションの波の進展をとらえ、現代世界の根幹をつくりあげたもっとも基本的なイノベーションが起こった時期に関するこれまでの定説を、明確な定量分析で裏づけようとする試みだ。家具、繊維、アパレル産業、運搬設備、機械製造、金属製造、木材、紙、印刷、建設業におけるブレイクスルーとなった特許の数は、すべて1900年以前にピークを迎えた。鉱業、石炭・石油産業、鉱物処理、電気機器製造、プラスチック・ゴム製品などの分野は1950年以前に革新的な波のピークを迎え、1970年以降にピークを迎えた産業分野は、農業と食品（遺伝子組換え生物の技術による）、医療機器（MRIやCTスキャンから手術支援ロボットまで）、そして当然のことながら、コンピュータと電子製品だけである。

こうした議論の余地のない研究結果は、イノベーションのスピードが加速化を続けているという断言を否定し、近年の発明は途方もないパワーで世界を一変させているという言い分を歴史的観点から見るよううながしている。この現実を正確に把握したければ、コンピュータやエレクトロニクスの分野にブレイクスルーをもたらした最新のイノベーションの恩恵を受けていない世界を想像してみるといい。マイクロプロセッサもユビキタスコンピューティング〔訳注：社会や生活のあらゆるところにコンピュータが存在し、いつでもだれもが利用できる情報環境を指す概念〕も、ソーシャルメディアもない世界だ。1970年代前半の世界を思い起こすのが、いちばん手っ取り早いだろう。インテル初のマイクロチップは1971年に設計されたが、初の16ビット・マイクロプロセッサ、Intel 8086が発売されたのは1978年になってからだった。マイクロソフトは1975年に創業されたが、初の大量生産パソコン〈IBM PC〉が登場したのは1981年だ。

こうした集積回路やデバイスがなかった1970年代初頭の世界では、高収量の小麦や稲の新品種、効率のいいガスタービン（発電やワイドボディのジェット旅客機の動力源）、大型コンテナ船、メガシティの拡大、電気通信や気象衛星、抗生物質やワクチンの普及といった現象が見られた。つまりエネルギーを豊富に入手できるようになり、生活の質が向上したのは、１９７１年以降に登場したエレクトロニクスのおかげではないのだ。たしかにエレクトロニクスの開発と普及は歓迎されてきたし、役に立ったし、価値あることだが、人間の生活を根本的に変えたわけではない。

　では逆に、こんにちのエレクトロニクスを基盤にした世界から、大規模発電、高収量の農業、おもな原動機（エンジン、タービン、電気モーター）、安価な鋼鉄、窒素肥料、アルミニウムから軽量プラスチックまでが消滅したところを想像してもらいたい。現代文明の基盤をなすこうした要素のどれもが、半導体や集積回路の普及を前提としていなかった。というより、そうしたエレクトロニクス製品の存在そのものを前提としていなかった。たしかにエレクトロニクス製品の普及によって、これらのプロセスの管理、監視、改善が容易になったものの、どれも20世紀後半に半導体エレクトロニクスが登場する以前から存在していたのである。

　歴史的観点からの修正をもっと続けてみよう。現代文明のエネルギーや素材の原料の基盤は第一次世界大戦前の50年間に、とりわけ集中して１８８０年代というたった10年のあいだに築かれたことがわかっている。１８８０年代の10年間で、現代文明に欠かせないさまざまなプロセス、コンバーター、材料が発明され、特許を取得したのだ。商業的に大きな成功をおさめたものも多く、全体として見るとこの10年ほど前例のない記録を樹立した期間はないし、今後も繰り返されることはまずないだろう。自転車、キャッシュ・レジスター、自動販売機、パンチカード、加算器、ボールペン、回転ドア、制汗剤（それにコカ・コーラやウォール・ストリート・ジャーナル紙も）は、この10年間に誕生した比較的小さな発明やイノベーションの部類に入るのかもしれない。

なにより、発電・配電・変換という電気システムをほぼ完成させたことが、根本的かつ永続的に重要な発明だった。この10年間で、世界初の石炭火力発電所や水力発電所、火力発電の頼みの綱である蒸気タービン、変圧器、送電機（直流・交流ともに）、メーターなどが誕生し、白熱電球、電気モーター、エレベーター、溶接、都市交通（路面電車）、初のキッチン家電などに電気が利用されるようになった。そしていま、私たちの世界にあふれているマイクロチップは、信頼の置ける電力供給があるからこそ機能している。２０２０年の時点で、火力発電と水力発電は発電電力量の70％以上を供給していて、新たな再生可能エネルギーを利用した風力発電と太陽光発電は10分の１程度にすぎない。

　１８８０年代には、３人のドイツの技術者が内燃機関を動力源とする自動車を発明し、スコットランドの発明家が空気入りゴムタイヤを思いつき、アメリカの化学者とフランスの化学者がそれぞれ独自にアルミニウムの精錬法を発明し、アメリカの建築家が世界初の鉄骨構造高層ビルを完成させた。こうした発明が市民生活を大きく変えたこと、永久に重要であることは言わずもがなだ。１８８６年から１８８８年にかけては、ドイツの物理学者ハインリヒ・ヘルツが、その数十年前に発表されていたジェームズ・クラーク・マクスウェルの予測が正しいことを証明した。電磁波を発生させ、放射したのである。さらに、その周波数を測定し、「重量測定が可能な物体の音の振動とエーテル（訳注：光が伝播《でんぱ》するために必要だと思われていた媒質）の光の振幅」のあいだにあるものとして正確に位置づけた。この電磁波の発見のおかげで、現代の携帯電話やソーシャルメディアといった、非接触型のワイヤレスな通信が可能となったのだから、私に言わせればワイヤレスな通信はマクスウェルのアイデアから生まれた第五世代の派生物である（ヘルツが第二世代、第一次世界大戦前の初期のラジオ放送が第三世代、真空管を使った電子製品の普及が第四世代、そして半導体エレクトロニクスが第五世代だ）。

私たちがもっとも必要とするもの

歴史的な観点から見た評決に議論の余地はない。さまざまな発明とそれに続くイノベーションがなければ、現代社会がこれほどまでに生活の質を向上させることはできなかっただろうし、前例がないほどの長寿、富、教育、移動のしやすさを獲得することはできなかっただろう。19世紀半ば以降、次から次へと発明が相次ぎ、それが組み合わさった影響力は（量と世の中を変える質の双方において）最高値に達し、20世紀にはさらにそれが強化された。この時期は、きわめて広範囲にイノベーションが及んだ時代であり、社会にとってもっとも重要な発明（抗生物質、化学肥料、安価な鋼鉄、手ごろな価格の電気など）の恩恵を、いまや80億人に達した世界人口の大半が受けられるようになったのである。

もちろん、数々の未解決の問題に取り組み、新たな課題に対処するには、もっと新しい発明が必要になるだろう。どんな課題があるのかリストを挙げようと思えば、ネットで検索するのが常套手段だが、そんな真似をしたところで「釣りタイトル」にだまされ、くだらない情報やＳＦのような絵空事につきあわされることになる。たとえば「ぺちゃんこにできて食べられるゼリー製カップ」、「宙に浮く雲の形のソファ」といった商品のコンセプトはＳＦにすぎないが、大真面目なリストのなかにも、まったく不要でＳＦ的願望としか思えないものがある。そもそも、ほんとうに他人の心を読んだり、地球外生命体と交信したり、永遠に生きたりする必要があるのだろうか？　不死の魅力については、ジョナサン・スウィフトの著書『ガリバー旅行記』を参考にするといい。この小説に登場するラグナグ国に暮らす不死人間ストラルドブラグ〔訳注：老いさらばえて世間から厄介者扱いされ、不死のまま悲惨な生活を送る人々」の描写を読めば、不死の達成にどれほどの恩恵があるのか、疑問をもたざるをえないだろう。

しかし、どうにか対処できるくらいの数であれば、解決すべき課題をリストにすべきだろう。そこで、最優先であるふたつの課題を基盤に、もっとも望ましいものを1、2点、挙げてみよう。まずは生物圏に過度の影響を与えることなく、世界中の人たちが尊厳ある生活を送るうえで必要な基盤を改善することだ。物質的には、低水準の平均寿命を引きあげ、健康な生活を送るために必要な食料、水、エネルギー、資材を十分に確保すること。精神的・社会的・経済的には、教育や雇用の機会を確保し、利用しやすく質の高い医療を提供すること。と同時に、地球上の人類が増えつづけているなかでも、ほかの種が長期にわたって生存できるよう充分な資源を残しておかなければならない。

もっとも望ましい発明を選ぶうえでは、こうした考え方が道理にかなった枠組みになるのだろうが、それが実現したあとの影響を評価する世界共通の指標がないため、ブレイクスルーの必要性に明確な順位をつけることはできないし、類似したカテゴリーに分類することさえできない。ただし、健康、長寿、ＱＯＬ（生活の質）の向上は、救命年数（ＬＹ）や質調整生存年数（ＱＡＬＹ）という指標を利用して測定できる。ＱＡＬＹは、生存年数と生活の質をあわせて評価するための指標で、治療効果や費用対効果の分析に用いられる。だが、難治がんの治療法におけるブレイクスルーと、作物の遺伝学、電力の貯蔵、製鋼におけるブレイクスルーを、いったいどうやって比較すればいいのだろう？

こうした発明のすべてが生活の質の向上に貢献するのは間違いない。というのも、ＱＡＬＹの向上には、栄養状態の改善、信頼の置ける電力供給が欠かせないし、鋼材をさまざまな方法で利用しなければならないからだ。しかし、どの発明がより重要か、どちらの発明が必須かを判断する共通の基準などない。現代社会はあまりにも複雑化していて、相互関係も密になり、互いに及ぼす影響も大きいため、個々の要因を単独でとらえるのがむずかしいのだ。だからといって、ただ単純にもっとも望ましい発明の候補を10～30個ほどに絞ったところで、たいして役には立たないだろう。個人がリストを作成すれば、どうしても好みや偏見が生じるし、グループでリストを作成すれば、与えられた枠のなかで明確な意見の一致を得るのはむずかしい。よって、おそらく私にできる最善のことは、発明によって解決しなければならない現代の課題の重要性を説明すると同時に、本書で伝えたい大切な教訓を何度も繰り返すことだろう。その教訓とは、コンピュータから携帯電話まで、マイクロプロセッサとそれに付随するデバイスの性能の指数関数的成長は、あくまでも例外であり、近年の発明の波に共通する現象ではないということだ。

「がんとの戦争」

まず、まったく異なるふたつの例を挙げて、私たちが直面している課題を説明していこう。この半世紀を振り返ると、潤沢な資金が投入されて懸命に研究が続けられた目標として、現代社会におけるがんの死亡者数の減少が挙げられる。そして、今後は脱炭素に向けたゆっくりとした進展があることを考えれば、化石燃料への依存から、二酸化炭素とメタン（人為的な地球温暖化の原因とされているおもな温室効果ガス）を排出しないエネルギー源への移行が必須となるだろう。だが私はなにも、世界の二酸化炭素排出量削減のペースが、がんによる死亡者数減少のペースと似たものになるだろうと言っているわけではない。私はただ複雑な努力を重ねてきた研究の歴史を振り返り、その資料を参考にして考えれば、また新たに複雑な（質的にも量的にもまったく異なる）移行を敢行するには、大発見が起こらなければ不可能だろうと言いたいだけだ。

前述したように、１９７１年12月23日、ニクソン大統領は「米国がん対策法」に署名し、「がんとの戦争」として知られるようになった一連の政府主導プログラムを立ちあげた。だが、この「がんとの戦争」という呼称は不適切な比喩だった。あたかも期間限定の攻撃を実行すれば、１００種類以上のがんを性別や年齢に関係なく撲滅できるかのような印象を与えたからだ。この法案の当初の目的は「がんの罹患者数を減らし、死亡率を低下させるための研究および研究結果の活用を支援する」ことで、法案自体には特定の目的を達成する期限が明記されていなかったが、ニクソンが法案に署名するわずか2年前の月面着陸の成功を引き合いにだしたため、がん撲滅という目標を示唆することになったのだ。それから30年以上が経過した２００３年、当時の米国国立がん研究所の所長アンドリュー・フォン・エッシェンバッハが「がんによる苦しみと死をなくすという目標を、２０１５年までに達成する」と宣言し、オバマ大統領も「われわれの時代におけるがんの治療法」の発見について語ったのである。

　この努力には数々の困難がともなうことを熟知していた科学者や医師たちは、新薬や新たな治療法の開発への投資が最優先事項ではないことを正しく理解していた。なにより必要だったのは、発がん性、遺伝性、病気の進行に関する基礎的な科学理解の大きな進歩だった。基礎的な理解を深めるには時間がかかるため、「がんとの戦争」の最初の25年間は、勝利をおさめたという逸話が次々と報告されたというよりは、慎重な楽観論がはびこった。１９９６年には、白血病（小児がんの急性リンパ性白血病にはよろこばしい成果があった）や悪性リンパ腫の治療法にいちじるしい進歩が見られたが、２０００年までにがんの死亡率を半減させるという米国国立がん研究所の目標が達成できないのはあきらかだった。それどころか、１９９１年までがん全体の死亡率は上昇を続け、人口10万人当たり２１５人に達し、進行した転移がん患者の予後が１９７０年代初頭よりわずかに改善されたにすぎなかった。

１９９１年以降、低下していたがん全体の死亡率は、１９９９年には１９７５年と同じ水準にまで上昇したが、その後ようやく着実に低下するようになった。１９９９年から２０１９年にかけて、アメリカのがんによる年齢調整死亡率〔訳注：年齢構成の違いを調整して算出した死亡率〕は、人口10万人当たり約２０１人から約１４６人へと27％も低下したのである。この低下は男性（31％）のほうが女性（25％）よりも顕著だったが、がんは依然として男性（10万人当たり１７３人）のほうが女性（10万人当たり１２６人）よりも罹患率が高い。年齢調整死亡率は、死亡率を歴史的観点から比較するうえで欠かせない。というのも、がんの死亡率は加齢とともに上昇しており（30代前半の10万人当たり約10人から、50代後半には10万人当たり２００人強）、富裕国の人口は着実に高齢化しているからだ。

死亡率の低下に貢献したもっとも重要な基礎科学の進歩と治療法は、１９７０年代、ヒトのがん遺伝子（がんを引き起こす遺伝子）の最初の発見と、乳がんを治療する抗エストロゲン薬〈ノルバデックス〉（一般名タモキシフェン）の承認によって始まった。１９８４年には、より進行が速い乳がんに関連する新たながん遺伝子と、ヒトパピローマウイルスと子宮頸がんの関係も発見された。その10年後には、乳がんや卵巣がんのがん抑制遺伝子のクローニングがおこなわれ、１９９０年代後半には、食品医薬品局がモノクローナル抗体を利用した抗体医薬品として、非ホジキンリンパ腫の治療薬〈リツキサン〉（一般名リツキシマブ）と転移性乳がんの治療薬〈ハーセプチン〉（一般名トラスツズマブ）を承認した。２００６年と２００９年には、ヒトパピローマウイルスに対する２種のワクチンの接種がそれぞれおこなわれ、２０１０年には、患者自身の免疫力を利用して転移性がんを抑制する最初のがんワクチン療法が実施された。

２０１０年以降、モノクローナル抗体を利用した新たな治療法が登場し、進行期メラノーマや乳がん、さまざまな固形腫瘍の治療で利用されるようになり、白血病に対する初の個別化治療（患者から採取した免疫細胞を遺伝子操作して体内に戻し、がん細胞を攻撃する免疫療法）も登場した。こうした治療法の進歩にスクリーニング検査の普及と早期診断がともない、１９７０年代半ばと比べると5年生存率が大幅に向上した。なかでもめざましかったのは、非ホジキンリンパ腫が47％から74％に、乳がんが75％から91％に、メラノーマが82％から94％になった例だ。しかし、部位による差は大きいままだ。膵臓《すいぞう》がんの5年生存率は3倍に向上したとはいえ、まだ9％。かたや、食道がんの5年生存率は4倍以上の21％となり、甲状腺がんの患者は98％が5年以上生存している。また喫煙率は減少しているにもかかわらず、肺がんの患者数は依然として悪性腫瘍のトップであり（女性患者も乳がん患者より約45％多い）、5年生存率は12％から20％へとわずかに向上したにすぎない。

　そして、「戦争」はいまなお、べつの名前で続いている。２０２２年2月、バイデン大統領は「われわれが知るところのがんに終止符を打つムーンショット計画」（Cancer Moonshot to End Cancer as We Know It）を発表し、がん撲滅への意欲を再燃させたが、ホワイトハウスのウェブサイトではこの見出しの下に、もっと現実的な説明が付けくわえられている。いわく「バイデン－ハリス政権は、次の25年間でがんの死亡率を少なくとも50％減らし、がんと共に生きる人々の生活の質を改善する」。だが、薬物の過剰摂取による死亡率がアメリカで上昇している状況に目を向ければ、せっかく努力して獲得した利益もほかの分野で損失が続けば、その成果がむしばまれるという事実を思い起こすことになる。アメリカの薬物過剰摂取による死亡者数は、２０１５年には約4万８０００人だったが、２０２１年4月までの1年間で約2倍の約9万８０００人となった。いっぽう、全がんの死亡者数は約32万人、肺がんの死亡者数は約14万２０００人だ。がんによる死亡者の多くが50歳以上であるのに対し、薬物による死亡者の多くが40歳未満であるという年齢差を考えると、最新のがん治療で得られた寿命の延びが、薬物による死亡者の増加で完全に帳消しになっているのかもしれない。

こうして、がんとの戦いをざっと振り返っただけでも、がん撲滅を短期のうちに実現するという初期の主張はきわめて非現実的なことがよくわかる。がんの死亡率を大幅に低下させるには、数十年単位で少しずつ段階を経て次世代へと受け継いでいく時間のかかるプロセスを踏まなければならず、がんの部位によってその成果にも差があるのだ。この現実を示すもうひとつの証拠は、２０１６年にアメリカ連邦議会が「21世紀治療」法案に署名し、新たな治療法の導入を迅速化し、新たなイノベーションを早く、かつ効率よく患者が利用できるようにしたことだ。思うに、がんとの戦いで得た経験の多くは、性質や目的はまるで異なるにせよ、ほかの努力にも当てはまるのだろう。最終的な目標を達成するには、複雑かつ広範な努力が必要となるのだ。

まず、どの分野にも共通する教訓がある。科学や技術の基本的な理解があるからこそ、実用化の道が拓けること（明白な事実であるにもかかわらず、この順番が守られない例が多々ある）。結果を左右する変数は、改善する前に悪化する傾向があること。成果をあげる予定の日付を特定するのは愚かであること。今後10年以内という短期の目標でさえ、実現できない場合があること。目覚ましい進歩は、現実的な変化をほとんどともなわずに生じる場合があること。国内での、または国際間での格差は（さまざまな理由で）今後も大きいままであること。初期費用の見積りはどんどん高くなりがちなこと。イノベーションによって得られた利益や恩恵は、新たなテクノロジーの開発によって一部が帳消しとなり、努力して達成した成果がそこなわれる場合があること。

地球規模での脱炭素化

以上の教訓はすべて、地球規模での脱炭素化を迅速に達成できる確率を現実的に評価するうえでも当てはまる。そもそも、地球規模の脱炭素化の推進に必要な新しい発明を次から次へと生みだすには、科学の基礎的理解をいまより大きく広げていく必要があるのだ。この地球規模の課題には数十億トンという大量の物質が関わってくるため、サイズの観点から見れば「がんの分子標的治療」の対極にあるが、やはり着実な発明の波が続いていかなければ実現は不可能だろう。２０２１年10月にビル・ゲイツが述べたように、「二酸化炭素排出ゼロの実現に必要なテクノロジーの半分はまだ存在しないか、高価すぎて世界の大半の人たちは手をだせない」のだから。このギャップを埋めるには、グリーン水素の製造（水素ガスは現在、天然ガス、およびごくわずかな割合ではあるが石炭といった化石燃料から得られている）や大量かつ高エネルギー密度の蓄電池など、エネルギーの抽出・貯蔵・変換の新たな手法を編みだす前例のない取り組みが必要となるのはあきらかだ。

　なかでも、二酸化炭素を排出しない発電（風力発電、太陽光発電、集光型太陽熱発電など）と二酸化炭素を排出しない燃料（水素、アンモニア、二酸化炭素を回収して利用する合成燃料）へのエネルギー転換は、大規模な蓄電のすぐれた手法が登場すれば、大いに活用できる。しかし、エネルギー密度がいまのところ最大であるリチウムイオン電池より1桁密度が大きい電池ができたとしても、いまのあらゆる輸送機関で利用されている液体燃料（ガソリン、ケロシン、軽油）のエネルギー密度の4分の1未満にすぎないだろう。また、風力発電や太陽光発電が機能しない時間帯にメガシティに電力を供給するには、高エネルギー密度の新たな電池に前例がないほどの容量が必要になる（台風が頻繁にやってくるアジアのメガシティには、こうした大容量の電池が欠かせない）。

　地球温暖化は、改善される前に悪化するのが確実だ。たとえ、温室効果ガスの排出を即座に（しかも理論的に一部の隙もなく）停止したとしても、対流圏の平均気温をすぐに下げ、安定させることはできない。世界規模の会議（および国家戦略）で、末尾が０か５の数字の年に脱炭素化の目標（２０３０年までに世界の炭素排出量を45％削減する、２０３５年までにアメリカの発電所からの二酸化炭素排出をゼロにする、２０５０年までに世界全体の温室効果ガスの排出量を正味ゼロにするなど）を設定する傾向があるのは、あきらかに恣意《しい》があるからで、こうした目標を達成するには技術的にも経済的にも世界規模で大改革を敢行しなければならない。

　こうした目標がいかに希望的観測に基づいたものであるかを、いくつか例を挙げて説明しよう。２０００年には化石燃料が世界の一次エネルギーの87％を占めていたが、２０２０年には83％となり、年率０・２％の削減となった。しかし、２０５０年までに脱炭素社会を実現せよというお達しがでたのだから、30年後に83％からゼロにするには、世界で年率２・75％のペースで化石燃料による炭素排出量を削減しなければならず、これは21世紀の最初の20年間で達成したスピードの約14倍に相当する。ここまで大幅な炭素排出量の削減をいますぐ実現し、今後30年にわたって持続させるための技術力と資金力が、いったいどこにあるというのだろう？

　２０２１年11月に開催された国連気候変動枠組条約締約国会議（ＣＯＰ26）で発表された目標（グラスゴー気候合意）を見れば、その実現がいかに困難であるかがよくわかる。最新の目標は、化石燃料の燃焼による世界の二酸化炭素排出量を、２０１０年の３０４億トンから２０３０年までに45％削減することだ。つまり、２０２２年から２０３０年までの９年間で約１３７億トン、年平均約15億トンの直線的な削減が必要となる（図５・１）。すべてのエネルギー消費部門が平等に削減を分担し、世界のエネルギー需要は増加しないと仮定した場合だ（実際には、新型コロナウイルスの世界的流行が始まる前の10年間で、すでに年率２％で増加していた）。

　２０１９年、世界は原料炭で製造したコークスを燃料とした高炉で12億８０００万トンの銑鉄（鋳鉄）を生産し、その銑鉄を転炉に流し込み、世界の鋼鉄の約72％を製造した（残りはおもに電気炉で鉄スクラップを溶解する）。そして２０２２年の時点では、水素で鉄鉱石を還元している商業製鉄所

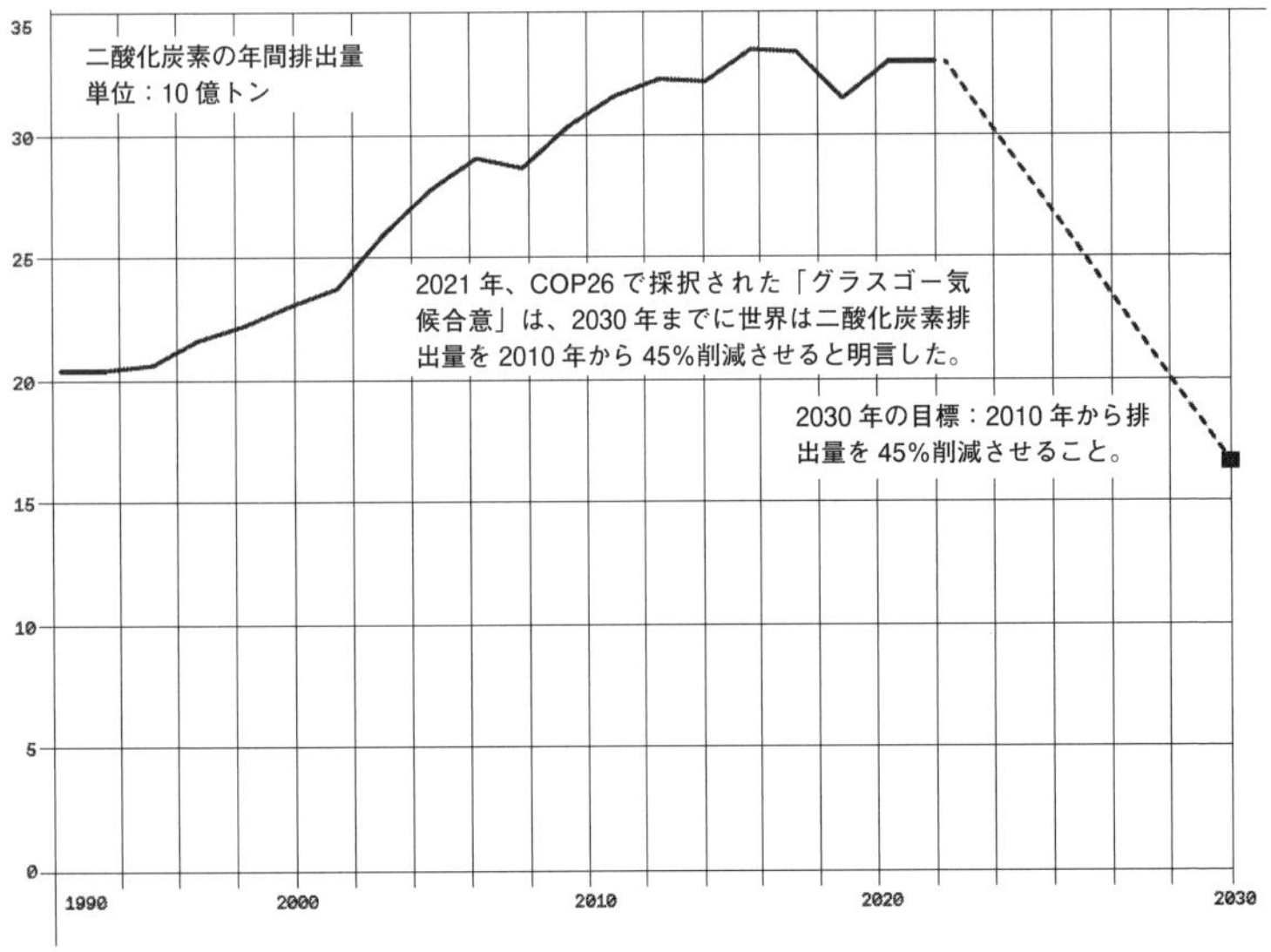

図 5.1　2030年までの世界の脱炭素化の推移。出典：Vaclav Smil, “Decarbonization Algebra”, *Spectrum* February 2022. データは International Energy Agency and UN Framework Convention on Climate Change より。

は1カ所もない。さらに、水素の大半は天然ガスの改質によって製造されていて、炭素ゼロの製鉄には水の大量電気分解が必要となるが、再生可能エネルギー由来の電力を利用した水電解装置はまだ存在しない。だが、現在の炭素への依存度を40%削減するには、コークスの代わりにこのグリーン水素を利用して、2030年までに5億トン以上の鉄を製錬しなければならない。これは、中国を除く世界の高炉の現在の年間生産量を上回る量だ。そんなことがはたして可能なのだろうか？

　2021年には14億台を上回る四輪車（乗用車、SUV、ピックアップ、バン約12億台、バスとトラック約2億台）が走っていたが、そのうち電気自動車は1700万台未満（約1・2%）で、99%はガソリン車またはディーゼル車だった。仮に世界の道路を走る車両が増加しなかったとしても、2030年までにその40%を脱炭素化するには、9年間で約5億7000万台の電気自動車（または水素やアンモニアを燃料とする自動車）を新たに製造する必要がある。つまり1年当たり約6300万台を製造しなければならず、これは2009年の自動車の世界生産台数を上回るうえ、製造過程で必要となる電力はすべてカーボンニュートラル燃料から得なければならない。はたして、そんなことが可能なのだろうか？

　言うまでもないが、こうした目標は達成されないだろう（世界経済の前例のない崩壊がこれを実現する唯一のチャンスかもしれない）。完全な脱炭素化という目標に向けた進展は、再生可能エネルギーへの転換を進めている一部の国（ノルウェー、アイスランド、デンマーク、フィンランド）では世界平均よりスピードが速いだろうが、もっと面積が広く、人口も多い低所得の国（インド、パキスタン、インドネシア、ナイジェリア）ではスピードがはるかに遅くなるだろう。では、コストについてはどうだろうか？　いまはまだ長い移行期が始まったばかりで（2020年のエネルギー需要のうち、非化石エネルギー源のものは総需要の7%未満）、なかにはすでにだいぶ安くなったエネルギーもあり、ある程度は頼りにできるものの、現段階ではまったく新しいインフラ（数十億トンの原油と天然ガスに代わるグリーン水素の製造・輸送・貯蔵など）を世界規模で開発するコストの見積りなど不可能だろう。

　脱炭素化をめざす努力を続けても、同時に進行するほかの開発によって、また脱炭素へと転換を進めるそのプロセスにおいて、効果が一部相殺される場合もある。その最たる例が風力発電だ。巨大な風力タービンの建設には、基礎となる鉄筋コンクリート（セメントと鋼鉄）、タワーやナセル（訳注：増速機や発電機を入れる容器）用の鋼鉄、巨大ブレード用のプラスチック、モーターをスムーズに動かすための潤滑油などが大量に必要であるうえ、タービンを大型トラック、船、タグボートで陸上や洋上に運ばなければならず、洋上ではヘリコプターを利用する場合も多い。これらの部品や輸送手段はすべて、化石燃料に大きく依存している。燃料（鋼鉄・セメント・プラスチックの製造から自動車や船舶の動力源として）、原料（プラスチック製造）、潤滑油など、すべてが化石燃料を必要とするのだ。たとえば、風力発電が現在の石炭火力発電の大半に取って代わった場合、その過程で化石燃料の使用量は数倍に増えるだろう。

　鋼鉄やセメントの製造からトラック輸送、潤滑油の供給まで、生産・輸送のすべてのプロセスをカーボンフリーでまかなうことができれば、化石燃料への依存は解消される。つまり、コークスを利用せずにすむ製鉄プロセス（水素製鉄法）、バイオマス発電（炭化水素より望ましい）、電気や水素だけを燃料にする輸送システムや合成潤滑油といった手法を活用するのだ。だが、これほど完全な脱炭素社会を実現するには、数十年をかけて少しずつ努力を続けていかなければならないことくらい、工学を専門に学んでいない者にもすぐにわかる。さらに、カーボンフリー・エネルギーへの移行を急げば急ぐほど、炭素を排出する製造・輸送プロセスに頼らなければならず、脱炭素化を実現することはできない――たいてい、ほかに代替手段がないのだから。

　世界の航空機産業は、こうした代替手段がない分野の典型例だ。２０２１年のグラスゴー気候合意によれば、世界は２０３０年までに２０１０年より二酸化炭素の排出量を45％削減しなければならない。つまり、２０２１年の総排出量（２０２０年の新型コロナウイルスの世界的流行によって減少したものの、２０１９年のレベルまでほぼ回復）と比較しても約40％削減する必要があるのだ。だが、いったいどうすれば、現時点で完全に燃料をケロシンに依存している民間機の二酸化炭素排出量を、わずか9年でその5分の2を削減できるのだろう？　いま入手できる電池のなかで最高のエネルギー密度は３００ワット時毎キログラム程度だが、ジェット燃料のケロシンは１万２０００ワット時毎キログラム以上あるのだから。

これは40倍以上の差であり、２０３０年までにケロシンの2分の1か3分の1のエネルギー密度で市販の電池が使えるようになるには、奇跡が起こらなければならない。同様に、水素を燃料とする商用機はまだ1機も就航していない。この高エネルギー密度の液体水素（マイナス２５３℃という極低温まで冷却）を上空で貯蔵する技術のむずかしさはよく知られているため、２０４０年までに水素航空機が大いに活用される可能性はきわめて低い。だが、２０３０年までに40％の二酸化炭素の排出削減を達成するには、ケロシンを利用しない（電気または水素を利用する）航空機が約1万機（現在の世界の航空機数は約2万５０００機）も就航し、カーボンフリーで年間18億人の乗客を運ばなければならない。前例がないほど次から次へと発明が相次いだとしても、どう見たところで、そんなことは実現しそうにない。

もっとも発明が必要とされている分野はどこか

ここで、視点を変えてみよう。もっとも発明が必要とされている分野はどこかという観点で優先順位を決め、現状を変えていくのだ。富裕国に暮らす10億の人々と、生きていくのがやっとの毎日を送り、感染症の流行がたびたび起こり、早死にする人が多いために平均余命が短い国で暮らしている30億以上の人々のあいだにある顕著な格差の解消こそ、いま、もっとも必要とされていることだろう。つまり、少なくとも健康・教育・収入の不平等を大きく改善しなければならないのだ。生命維持に欠かせない水、食料、エネルギーを確保し、物質的な必要を満たすこと、それが先決である。

また、もっと安価で、場所をとらず（モジュールの小型化）、効率のいい水処理技術を開発し、ほぼ完全な水のリサイクル化を実現しなければならないし、海水淡水化プラントも増やさなければならない。かたや農業の分野では、10億人近い栄養不良の人々の大半が暮らす国々で、収穫量を増やさなければならない。栄養不良の人の数を減らすには、もっと公平に食料を入手できるようにする工夫と、低コストで改善できる微量栄養素の供給をゆきわたらせる努力が必要だ。栄養不良の人たちと同様、10億近い人たちがいまだに電気を利用できず、30億人以上（世界人口の40％）の人口1人当たりのエネルギー消費量はなんと25ギガジュール未満で、19世紀半ばの裕福なヨーロッパ諸国や北米の水準程度だ！　電気を利用できない人が驚くほど大勢いるうえ、電気使用量がとんでもなく低いこの状態を、どうにかして改善する必要があるのは明白だ。

こうした切実な要求のすべてが、新たな発明から恩恵を受けるだろうが、正しい方向に向かって効率よく比較的速いスピードで続く進歩は、もっぱら発明に頼っているわけではない。世界人口の水と食料の需要を満たすには、目をみはるばかりのすばらしい発明が必要なわけではなく（そのために必要な技術はかなり進歩しており、すでに数十年も安定して稼働している施設もある）、水や食料を必要としている人々のところに届け、そのコストを削減する決定的なイノベーションが必要となる。同じことは電気の普及についても、一次エネルギー消費量の増加についても当てはまる。そして、この望ましい基本事項のリストは、薬剤耐性対策から教育の改善まで、ありとあらゆる分野に存在するのだ。

これまで述べてきたように、多くの発明は役に立つのだろう。だが、私たちにはいま、これまでなにをすべきだったのか、いまなにをすべきなのかがわかっている。抗生物質が効かない耐性菌の拡大を抑えるには、抗生物質を慎重に処方し（富裕国で横行している過剰処方、低所得国やインターネットで横行している処方箋なしでの抗生物質販売に歯止めをかける）、家畜への予防目的での過剰投与を認めないことが肝心だ（いまでは人間の数倍もの量を家畜に投与している）。また、普通教育の基盤を世界に広めたいからと、すべての子どもにパソコンを1台ずつもたせたり、特別に高い費用をかけたりする必要はない。参考までに、数学や科学のテスト結果を国ごとに比べてみよう。読解力、数学、科学のすべてのスコアが、アメリカはポーランドより低い。アメリカは児童・生徒1人当たりの初等教育に2・5倍、高等教育に3倍の費用をかけているにもかかわらず、だ。

　こうした望ましくない、あるいは屈辱的な現実を改善するには、なにも輝かしい発明など要らない。そうではなく、すでによく知られている信頼の置ける手法・技術・手順を、決然と広めていくしかないのだ。大局的に見れば、既存の手法を改善し、それをだれもが利用できるようにするほうが、より短期間でより多くの人たちが恩恵を得られるようになる。それは発明に過剰なまでの期待を寄せ、奇跡のようなブレイクスルーが起こるのを待つよりよほどいい。もちろん、新たな発明を追い求める姿勢に悪いところはない。ただ、きらきらと輝く（可能性はあるが確実ではない）未来を実現しようとする努力と、十分に習得はしているものの、広く普及していない理解や成果とのあいだで、もっとバランスをとってほしいと願っているだけなのだ。

　ひょっとすると、すべては個人の好みの問題になるのかもしれないが、私自身はつねに「優先すべきことからやるべきだ」と強く感じてきた。たとえば、超音速の輸送手段を普及させる前に、数億人もの子どもの健康に悪影響を及ぼしている微量栄養素の欠乏を撲滅するほうを選ぶべきだと思っている。と同時に、私はつねに現実主義者であり、懐疑主義者でもある。そして発明やイノベーションに向けられる資金が、このように理性的に比較すれば喫緊の課題と判断できるほうのニーズに配分されていない現実もよくわかっている。私がつける優先順位は見当違いだとか、野心や上昇志向が足りないとか非難する向きもあるだろう。それだけではない。人類の不幸や苦難を軽減する道を選ぶより、怪しげな発明の研究を支援する道を選ぶほうが、さまざまな理由によって、よほど簡単なのかもしれない。

いずれにせよ、新たな素材、製品、プロセス、手順の発明が途切れることはないだろう。前例のない挑戦からも、経験の欠如からも、当然のことながら設計ミスが生じるだろうし、人間の好み、人間がつける優先順位、人間の偏見、特定の研究への不合理な愛着のせいで、何度も何度も大きな失敗が生じるだろう。その意味で、また発明のスピードは加速化しているという誤った主張とは対照的に、「日の下に新しきものなし《ニヒル・ノーウィ・スブ・ソーレ》」なのである。

訳者あとがき

「発明《インベンション》」や「イノベーション」という言葉を聞くとワクワクする、夢や希望を感じるという方も多いだろう。たしかに２０００年代に入ってからでさえ、新しいテクノロジーによって私たちの生活は大きく変わった。いまやスマートフォンのない生活など想像もできないし、いずれＡＩは人間の知能を超えると言われている。だが、「発明」や「イノベーション」は輝かしい成功をおさめたものばかりではない。古代から人類はあらゆる工夫をして生活を改善し、新事実を発見してきたが、新たなテクノロジーによって取り返しのつかない事態を招いた例もある。よって、つねに科学的に考える姿勢をもたなければならないと、著者は警鐘を鳴らしている。

著者バーツラフ・シュミルはカナダのマニトバ大学特別栄誉教授。カナダ王立協会フェローで、２０１０年にはアメリカのフォーリン・ポリシー誌により世界の思想家トップ１００に選ばれ、２０１３年にはカナダ勲章を受勲。エネルギー、環境変化、人口変動、食糧生産、技術革新、リスク評価、公共政策などの領域で学際的研究に取り組んでおり、２０１５年にはエネルギー研究に対してＯＰＥＣ研究賞を授与された。現在、日本政府が主導する国際的プラットフォーム「Innovation for Cool Earth Forum」（ＩＣＥＦ）の運営委員会メンバーも務めている。

マイクロソフトの共同創業者ビル・ゲイツはバーツラフ・シュミルの大ファンで、自身のブログに彼の著書のコーナーをつくるほど敬愛している。このブログで、ゲイツは２０２３年の冬に読むべき本の3冊のうちの1冊として本書を薦め、「私は彼の著書44冊［『Invention and Innovation』の原書刊行当時］をすべて読んでいる……過去の出来事を彼ほどうまく説明できる人はいない。どんな発明の才や創意工夫の積み重ねがあって、現在の私たちの生活が成り立っているかを知りたい方には、本書を強く推薦する」と、記している。

著書の邦訳には『グロース「成長」大全――微生物から巨大都市まで』（上下巻、田中嘉成監訳、三輪ヒナタ訳、ニュートン新書）、『エネルギーの人類史』（上下巻、塩原通緒訳、青土社）、『エネルギーの不都合な真実』（立木勝訳、エクスナレッジ）、『中国の環境危機』（丹藤佳紀、高井潔司訳、亜紀書房）、『蝕まれた大地――中国の環境問題』（深尾葉子、神前進一訳、行路社）、そして訳者と熊谷千寿氏との共訳書『Numbers Don’t Lie――世界のリアルは「数字」でつかめ！』（ＮＨＫ出版）がある。この作品に続いて、今回、本書の翻訳を担当する機会に恵まれ、訳者自身、「知の巨人」と呼ばれるシュミル氏の慧眼《けいがん》にあらためて感服した。『Numbers Don’t Lie』では、国の公的機関が発表した数字を基盤に、世界のさまざまな問題を縦横無尽に、それも平易な言葉で分析してみせた。そのなかに「真のイノベーションとは」という項目があり、訳者はあとがきで「本書の白眉《はくび》ともいえる内容」と評し、玉石混交のいわゆる「イノベーション」に踊らされてはならないというメッセージを感じたという主旨の感想を述べた。本書は、その「白眉」であるテーマを軸に、さまざまな発明やイノベーションの歴史を振り返り、その栄枯盛衰をたどり、結局は失敗に終わった発明や、いつまでたっても実現しないイノベーションの例を挙げ、ときに辛辣《しんらつ》に批評している。歴史的観点から現状を俯瞰《ふかん》したうえでの見解は、シュミル氏ならではの切れ味の鋭さで、他の追随を許さないのではなかろうか。ビル・ゲイツが本書を絶賛するのもうなずける。

第1章の「発明《インベンション》とイノベーション——その長い歴史と現代の狂騒」では、発明のカテゴリー分けやイノベーションとはなにかを説明し、本書のテーマや構成について概略を述べる。

第2章の「歓迎されていたのに、迷惑な存在になった発明」では、有鉛ガソリン、合成殺虫剤ＤＤＴ、クロロフルオロカーボン類（フロンガス）が、当初は社会に歓迎され、普及していったのに、結局は製造や使用を禁止されたり、規制をかけられたりするようになった経緯を見ていく。どのテクノロジーも、社会の大きな問題に対する解決策になるだろうと期待されたのに、いわば副作用が強すぎて、有害であることが判明したのだ。

第3章の「主流となるはずだったのに、当てがはずれた発明」では、飛行船、核分裂反応を利用した原子力発電、超音速飛行《スーパーソニック・フライト》という3つのテクノロジーが、それぞれの分野で主流となると期待されたにもかかわらず、結局は大きく発展を遂げることなく失速した例を説明する。

第4章の「待ちわびているのに、いまだに実現されない発明」では、ハイパーループ・アルファ（真空に近いチューブを利用した高速輸送システム）、窒素固定作物（マメ科植物のように土壌細菌との共生によって、作物に必要な窒素を確保する）、制御核融合（制御できる状態で原子核同士を衝突させて膨大なエネルギーを生みだす）の技術と開発の現状について説明する。なかでも、イーロン・マスクが提唱したハイパーループ構想について、著者は辛口の言葉を投げかけていて、痛快だ。そもそも２００年以上前から「真空チューブ列車」という構想があったというのだから、先人たちの豊かな想像力に脱帽した。

そして、著者が満を持して現状と未来への提言を述べているのが第5章の「テクノロジー楽観主義、誇大な謳い文句、現実的な期待」だ。「ブレイクスルー」と世間でもてはやされているイノベーションが多い現状を憂い、「加速化するイノベーション」という説には根拠がない理由を述べ、私たちがいま、もっとも必要としているものについて真摯な意見を述べている。

全編から伝わってくるのは、博識の士ならではの洞察力と誠実さだ。先人の叡知《えいち》に敬意を払い、ユニークな発想やひらめきを活用して不断の努力を重ねてきた科学者たちを賞賛するいっぽうで、不都合な事実を隠したまま新たな技術を広めた科学者や企業の責任の重さを指摘している。また、その技術がなぜ求められていたのかを、信頼の置けるデータを引用しつつ説明しているので、社会的・技術的・商業的・政治的な背景もよくわかる。歴史という大きな流れのなかで、発明とイノベーションの価値を見抜く著者の教養と鑑識眼にも圧倒された。

著者は「よりよい世界、より安全な世界、より公平な世界を実現するには、根本的に世界を変革する発明が多々、必要となるだろうが、その成否はあとになって過去を振り返ったときに初めてわかるものだ」と第1章で述べており、この考え方は全編を通して一貫している。そのうえで第4章では制御核融合の開発に世界が少なくとも６００億ドルを費やしてきた事実に触れ、第5章では「人類の不幸や苦難を軽減する道を選ぶより、怪しげな発明の研究を支援する道を選ぶほうが、さまざまな理由によって、よほど簡単なのかもしれない」と苦言を呈している。

私たちは「現在」と「過去」をまったくべつのものとして考えがちだ。でも、そうではない。先史時代に初めて石で道具をつくってから、人類は脈々と発明を重ね、科学的な考え方や知識を深め、技術を発展させてきた。そのなかには社会の発展に大きく貢献し、多くの人命を救い、生活を豊かにした発明もあれば、開発した科学者の願いとは異なり、結局は多くの命を奪い、地球環境に悪影響を及ぼしたものもあった。そして、歴史はこれからも続いていく。私たちの判断や行動が未来を変えていくことを、本書を訳出し、痛感した。

本書は「日の下に新しきものなし《ニヒル・ノーウィ・スブ・ソーレ》」という、旧約聖書の言葉で締めくくられている。著者はこの言葉の意味を詳しく説明していないが、新たなテクノロジーの登場に目を奪われ、最先端のものばかりに惑わされるのではなく、過去と現在と未来が連綿と続いている事実を忘れず、長い歴史のなかで現在を相対的に眺めることが肝要だというメッセージがこめられているように感じた。

訳出にあたっては、河出書房新社の渡辺和貴氏らから貴重なご意見を賜り、推敲《すいこう》を重ねた。篤《あつ》く御礼申しあげる。

ときにユーモアのある文章で、発明とイノベーションの過去・現在・未来を語る本書を読み、みなさんが科学技術の世界のおもしろさ、奥深さを知り、新たな視点を得られることを願っている。

栗木さつき

2024年2月

Japanese translation published by arrangement with The MIT Press
through The English Agency (Japan) Ltd.

Invention and Innovation（インベンション・アンド・イノベーション）
——歴史《れきし》に学《まな》ぶ「未来《みらい》」のつくり方《かた》

2024 年 3 月 20 日　初版印刷
2024 年 3 月 30 日　初版発行

著　者　バーツラフ・シュミル
訳　者　栗木さつき
装　幀　小口翔平＋後藤司（tobufune）
発行者　小野寺優
発行所　株式会社河出書房新社
〒 151-0051　東京都渋谷区千駄ヶ谷 2-32-2
電話 03-3404-1201［営業］　03-3404-8611［編集］
https://www.kawade.co.jp/
印　刷　株式会社亨有堂印刷所
製　本　大口製本印刷株式会社
Printed in Japan
ISBN978-4-309-22914-0

バーツラフ・シュミル（Vaclav Smil）

カナダのマニトバ大学特別栄誉教授。カナダ王立協会フェロー。エネルギー、環境、人口、食糧、技術革新史、リスク評価、公共政策などの領域で学際的研究に取り組んでいる。2013 年、カナダ勲章を受勲。現在、日本国政府が主導する国際的プラットフォーム「Innovation for Cool Earth Forum」（ICEF）の運営委員会メンバーを務める。著書は 40 冊以上におよび、邦訳書に、『Numbers Don't Lie――世界のリアルは「数字」でつかめ！』（NHK 出版）、『エネルギーの人類史』（青土社）など。

栗木さつき（くりき・さつき）

翻訳家。慶應義塾大学経済学部卒業。シュミル『Numbers Don't Lie』（共訳）のほか、J・シェーファー／M・カーリンズ『元 FBI 捜査官が教える「情報を引き出す」方法』（東洋経済新報社）、J・D・シュバ『米国防総省・人口統計コンサルタントの人類超長期予測』（ダイヤモンド社）、M・デスモンド『家を失う人々』（海と月社）など訳書多数。

索引

（太字イタリックのページ番号は、図版の該当ページを指します。）

か行

さ行

ま行

や行

ら行

わ行

アルファベット

参考文献

第１章　発明とイノベーション——その長い歴史と現代の狂騒

進化と歴史

American Society of Mechanical Engineers. 2022 "Owens AR Bottle Machine." Engineering History Landmarks no. 86. New York: ASME.

Librado, P., et al. 2021. "The Origins and Spread of Domestic Horses from the Western Eurasian Steppes." *Nature* 598: 634–640.

Shea, J. J. 2016. *Stone Tools in Human Evolution: Behavioral Differences among Technological Primates.* Cambridge: Cambridge University Press.

Smil, V. 2014. *Making the Modern World: Materials and Dematerialization.* Chichester: Wiley.

Smil, V. 2018. *Energy and Civilization: A History.* Cambridge, MA: MIT Press.（バーツラフ・シュミル『エネルギーの人類史』上・下、塩原通緒訳、青土社、2019 年）

発明とイノベーション

Akana, J., et al. 2012. Portable display device. US Patent USD670,286S1, filed November 23, 2010, and issued November 6, 2012.

Brooks, D. E. 2013. Diane's manna. US Patent US8,609,158B2, filed June 20, 2012, and issued December 17, 2013.

Brown, A. E., and H. A. Jeffcott. 1932. *Beware of Imitations.* New York: Viking Press.

Carayannis, E. G. 2013. *Encyclopedia of Creativity, Invention, Innovation and Entrepreneurship.* Berlin: Springer.

Chan, C. L. 2015. "Fallen Behind: Science, Technology, and Soviet Statism." *Intersect: The Stanford Journal of Science, Technology, and Society* 8, no. 3.

Electronic Frontier Foundation. 2022. "Stupid Patent of the Month." Electronic Frontier Foundation. https://www.eff.org

Hannas, W. C., and D. K. Tatlow., eds. 2021. *China's Quest for Foreign Technology: Beyond Espionage.* London: Routledge.

Perry, R. 1973. *Comparison of Soviet and US Technology.* Santa Monica, CA: Rand Corporation.

Sykes, A. O. 2021. "The Law and Economics of 'Forced' Technology Transfer and Its Implications for Trade and Investment Policy (and the U. S.-China Trade War)." *Journal of Legal Analysis* 13: 127–171. https://doi.org/10.1093/jla/laaa007

Tenner, E. 1997. *Why Things Bite Back: Technology and the Revenge of Unintended Consequences.* New York: Vintage.（エドワード・テナー『逆襲するテクノロジー――なぜ科学技術は人間を裏切るのか』、山口剛、粥川準二訳、早川書房、1999 年）

イノベーションは加速化しているのか？

Cannon, K. M., and D. T. Britt. 2019. “Feeding One Million People on Mars.” *New Space* 7, no. 4 (December): 245–254.

Kurzweil, R. 2006. *The Singularity Is Near.* New York: Penguin.（レイ・カーツワイル『シンギュラリティは近い――人類が生命を超越するとき』、井上健監訳、小野木明恵、野中香方子、福田実訳、NHK 出版、2016 年）

Mokyr, J. 2014. “The Next Age of Invention: Technology’s Future Is Brighter Than Pessimists Allow.” *City Journal* 24 (Winter): 12–21. https://www.city-journal.org/html/next-age-invention-13618.html

SpaceX. 2022. “Mars & Beyond: The Road to Making Humanity Multiplanetary.” SpaceX.com. https://www.spacex.com/human-spaceflight/mars/

US Patent and Trademark Office. 2021. U. S. Patent Activity Calendar Years 1790 to the Present (database). https://www.uspto.gov/web/offices/ac/ido/oeip/taf/h_counts.htm

失敗した設計

Cooper, G., and B. Sinclair. 1990. “Failed Innovations—ICOHTEC Symposium, Hamburg, August 1989.” *Technology and Culture* 31: 496–499.

Herring, S. D. 1989. *From the Titanic to the Challenger: An Annotated Bibliography on Technological Failures of the Twentieth Century.* New York: Garland Press.

Petroski, H. 1985. *To Engineer Is Human: The Role of Failure in Successful Design.* New York: St. Martin’s Press.（ヘンリー・ペトロスキ『人はだれでもエンジニア――失敗はいかにして成功のもとになるか』、北村美都穂訳、パンローリング、2019 年）

Petroski, H. 2001. “The Success of Failure.” *Technology and Culture* 42: 321–328.

Schiffer, M. B. 2019. *Spectacular Flops: Game-Changing Technologies That Failed.* Clinton Corners, NY: Eliot Werner Publications.

Tracy, P. 2022. “Apple’s 12 Most Embarrassing Product Failures.” https://gizmodo.com/apple-failures-newton-pippin-butterfly-keyboard-macinto-1849106570

現実の世界

Centers for Disease Control and Prevention. 2020. “Road Traffic Injuries and Deaths—A Global Problem.” CDC, National Center for Injury Prevention and Control (last reviewed December 14).

McNish, J., and S. Silcoff. 2015. *Losing the Signal: The Untold Story behind the Extraordinary Rise and Spectacular Fall of BlackBerry.* New York: Flatiron Books.

Newall, P. 2018. *Ocean Liners: An Illustrated History.* Barnsley: Seaforth Publishing.

Smil, V. 2016. *Still the Iron Age: Iron and Steel in the Modern World.* Oxford: Elsevier.

第２章　歓迎されていたのに、迷惑な存在になった発明

有鉛ガソリン

エンジンのノッキング

Lounici, M. S., et al. 2017. "Knock Characterization and Development of a New Knock Indicator for Dual-Fuel Engines." *Energy* 141, 2351e2361.

Zhen, X., et al. 2012. "The Engine Knock Analysis—An Overview." *Applied Energy* 92 : 628–636.

オクタン価

Anderson, J. E., et al. 2012. "Octane Numbers of Ethanol-Gasoline Blends : Measurements and Novel Estimation Method from Molar Composition." SAE Technical Paper 2012-01-1274. doi : 10.4271/2012-01-1274.

Stolark, J. 2016. "Fact Sheet : A Brief History of Octane in Gasoline : From Lead to Ethanol." White Paper. Washington, DC : Environmental and Energy Study Institute.

有鉛ガソリンの歴史

Boyd, T. A. 2002. *Charles F. Kettering : A Biography.* Fairless Hills, PA : Beard Books.

Hagner, C. 1999. *Historical Review of European Gasoline Lead Content Regulations and Their Impact on German Industrial Markets.* Geesthacht : GKSS-Forschungszentrum Geesthacht GmbH.

Landrigan, P. J. 2002. "The Worldwide Problem of Lead in Petrol." *Bulletin of the World Health Organization* 80 : 768.

Midgley, T. IV. 2001. *From the Periodic Table to Production : The Life of Thomas Midgley, Jr., the Inventor of Ethyl Gasoline and Freon Refrigerants.* Corona, CA : Stargazer Publishing.

Nriagu, J. O. 1990. "Rise and Fall of Leaded Gasoline." *The Science of the Total Environment* 92 : 13–28.

Robert, J. C. 1983. *Ethyl—A History of the Corporation and the People Who Made It.* Charlottesville : University of Virginia Press.

有鉛ガソリンに関する 1920 年代の議論

Denworth, L. 2009. *Toxic Truth : A Scientist, a Doctor, and the Battle over Lead.* Boston : Beacon Press.

Kovarik, W. 2003. "Ethyl : The 1920s Conflict over Leaded Gasoline and Alternative Fuels." Personal website of Prof. Kovarik. billkovarik.com

Kovarik, W. 2005. "Milestones : Leaded Gasoline." *International Journal of Occupational and Environmental Health* 11 : 384–397.

Rosner, D., and G. Markowitz. 1985. "A 'Gift of God'? The Public Health Controversy over Leaded

Gasoline during the 1920s." *American Journal of Public Health* 75: 344–352.

Sicherman, B. 1984. *Alice Hamilton: A Life in Letters.* Cambridge, MA: Harvard University Press.

有鉛ガソリンの段階的削減と廃止

Newell, R. G., and K. Rogers. 2003. "The U. S. Experience with the Phasedown of Lead in Gasoline." Discussion Paper. Washington, DC: Resources for the Future. https://web.mit.edu/ckolstad/www/Newell.pdf

Nielsen, C. 2021. *Unleaded: How Changing Our Gasoline Changed Everything.* New Brunswick, NJ: Rutgers University Press.

US EPA (Environmental Protection Agency). 1985. *Costs and Benefits of Reducing Lead in Gasoline: Final Regulatory Impact Analysis.* Washington, DC: Office of Policy Analysis.

鉛中毒

Lewis, J. 1985. "Lead Poisoning: A Historical Perspective." *EPA Journal* 11, no. 4 (May): 15–18.

Needleman, H. L. 1999. "History of Lead Poisoning in the World." Tucson, AZ: Center for Biological Diversity.

Riva, M. A., et al. 2012. "Lead Poisoning." *Safety and Health at Work* 3: 11–16.

鉛中毒による児童の神経障害

Aizer, A., et al. 2016. "Do Low Levels of Blood Lead Reduce Children's Future Test Scores?" NBER Working Paper 2258. Cambridge, MA: National Bureau of Economic Research.

Bellinger, D. C., 2011. "The Protean Toxicities of Lead: New Chapters in a Familiar Story." *International Journal of Environmental Research and Public Health* 8: 2593–2628.

Canfield, R. L., et al. 2004. "Impaired Neuropsychological Functioning in Lead-Exposed Children." *Developmental Neuropsychology* 26: 513–540.

Markowitz, G., and D. Rosner. 2014. *Lead Wars: The Politics of Science and the Fate of America's Children.* Berkeley: University of California Press.

Mason, L. H., et al. 2014. "Pb Neurotoxicity: Neuropsychological Effects of Lead Toxicity." *Biomedical Research International,* article ID 840547.

Nwobi, N. L., et al. 2019. "Positive and Inverse Correlation of Blood Lead Level with Erythrocyte Acetylcholinesterase and Intelligence Quotient in Children: Implications for Neurotoxicity." *Interdisciplinary Toxicology* 12: 136–142.

DDT

DDT の発見、その特徴と利点

IPCS INCHEM. 1999. DDT. Poisons Information Monograph 127. https://inchem.org/documents/

pims/chemical/pim127.htm
Müller, P. H. 1948. "Dichloro-Diphenyl-Trichloroethane and Newer Insecticides." Nobel Lecture, December 11, 1948. https://www.nobelprize.org/uploads/2018/06/muller-lecture.pdf
Müller, P. H. 1961. "Zwanzig Jahre wissenschaftliche-synthetische Bearbeitung des Gebietes der synthetischen Insektizide." *Naturwissenschaftliche Rundschau* 14: 209–219.
National Academy of Sciences, Committee on Research in the Life Sciences. 1970. *The Life Sciences.* Washington, DC: National Academy of Sciences.

『沈黙の春』

Carson, R. 1962. *Silent Spring.* Boston: Houghton and Mifflin.（レイチェル・カーソン『沈黙の春』、青樹簗一訳、新潮文庫、1974 年）
Culver, L., et al., eds. 2012. *Rachel Carson's Silent Spring Encounters and Legacies.* Munich: Rachel Carson Center.
Dunlap, T. R., ed. 2008. *DDT, Silent Spring, and the Rise of Environmentalism.* Seattle: University of Washington Press.
Jameson, C. M. 2013. *Silent Spring Revisited.* London: A&C Black.
Kroll, G. 2001. "The 'Silent Springs' of Rachel Carson: Mass Media and the Origins of Modern Environmentalism." *Public Understanding of Science* 10: 403–420.

アメリカにおける DDT の使用禁止

Ruckelshaus, W. 1972. "Consolidated DDT Hearing: Opinion and Order of the Administrator." *Federal Register* 37: 13369–13376.
Secretary of State. 2016. "Bill Ruckelshaus: The Conscience of 'Mr. Clean.'" Legacy Washington.
Sweeney, E. M. 1972. "Hearing Examiner's Recommended Findings, Conclusions, and Orders." *Federal Register,* April 25, 40 CFR 164.32.
Whitney, C. 2012. "The Silent Decade: Why It Took Ten Years to Ban DDT in the United States." *Virginia Tech Undergraduate Historical Review* 1. http://doi.org/10.21061/vtuhr.v1i0.5

卵殻の薄弱化

Barker, R. J. 1958. "Notes on Some Ecological Effects of DDT Sprayed on Elms." *Journal of Wildlife Management* 22: 269–274.
Falk, K., et al. 2018. "Raptors Are Still Affected by Environmental Pollutants: Greenlandic Peregrines Will Not Have Normal Eggshell Thickness until 2034." *Ornis Hungarica* 26: 171–176.
Peakall, D. B. 1993. "DDE-Induced Eggshell Thinning: An Environmental Detective Story." *Environmental Review* 1: 13–20.
Ratcliffe, D. A. 1958. "Broken Eggs in Peregrine Eyries." *British Birds* 51: 23–26.
Ratcliffe, D. A. 1967. "Decrease in Eggshell Weight in Certain Birds of Prey." *Nature* 215: 208–210.

DDT とマラリア

Bouwman, H., et al. 2011. "DDT and Malaria Prevention: Addressing the Paradox." *Environmental Health Perspectives* 119: 744–747.

Buxton, P. A. 1945. "The Use of the New Insecticide DDT in Relation to the Problems of Tropical Medicine." *Transactions of the Royal Society of Tropical Medicine and Hygiene* 38: 367–400. https://doi.org/10.1016/0035-9203(45)90039-3.

Dagen, M. 2020. "History of Malaria and Its Treatment." In G. L. Patrick, ed., *Antimalarial Agents.* Amsterdam: Elsevier, 1–48.

Palmer, M. 2016. "The Ban of DDT Did Not Cause Millions to Die from Malaria." https://www.semanticscholar.org/paper/The-ban-of-DDT-did-not-cause-millions-to-die-from-Palmer/0e6812f87d27be92effac4fe8bfd414bc8f82476

Pruett, B. D. 2013. "Dichlorophenyltrichloroethane (DDT): A Weapon Missing from the U. S. Department of Defense's Vector Control Arsenal." *Military Medicine* 178: 243–245.

UN Environment Program. 2001. *Stockholm Convention on Persistent Organic Pollutants.* New York: UNEP.

UN Environment Program. 2010. *Ridding the World of POPs: A Guide to the Stockholm Convention on Persistent Organic Pollutants.* Geneva: Stockholm Convention Secretariat, UNEP. http://chm.pops.int/Portals/0/Repository/CHM-general/UNEP-POPS-CHM-GUID-RIDDING.English.PDF

World Health Organization. 2011. *The Use of DDT in Malaria Vector Control.* Geneva: WHO.

World Health Organization. 2020. *World Malaria Report 2020: 20 Years of Global Progress and Challenges.* Geneva: WHO.

DDT と人間の健康

Eskenazi, B., et al. 2009. "The Pine River Statement: Human Health Consequences of DDT Use." *Environmental Health Perspectives* 117: 1359–1367.

Larsen, N. 2021. "Thomas Midgley, the Most Harmful Inventor in History." Podcast. https://www.bbvaopenmind.com/en/science/research/thomas-midgley-harmful-inventor-history

Rogan, W. J. and A. Chen. 2005. "Health Risks and Benefits of Bi(4-Chlorophenyl)-1,1,1-Trichloroethane (DDT)." *Lancet* 366: 763–773.

US Department of Health and Human Services. 2019. "Toxicological Profile for DDT, DDE, and DDD." Washington, DC: USDHHS.

クロロフルオロカーボン類（フロンガス）

クロロフルオロカーボン類

Calm. J. M. 2008. "The Next Generation of Refrigerants: Historical Review, Considerations, and Outlook." *International Journal of Refrigeration* 31: 1123–1133.

Giunta, C. J. 2006. "Thomas Midgley, Jr., and the Invention of Chlorofluorocarbon Refrigerants: It Ain't Necessarily So." *Bulletin for the History of Chemistry* 31: 66–74.

McLinden, M. O., and M. L. Huber. 2020. "(R)Evolution of Refrigerants." *Journal of Chemical & Engineering Data* 65: 4176–4193.

Midgley, T. Jr. 1937. "From the Periodic Table to Production." *Industrial and Engineering Chemistry* 29: 241–244.

Midgley, T. Jr., and A. L. Henne. 1930. "Organic Fluorides as Refrigerants." *Industrial and Engineering Chemistry* 22: 542–545.

Midgley, T. Jr., A. L. Henne, and R. R. McNary. 1931. Heat transfer. US Patent 1,833,847, issued November 24, 1931.

Midgley, T. IV. 2001. *From the Periodic Table to Production: The Life of Thomas Midgley, Jr., the Inventor of Ethyl Gasoline and Freon Refrigerants.* Corona, CA: Stargazer Publishing.

Rigby, M., et al. 2013. "Re-evaluation of the Lifetimes of the Major CFCs and CH_3CCl_3 Using Atmospheric Trends." *Atmospheric Chemistry and Physics* 13: 2691–2702.

Sicard, A. J., and R. T. Baker. 2020. "Fluorocarbon Refrigerants and Their Syntheses: Past to Present." *Chemical Reviews* 120: 9164–9303.

クロロフルオロカーボン類とオゾン層

Cagin, S., and P. Dray. 1993. *Between Earth and Sky: How CFCs Changed Our World and Endangered the Ozone Layer.* New York: Pantheon.

Dotto, L., and H. Schiff. 1978. *The Ozone War.* Garden City, NY: Doubleday & Co.

Douglass, A. R., et al. 2014. "The Antarctic Ozone Hole: An Update." *Physics Today* 67, no.7 (July): 42. doi: 10.1063/PT.3.2449.

Farman, J. C., et al. 1985. "Large losses of Total Ozone in Antarctica Reveal Seasonal ClOx/NOx Interaction." *Nature* 315: 207–210.

Lovelock, J. E. 1971. "Atmospheric Fluorine Compounds as Indicators of Air Movements." *Nature* 230: 379.

Molina, M. J. 1995. "Polar Ozone Depletion." Nobel Lecture, December 8, 1995. https://www.nobelprize.org/uploads/2018/06/molina-lecture.pdf

Molina, M. J., and F. S. Rowland. 1974. "Stratospheric Sink for Chlorofluoromethanes: Chlorine Atom Catalyzed Destruction of Ozone." *Nature* 249: 810–812.

NASA. 2019. "Ozone Hole Is the Smallest on Record Since Its Discovery." NASA, October 21. https://www.nasa.gov/feature/goddard/2019/2019-ozone-hole-is-the-smallest-on-record-since-its-discovery

NASA. 2020. "Large, Deep Antarctic Ozone Hole in 2020." NASA Earth Observatory, September 20. https://earthobservatory.nasa.gov/images/147465/large-deep-antarctic-ozone-hole-in-2020

Newman, P. A., et al. 2009. "What Would Have Happened to the Ozone Layer If Chlorofluorocarbons (CFCs) Had Not Been Regulated?" *Atmospheric Chemistry and Physics* 9: 2113–2128.

Roan, S. 1989. *Ozone Crisis: The 15-year Evolution of a Sudden Global Emergency.* New York: John

Wiley & Sons.

Rowland, F. S. 1995. Nobel Lecture in Chemistry. December 8. https://www.nobelprize.org/uploads/2018/06/rowland-lecture.pdf

Solomon, S. 1999. "Stratospheric Ozone Depletion: Review of Concepts and History." *Review of Geophysics* 37: 275–316.

Stolarski, R. S., and R. J. Cicerone. 1974. "Stratospheric Chlorine: A Possible Sink for Ozone." *Canadian Journal of Chemistry* 52: 1610–1615.

Tevini, M., ed. 1993. *UV-B Radiation and Ozone Depletion: Effects on Humans, Animals, Plants, Microorganisms, and Materials.* Boca Raton, FL: Lewis Publishers.

クロロフルオロカーボン類の全廃と代替フロン

Maxwell, J., and F. Briscoe. 1997. "There's Money in the Air: The CGC Ban and DuPont's Regulatory Strategy." *Business Strategy and the Environment* 6: 276–286.

Reimann, C. R. 2018. "Observing the Atmospheric Evolution of Ozone-Depleting Substances." *Geoscience* 350: 384–392.

United Nations Environment Program. 2020. *Montreal Protocol on Substances That Deplete the Ozone Layer.* Nairobi: UNEP.

第３章　主流となるはずだったのに、当てがはずれた発明

飛行船

飛行船の歴史

Dwiggins, D. 1980. *The Complete Book of Airships—Dirigibles, Blimps and Hot Air Balloons.* Shrewsbury: Airlife.

Folkes, J. 2008. "Balloons, Airships and Kites—Lighter Than Air: Past, Present and Future." *Aeronautical Journal* 112: 421–429.

Liao, L., and I. Pasternak. 2009. "A Review of Airship Structural Research and Development." *Progress in Aerospace* 45: 83–96.

MacMechen, T. R., and C. Dienstbach. 1912. "The Greyhounds of the Air." *Everybody's Magazine* 27: 290–304.

Robinson, D. H. 1973. *Giants in the Sky: History of the Rigid Airship.* Henley-on Thames: Foulis.

Swinfield, J. 2012. *Airship: Design, Development and Disaster.* London: Conway.

Toland, J. 1972. *The Great Dirigibles: Their Triumphs and Disasters.* Mineola, NY: Dover Publishers, 1972.

軍用飛行船

Dienstbach, C., and T. R. MacMechen. 1909. "The Aerial Battleship." *McClure's Magazine* 33: 422–434.

Jamison, L., et al. 2005. *High-Altitude Airships for the Future Force Army.* Santa Monica, CA: Rand Corporation.

Robinson, D. W. 1976. *USAF History of Manned Balloons and Airships.* Maxwell Air Force Base, AL: USAF.

Robinson, D. W. 1997. *The Zeppelin in Combat: A History of the German Naval Airship Division, 1912–1918.* Seattle: University of Washington Press.

〈ツェッペリン〉

Archbold, R., and K. Marschall. 1994. *Hindenburg: An Illustrated History.* New York: Warner Books.

Botting, D. 2001 *Dr. Eckener's Dream Machine: The Great Zeppelin and the Dawn of Air Travel.* New York: Henry Holt and Co.

Brooks, P. 2004. *Zeppelin: Rigid Airships 1893–1940.* London: Putnam Aeronautical Books.

Clausberg, K. 1979. *Zeppelin: Die Geschichte eines unwahrscheinlichen Erfolges.* München: Schirmer/Mosel.

de Syon, G. 2001. *Zeppelin! Germany and the Airship, 1900–1939.* Baltimore, MD: Johns Hopkins University Press.

Dick, H. G., and D. H. Robinson. 1985. *The Golden Age of the Great Passenger Airships Graf Zeppelin & Hindenburg.* Washington, DC: Smithsonian Institution Press.

DiLisi, G. A. 2017. "The Hindenburg Disaster: Combining Physics and History in the Laboratory." *Physics Teacher* 55: 268.

Eckener, H. 1929. Rigid airship with separate gas cells. US Patent 1,724,009, issued August 13, 1929.

Eckener, H. 1958. *My Zeppelins.* London: Putnam and Co.

Lehmann, E. 1937. *Zeppelin: The Story of Lighter-Than-Air Craft.* London: Longmans, Green and Co.

Majoor, M. 2000. *Inside the Hindenburg.* Boston: Little, Brown and Co.

Sattelmacher, A. 2021. "Shuffled Zeppelin Clips: The Flight and Crash of LZ 129 Hindenburg in the Archives." *Isis* 112: 352–360.

Zeppelin, F. 1899. Navigable balloon. US Patent 1,621,195, filed December 29, 1897, and issued March 14, 1899.

飛行船の未来

Ling, J. 2020. "The Age of the Airship May Be Dawning Again." *Foreign Policy,* February 29.

Miller, S., et al. 2014. *Airships: A New Horizon for Science.* Pasadena, CA: Keck Institute for Space Studies. https://kiss.caltech.edu/final_reports/Airship_final_report.pdf

Prentice, B. E., et al. 2021. "Transport Airships for Scheduled Supply and Emergency Response in the Arctic." *Sustainability* 13: 5301.

Villamizar, H. 2022. "Air Nostrum Orders a Fleet of Airlander Airships." *Airways Magazine,* June 17, 2022. https://airwaysmag.com/air-nostrum-airlander-airships

Windischbauer, F., and J. Richardson. 2005. "Is There Another Chance for LighterThan-Air Vehicles?" *Foresight* 7 : 54–65.

核分裂反応を利用した原子力発電

核分裂反応に関する研究の歴史

Hahn, O., and F. Strassman. 1939. "Über den Nachweis und das Verhalten der bei der Bestrahlung des Urans mittles Neutronen entstehenden Erdalkalimetalle." *Naturwissenschaften* 27 : 11–15.

Lanouette, W. 1992. *Genius in Shadows : A Biography of Leo Szilard.* New York : Charles Scribner's Sons.

Meitner, L., and O. R. Frisch. 1939. "Disintegration of Uranium by Neutrons : A New Type of Nuclear Reaction." *Nature* 143 : 239–240.

原子力発電の歴史

Beck, P. W. 1999. "Nuclear Energy in the Twenty-First Century : Examination of a Contentious Subject." *Annual Review of Energy* 24 : 113–138.

Eisenhower, D. D. 1953. Atoms for Peace Speech to the 470th Plenary Meeting of the United Nations General Assembly. https://www.iaea.org/about/history/atoms-for-peace-speech

Lovering, J. R., et al. 2016. "Historical Construction Costs of Global Nuclear Power Reactors." *Energy Policy* 91 : 371–382.

Marcus, G. 2010. *Nuclear Firsts : Milestone on the Road to Nuclear Power Development.* La Grange Park, IL : American Nuclear Society.

Murray, R. L. 2009. *Nuclear Energy.* Oxford : Elsevier.

アメリカにおける原子力発電

Cantelon, P. L. 1984. *The American Atom : A Documentary History of Nuclear Policies from the Discovery of Fission to the Present, 1939–1984.* Philadelphia : University of Philadelphia Press.

Cowan, R. 1990. "Nuclear Power Reactors : A Study in Technological Lock-in." *Journal of Economic History* 50 : 541–567.

Forsberg, C. W., and A. M. Weinberg. 1990. "Advanced Reactors, Passive Safety, and Acceptance of Nuclear Energy." *Annual Review of Energy* 15 : 133–152.

Holl, J. M., et al. 1985. *United States Civilian Nuclear Power Policy, 1954–1984 : A History.* Washington, DC : US Department of Energy.

Kaplan, S. 2008. *Power Plants : Characteristics and Costs.* Washington, DC : Congressional Research Service.

Lowen, R. S. 1987. "Entering the Atomic Power Race : Science, Industry, and Government." *Political*

Science Quarterly 102 : 459–479.

Nuclear Regulatory Commission. 2011. *Reactor Designs, Safety, Emergency Preparedness, Security, Renewals, New Designs, Licensing, American Plants, Decommissioning.* Washington, DC : NRC.

Parker, L., and M. Holt. 2007. *Nuclear Power : Outlook for New U. S. Reactors.* Washington, DC : Congressional Research Service.

Pope, D. 1991. "Seduced and Abandoned? Utilities and WPPSS Nuclear Plants 4 and 5." *Columbia Magazine,* Fall 1991.

Rockwell, T. 1992. *The Rickover Effect : How One Man Made a Difference.* Annapolis, MD : Naval Institute Press.

核分裂反応のリスクと事故

Chapin, D. M., et al. 2002. "Nuclear Power Plants and Their Fuel as Terrorist Target." *Science* 297 : 1997–1999.

Mahaffey, J. 2019. *Atomic Accidents : A History of Nuclear Meltdowns and Disasters : From the Ozark Mountains to Fukushima.* Oakland, CA : Pegasus Books.

Nuclear Energy Agency. 2002. *Chernobyl : Assessment of Radiological and Health Impacts.* Paris : NEA.

Weinberg, Alvin M. 1972. "Social Institutions and Nuclear Energy." *Science* 177 : 27–34.

高速増殖炉

Cochran, T. B., et al. 2010. *Fast Breeder Reactor Programs : History and Status.* Princeton, NJ : International Panel on Fissile Materials.

International Atomic Energy Agency. 2012. *Status of Fast Reactor Research and Technology Development.* Vienna : IAEA. https://www-pub.iaea.org/MTCD/Publications/PDF/te_1691_web.pdf

Judd, A. M. 1981. *Fast Breeder Reactors : An Engineering Introduction.* Oxford : Pergamon.

Sokolski, H. 2019. "The Rise and Demise of the Clinch River Breeder Reactor." *Bulletin of the Atomic Scientists,* February 6. https://thebulletin.org/2019/02/the-rise-and-demise-of-the-clinch-river-breeder-reactor/

小型モジュール炉

IAEA. 2021. Small nuclear power reactors.

Oklo. 2021. "What Could You Do with a MW-Decade of Emission-Free Power?" https://oklo.com

Rolls Royce. 2021. "Small Modular Reactors—Rolls-Royce." https://www.rolls-royce.com/innovation/small-modular-reactors.aspx

TerraPower. 2021. The Natrium Reactor : From Research to Reality. https://www.terrapower.com/natrium-reactor-reality-2021

World Nuclear Association. "Small Nuclear Power Reactors." http://world-nuclear.org

超音速飛行

超音速飛行の歴史

Bisplinghoff, R. L. 1964. "The Supersonic Transport." *Scientific American* 210, no. 6 : 25–35.

Culick, F. E. C. 1979. "The Origins of the First Powered, Man-Carrying Airplane." *Scientific American* 241, no. 1 : 86–100.

International Civil Aviation Organization. 1960. *Annual Report of the Council to the Assembly for 1959.* Montreal : ICAO. https://www.icao.int/assembly-archive/Session13E/A.13.REP.1.P.EN.pdf

超音速飛行の問題点

Carioscia, S. A., et al. 2019. Challenges to Supersonic Flight. Alexandria, VA : Institute for Defense Analyses.

Edwards, G. 1974. "The Technical Aspects of Supersonic Civil Transport Aircraft." *Philosophical Transactions of the Royal Society of London. Series A, Mathematical and Physical Sciences* 275 : 529–565.

Nowlan, F. S., and K. W. Comstock. 1965. "The Assessment of Supersonic Transport Operating Costs." *SAE Transactions* 73 : 685–697.

Tang, R. Y., et al. 2018. *Supersonic Passenger Flights.* Washington, DC : Congressional Research Service.

〈コンコルド〉

Bureau d'Enquêtes et d'Analyses pour le Sécurité de l'Aviation Civil. 2002. *Accident on 25 July 2000 at La Patte d'Oie in Gonesse (95) to the Concorde Registered F-BTSC Operated by Air France.* Paris : BEA.

Butcher, L. 2010. *Aviation : Concorde.* London : Library House of Commons.

Buttler, T., and J. Carbonel. 2018. *Building Concorde : From Drawing Board to Mach 2.* Forest Lake, MN : Specialty Press.

Glancy, J. 2016. *Concorde : The Rise and Fall of the Supersonic Airliner.* Boston : Atlantic Books.

Johnman, L., and F. M. B. Lynch. 2002. "The Road to Concorde : Franco-British Relations and the Supersonic Project." *Contemporary European History* 11 : 229–252.

Smith, R. K. 2019. "The Supersonic Airliner Fiasco : Frenzied International Aeronautical Saga of Communicable Obsessions, 1956–1976." *Air Power History,* Fall : 5–20.

Trubshaw, B. 2019. *Concorde : The Complete Inside Story.* Cheltenham : History Press.

アメリカの超音速飛行

Bedwell, D. 2012. "Supersonic Gamble." *Aviation History Magazine,* May. https://www.historynet.com/supersonic-gamble.htm

Office of Technology Assessment. 1980. *Impact of Advanced Air Transport Technology.* Washington, DC : OTA.

近年の超音速飛行プロジェクト

Boom Supersonic. 2022. “Boom—Supersonic Passenger Airplanes.” https://boomsupersonic.com/

Lockheed Martin. 2022. “X-59.” https://www.lockheedmartin.com/en-us/products/quesst.html

Schneider, D. 2021. “The Recent Supersonic Boom. *Spectrum IEEE,* August.

Spike Aerospace. 2022. “The Spike S-512 Supersonic Jet: Fly Supersonic. Do More.” https://www.spikeaerospace.com/

第４章　待ちわびているのに、いまだに実現されない発明

ハイパーループ——真空（に近い）空間で移動する高速輸送システム

ジョージ・メドハースト

London Mechanics’ Register 1825. London and Edinburgh Vacuum Tunnel Company. 1825. *London Mechanics’ Register* 1: 205–207.

Medhurst, G. 1812. *Calculations and Remarks, Tending to Prove the Practicality, Effects and Advantages of a Plan for the Rapid Conveyance of Goods and Passengers Upon an Iron Road Through a Tube of 30 Feet in Area, by the Power and Velocity of Air.* London: D. N. Shury.

Medhurst, G. 1827. *A New System of Inland Conveyance, for Goods and Passengers, Capable of Being Applied and Extended Throughout the Country; and of Conveying All Kinds of Goods, Cattle, and Passengers, with the Velocity of Sixty Miles in an Hour, at an Expense That Will Not Exceed the One-Fourth Part of the Present Mode of Travelling, Without the Aid of Horses or Any Animal Power.* London: T. Brettell.

イザムバード・K・ブルネル

Buchanan, R. A. 1992. “The Atmospheric Railway of I. K. Brunel.” *Social Studies of Science* 22: 231–243.

ロバート・ゴダード

Goddard, R. H. 1914. “Bachelet’s Frictionless Railway at Basis a Tech Idea.” *Worcester Polytechnic Institute Journal* 1914: 12–21.

Goddard, R. H. 1950. Vacuum tube transportation system. US Patent 2,511,979A, filed May 21, 1945, issued June 30, 1950.

Scientific American. 1909. “The Limit of Rapid Transit.” *Scientific American* 101, no. 1: 366.

エミール・バチェレット

Bachelet, É. 1912. Levitating transmitting apparatus. US Patent 1,020,942, issued March 19, 1912.

ボリス・ペトロヴィッチ・ヴァインベルク

Weinberg, B. 1917. "Traveling at 500 Miles Per Hour in the Future Electric Railway." *Electrical Experimenter* 1917 : 794.

Weinberg, B. 1919. "Traveling at 500 Miles an Hour." *Popular Science Monthly* 1919 : 705.

ロバート・バラード・デイヴィ

Davy, R. B. 1920. Vacuum-railway. US Patent 1,336,782, issued April 13, 2020.

ロバート・ソルター

Salter, R. M. 1972. *The Very High Speed Transit System.* Santa Monica, CA : Rand Corporation.

Salter, R. M. 1978. *Trans-Planetary Subway Systems—A Burgeoning Capability.* Santa Monica, CA : Rand Corporation.

ハイパーループ構想

Armagana, K. 2020. "The Fifth Mode of Transportation : Hyperloop." *Journal of Innovative Transportation* 1, no. 1 : 1105.

Hyperloop TT. 2022. "The Future Is Now Boarding." Hyperloop Transportation Technologies. https://www.hyperlooptt.com

Klühspies, J., et al. 2022. *Hyperloop? Ergebnisse einer internationalen Umfrage im Verkehrswesen.* Munich : The International Maglev Board.

Musk, E. 2013. "Hyperloop Alpha." https://www.tesla.com/sites/default/files/blog_images/hyperloop-alpha.pdf

Nøland, K. 2021. "Prospects and Challenges of the Hyperloop Transportation System : A Systematic Technology Review." *IEEE Access* 9 : 28439–28458. https://ieeexplore.ieee.org/stamp/stamp.jsp?arnumber=9350309

Virgin Hyperloop. 2021. "Virgin Hyperloop." https://virginhyperloop.com〔リンク切れ〕

窒素固定作物

窒素固定細菌の歴史

Beijerinck, M. W. 1888. Die Bakterien der Papilionaceen-Knölchen. *Botanische Zeitschrift* 46 : 725–804.

Boddey, R. M., and J. Döbereiner. 1995. "Nitrogen Fixation Associated with Grasses and Cereals : Recent Progress and Perspectives for the Future." *Fertilizer Research* 42 : 241–250.

Borlaug, N. 1970. "Nobel Prize Acceptance Speech." December 10. https://www.nobelprize.org/prizes/peace/1970/borlaug/acceptance-speech/

Burrill, T. J., and R. Hansen. 1917. "Is Symbiosis Possible between Legume Bacteria and Non-Legume Plants?" *Agricultural Experimental Station Bulletin* 202 : 115–181

Döbereiner, J. 1988. "Isolation and Identification of Root Associated Diazotrophs." *Plant and Soil* 110 : 207–212.

Hellriegel, H., and H. Wilfarth. 1888. "Untersuchungen über die Stickstoffernährung der Gramineen und Leguminosen." *Beiläge der Zeitschrift des Vereins für die Rübenzuckerindustrie.* Berlin : Kayssler.

Löhnis, F. 1921. "Nodule Bacteria of Leguminous Plants." *Journal of Agricultural Research* 20 : 543–556.

Smil, V. 2001. *Enriching the Earth : Fritz Haber, Carl Bosch and the Transformation of World Food Production.* Cambridge, MA : MIT Press.

穀物の窒素固定

Beatty, P. H., and A. G. Good. 2011. "Future Prospects for Cereals That Fix Nitrogen." *Science* 333 : 416–417.

Bloch, S. E., et al. 2020. "Harnessing Atmospheric Nitrogen for Cereal Crop Production." *Current Opinion in Biotechnology* 62 : 181–188.

Crookes, W. 1898. "Address of the President before the British Association for the Advancement of Science, Bristol, 1898." *Science* 8 : 561–575.

Huisman, R., and R. Geurts. 2020. "A Roadmap toward Engineered Nitrogen Fixing Nodule Symbiosis." *Plant Communications.* https://doi.org/10.1016/j.xplc.2019.100019

Pankiewicz, V. C. S., et al. 2019. "Are We There Yet? The Long Walk towards the Development of Efficient Symbiotic Associations between Nitrogen-Fixing Bacteria and Non-Leguminous Crops." *BMC Biology* 17 : 99.

Rosenblueth, M., et al. 2018. "Nitrogen Fixation in Cereals." *Frontiers in Microbiology* 9 : 1794. doi : 10.3389/fmicb.2018.0179

Sharma, P., et al. 2016. "Biological Nitrogen Fixation in Cereals : An Overview." *Journal of Wheat Research* 8, no. 2 : 1–11.

Yang, J., et al. 2018. "Polyprotein Strategy for Stoichiometric Assembly of Nitrogen Fixation Components for Synthetic Biology." *Proceedings of the National Academy of Sciences* 115, no. 36 : E8509-E8517.

近年の動向

Azotic Technologies. 2018. "Azotic's Natural Nitrogen Fixing Technology Is Now Commercially Available in the USA." https://news.agropages.com/News/NewsDetail---28632.htm

Azotic Technologies. 2021. "Envita Technologies." https://www.azotic-na.com/science-behind-envita

Schwartz, J., et al. 2020. *Practical Farm Research 2020.* https://www.beckshybrids.com/portals/0/

sitecontent/literature/2020-2021-literature/Becks-2020-PFRBook.pdf 〔リンク切れ〕
Schwartz, J., et al. 2021, *Practical Farm Research 2021.* https://www.beckshybrids.com/portals/0/sitecontent/literature/2021-2022-literature/PFR-Book-2021-web.pdf 〔リンク切れ〕

US Food and Drug Administration. 2021. *GMO Crops, Animal Food, and Beyond.* Washington, DC: US FDA.

Witt, M., et al. 2020. *On-Farm Corn Nitrogen Enhancer Foliar Treatment Demonstration Trials.* Ames: Iowa State University.

制御核融合

太陽

Bethe, H. A. 1967. "Energy Production in Stars." Nobel Lecture, December 11. https://www.nobelprize.org/uploads/2018/06/bethe-lecture.pdf

核融合の物理学

Glasstone, S. 1974. *Controlled Nuclear Fusion.* Washington, DC: US Atomic Energy Commission.

Kikuchi, M., et al., eds. 2012. *Fusion Physics.* Vienna: International Atomic Energy Agency.

核融合研究の歴史

Chou, C. B., et al. 2016. *Fusion Energy via Magnetic Confinement: An Energy Technology Distillate.* Princeton, NJ: Andlinger Center for Energy and the Environment.

Coppi, B. 2016. "Relevance of Advanced Nuclear Fusion Research: Breakthroughs and Obstructions." *American Institute of Physics Conference Proceedings* 1721, no. 1, 020003. https://doi.org/10.1063/1.4944012

Dean, S. O. 2013. *Search for the Ultimate Energy Source: A History of the U. S. Fusion Energy Program.* New York: Springer.

El-Guebaly, L. 2010. "Fifty Years of Magnetic Fusion Research (1958–2008): Brief Historical Overview and Discussion of Future Trends." *Energies* 3: 1067–1086.

Lopes Cardozo, N. J., et al. 2016. "Fusion: Expensive and Taking Forever?" *Journal of Fusion Energy* 35: 94–101

Shafranov, V. D. 2001. "On the History of the Research into Controlled Thermonuclear Fusion." *Uspekhi Fizicheskikh Nauk* 44: 835–865.

トカマク型核融合炉

Zohm, H. 2019. "On the Size of Tokamak Fusion Power Plants." Philosophical Transactions of the Royal Society A 377: 20170437. http://dx.doi.org/10.1098/rsta.2017.0437

国際熱核融合実験炉（ITER）

ITER. 2021. “What Is ITER?” https://www.iter.org/proj/inafewlines

慣性閉じ込め方式

Nuckolls, J., et al. 1972. “Laser Compression of Matter to Super-High Densities: Thermonuclear (CTR) Applications.” *Nature* 239: 139–142.

Zylstra, A. B., et al. 2022. “Burning Plasma Achieved in Inertial Fusion.” *Nature* 601: 542–548.

常温核融合

Ball, P. 2019. “Lessons from Cold Fusion: 30 Years On.” *Nature* 569: 601.

Berlinguette, C. P., et al. 2019. “Revisiting the Cold Case of Cold Fusion.” *Nature* 570: 45–51.

Nagel, D. J. 2021. “Experimental Status of LENR.” PowerPoint presentation. Washington, DC: US Department of Energy.

核融合の未来

Ball, P. 2021. “The Race to Fusion Energy.” *Nature* 599: 562–566.

Dabbar, P. 2021. “Fusion Breakthrough Dawns a New Era for US Energy and Industry. *The Hill,* September 10. https://thehill.com/opinion/technology/571722-fusion-breakthrough-dawns-a-new-era-for-us-energy-and-industry/

Enter, S., et al. 2018. “Approximation of the Economy of Fusion Energy.” *Energy* 152: 489–497.

European Fusion Development Agreement. 2012. *Fusion Electricity: A Roadmap to the Realisation of Fusion Energy.* Culham: EFDA.

Galchen, R. 2021. “Green Dream.” *New Yorker,* October 11, 22–28.

Hirsch, R. L. 2015. “Fusion Research: Time to Set a New Path.” *Issues in Science and Technology Summer* 2015: 35–42.

International Atomic Energy Agency. 2021. “Fusion Energy.” *IAEA Bulletin,* May.

Jassby, D. 2017. “Fusion Reactors: Not What They’re Cracked Up to Be.” *Bulletin of the Atomic Scientists,* April 19.

Young, C. 2021. “We Are Now One Step Closer to Limitless Energy from Nuclear Fusion.” *Interesting Engineering September* 9, 2021.

第５章　テクノロジー楽観主義、誇大な謳い文句、現実的な期待

「ブレイクスルー」ではない「ブレイクスルー」の数々

Gandy, S. 2021. “6 Ways the FDA’s Approval of Aduhelm Does More Harm Than Good.” *STAT,* June 15. https://www.statnews.com/2021/06/15/6-ways-fda-approval-aduhelm-does-more-harm-than-good/

Hall, B. H. 2020. "Patents, Innovation, and Development." NBER Working Paper 27203. Cambridge, MA: National Bureau of Economic Research.

McDonald, L. 2017. "What Is Tony Seba Smoking? EVAdoption News, May 20. https://evadoption.com/what-is-tony-seba-smoking-evadoption-news-may-20-2017/

Norris, M. 2020. "Brain-Computer Interfaces Are Coming. Will We Be Ready?" *The RAND blog.* Santa Monica, CA: Rand Corporation, August 27.

Pham, C., and F. Gilbert. 2021. "Predicting the Future of Brain-Computer Interface Technologies: The Risky Business of Irresponsible Speculation in News Media." *Bioethics Forum* 12: 15–28.

RethinkX. 2017. *Transportation Report.* https://www.rethinkx.com/transportation

Rosario, C. 2019. "4 Problems with Electronic Health Records." Advanced Data Systems Corporation, October 16. https://www.adsc.com/blog/problems-with-electronic-health-records

SpaceX. 2017. "Mars & Beyond." https://www.spacex.com/human-spaceflight/mars/

Sumner, P., et al. 2014. "The Association between Exaggeration in Health-Related Science News and Academic Press Releases: Retrospective Observational Study." *British Medical Journal* 2014: 349. doi: 10.1136/bmj.g7015

イノベーションは加速化しているのか？

Azhar, A. 2021. *The Exponential Age: How Accelerating Technology Is Transforming Business, Politics, and Society.* New York: Diversion Books.

Berlinski, D. 2018. "Godzooks." Inference 3, no. 4. https://inference-review.com/article/godzooks

Harari, Y. 2017. *Homo Deus: A Brief History of Tomorrow.* New York: Harper.（ユヴァル・ノア・ハラリ『ホモ・デウス――テクノロジーとサピエンスの未来』（河出文庫、上・下）、柴田裕之訳、河出書房新社、2022年）

Kurzweil, R. 2006. *The Singularity Is Near.* New York: Penguin.

Kurzweil, R. 2021. "Kurzweil: Tracking the Acceleration of Intelligence." http://www.kurzweilai.net/

Mokyr, J. 2014. "The Next Age of Invention: Technology's Future Is Brighter Than Pessimists Allow." *City Journal* 24 (Winter): 12–21. https://www.city-journal.org/html/next-age-invention-13618.html

Mokyr, J. 2017. *A Culture of Growth: The Origins of the Modern Economy.* Princeton, NJ: Princeton University Press.

創薬

Kinch, M. S. 2015. "An Overview of FDA-Approved Biologics Medicines." *Drug Discovery Today* 20: 393–398.

Kinch, M. S., et al. 2013. "An Overview of FDA-Approved New Molecular Entities: 1827–2013." *Drug Discovery Today* 19: 1033–1039.

Ricciarelli, R., and E. Fedele. 2017. "The Amyloid Cascade Hypothesis in Alzheimer's Disease: It's Time to Change Our Mind." *Current Neuropharmacology* 15: 926–935.

US Food and Drug Administration. 2022. Drug Approvals and Databases.

航空技術

Ahlgren, L. 2021. “Embraer Launches a Fleet of 4 New Sustainable Aircraft Designs.” Simple Flying, November 8. https://simpleflying.com/embraer-sustainable-aircraft-designs/

Bailey, J. 2019. “Who Is Alice? An Introduction to the Bizarre Eviation Electric Aircraft.” Simple Flying, June 26. https://simpleflying.com/eviation-alice-electric-aircraft/

Eviation. 2022. “Sustainable, Economical Aviation.” http://eviation.com

Universal Hydrogen. 2021. “Fueling Carbon-Free Flight.” https://hydrogen.aero/

Zunum Aero. 2019. “Bringing You Electric Air Travel Out to a Thousand Miles.” https://zunum.aero/

人工知能（AI）

Anderson, J., et al. 2018. *Artificial Intelligence and the Future of Humans.* Washington, DC: Pew Research Center.

Choi, C. Q. 2021. “7 Revealing Ways AIs Fail.” *IEEE Spectrum,* September 2021: 42–47.

Jordan, M. I. 2021. “Stop Calling Everything ‘Artificial Intelligence.’” Mind Matters: News, April 7, 2021. https://mindmatters.ai/2021/04/ai-researcher-stop-calling-everything-artificial-intelligence/#:~:text=Jordan%20(pictured)%20adds%2C,talking%20as%20if%20we%20do.%E2%80%9D

Kissinger, H., et al. 2021. *The Age of AI.* Boston: Little, Brown and Co.（ヘンリー・キッシンジャー、エリック・シュミット、ダニエル・ハッテンロッカー『AI と人類』、土方奈美訳、日経 BP 日本経済新聞出版、2022 年）

Pretz, K. 2021. “Stop Calling Everything AI, Machine-Learning Pioneer Says.” *IEEE Spectrum,* September, 58–59.

Roitblat, H. L. 2020. *Algorithms Are Not Enough: Creating General Artificial Intelligence.* Cambridge, MA: MIT Press.

Strickland, E. 2021. “The Turbulent Past and Uncertain Future of AI.” *IEEE Spectrum,* October, 27–31.

Thompson, N. C., et al. 2021. “Deep Learning’s Diminishing Returns.” *IEEE Spectrum,* October, 51–55.

ムーアの法則

Hall, E. C. 1996. *Journey to the Moon: The History of the Apollo Guidance Computer.* Washington, DC: American Institute of Aeronautics and Astronautics.

Hennessy, J. 2019. “The End of Moore’s Law & Faster General Purpose Computing, and a Road Forward.” Faculty paper, Stanford University, March. https://opennetworking.org/wp-content/uploads/2020/12/9_2.05pm_John_Hennessey.pdf

Moore, G. E. 1965. “Cramming More Components onto Integrated Circuits.” *Electronics* 38, no. 8: 114–117.

Moore, G. E. 1975. “Progress in Digital Integrated Electronics.” Technical Digest, *IEEE International Electron Devices Meeting,* 11–13.

Moore, G. E. 2003. “No Exponential Is Forever: But ‘Forever’ Can Be Delayed!” Paper presented at

IEEE International Solid-State Circuits Conference, San Francisco. http://ieeexplore.ieee.org/document/1234194/
Rupp, K., and S. Selberherr. 2011. "The Economic Limit to Moore's Law." *IEEE Transactions on Semiconductor Manufacturing* 24, no. 1 : 1–4.
Smil, V. 2015. "Moore's Curse." *IEEE Spectrum,* April, 26.

現代の世界における成長

Cunningham. C. 2020. "TV Screen Sizes over Time." VAVA, February 10. http://blog.vava.com/the-evolution-of-tv-screen-sizes-past-and-future-the-largest-4k-tv/
European Commission. 2021. "Electricity Price Statistics." Eurostat. https://ec.europa.eu/eurostat/statistics-explained/index.php?title=Electricity_price_statistics#:~:text=The%20EU%20average%20price%20in,was%20%E2%82%AC0.2369%20 per%20kWh
Feldman, D., et al. 2021. *U. S. Solar Photovoltaic System and Energy Storage Cost Benchmark : Q1 2020.* Technical Report NREL/TP-6A20-77324. US Department of Energy, National Renewable Energy Laboratory, January.
Kelly, B., et al. 2020. "Measuring Technological Innovation over the Long Run." NBER Working Paper 25266. Cambridge, MA : National Bureau of Economic Research.
Smil, V. 2005. *Creating the 20th Century : Technical Innovations of 1867–1914 and Their Lasting Impact.* New York : Oxford University Press.
Smil, V. 2006. *Transforming the 20th Century : Technical Innovations and Their Consequences.* New York : Oxford University Press.
Smil, V. 2016. *Still the Iron Age : Iron and Steel in the Modern World.* Amsterdam : Elsevier.
Smil, V. 2019. *Growth : From Microorganisms to Megacities.* Cambridge, MA : MIT Press.（バーツラフ・シュミル『グロース「成長」大全――微生物から巨大都市まで』（ニュートン新書、上・下)、田中嘉成監訳、三輪ヒナタ訳、ニュートンプレス、2022 年）
UN Food and Agricultural Organization. 2021. The State of Food Security and Nutrition in the World 2021. Rome : FAO.
UN Food and Agriculture Organization. 2022. Crops and Livestock Products (database). Food and Agriculture Statistics, FAOSTAT.
World Bank. 2022. GDP Per Capita (Constant 2015 US$) (database). https://data.worldbank.org/indicator/NY.GDP.PCAP.KD
Zu, C., and H. Li. 2011. "Thermodynamic Analysis on Energy Densities of Batteries." *Energy and Environmental Science* 4 : 2614–2625.

がん

American Cancer Society. 2021. Cancer Treatment and Survivorship : Facts & Figures 2019–2021. Atlanta : American Cancer Society, 2019. https://www.cancer.org/content/dam/cancer-org/research/cancer-facts-and-statistics/cancer-treatment-and-survivorship-facts-and-figures/cancer-treatment-

and-survivorship-facts-and-figures-2019-2021.pdf
Farrelly, C. 2021. "50 Years of the 'War on Cancer': Lessons for Public Health and Geroscience." *Geroscience* 43: 1229–1235.
Memorial Sloan Kettering Cancer Center. 2021. "Mission Possible? Revisiting the 'War on Cancer' 50 Years Later." *MSK News,* Winter. https://www.mskcc.org/msk-news/winter-2020/mission-possible-revisiting-war-cancer-50-years-later
National Cancer Institute. 2020. "Milestones in Cancer Research and Discovery." Washington, DC: National Institutes of Health.
National Cancer Institute. 2021. "National Cancer Act of 1971." Washington, DC: National Institutes of Health, February (last update). https://www.cancer.gov/about-nci/overview/history/national-cancer-act-1971
Obama, B. 2009. Address to Joint Session of Congress. Remarks of President Barack Obama—Address to Joint Session of Congress. https://obamawhitehouse.archives.gov/the-press-office/remarks-president-barack-obama-address-joint-session-congress
Rehemtulla, A. 2009. "The War on Cancer Rages On." *Neoplasia* 11: 1252–1263.
Sporn, M. B. 1996. "The War on Cancer." *Lancet* 347: 1377–1382.
von Eschenbach, A. C. 2003. "NCI Sets Goal of Eliminating Suffering and Death due to Cancer by 2015." *Journal of the National Medical Association* 95: 637–639.
Weir, H. K., et al. 2015. "The Past, Present, and Future of Cancer Incidence in the United States: 1975 through 2020." *Cancer* 121: 1827–1837.
White House. 2022. "Fact Sheet: President Biden Reignites Cancer Moonshot to End Cancer as We Know It." Press release, February 2.

脱炭素化

Breakthrough Energy. 2021. "Breakthrough Energy Catalyst and Major Corporations Announce Partnership to Accelerate the Clean Energy Transition." https://breakthroughenergy.org/news/breakthrough-energy-catalyst-and-major-corporations-announce-partnership-to-accelerate-the-clean-energy-transition/
International Energy Agency. 2020. *Global EV Outlook* 2020. IEA, June. https://www.iea.org/reports/global-ev-outlook-2020
International Energy Agency. 2021. "CO2 Emissions: Global Energy Review 2021." IEA. https://www.iea.org/reports/global-energy-review-2021/co2-emissions
Smil, V. 2017. *Energy Transitions: Global and National Perspectives.* Santa Barbara, CA: Praeger.
Smil, V. 2021. "SUVs Ascendant." *IEEE Spectrum,* September, 22–23.
Smil, V. 2021. "Electric Flight." *IEEE Spectrum,* November, 22–23.
UN Framework Convention on Climate Change, Glasgow Climate Pact. 2021. "Draft text on 1/CMA.3." November 13. https://unfccc.int/sites/default/files/resource/Overarching_decision_1-CMA-3_1.pdf